#수학은매일매일

#하루6쪽20일완성

#수능준비스타트

#수학기초하루시리즈

하루 수능

Chunjae
Makes
Chunjae

▼

저자	최용준, 해법수학연구회
편집개발	김혜정, 박선영, 민혜경
그림	정용환
디자인총괄	김희정
표지디자인	윤순미, 김지현
내지디자인	박희춘, 조유정
제작	황성진, 조규영

발행일	2021년 7월 15일 초판 2021년 7월 15일 1쇄
발행인	(주)천재교육
주소	서울시 금천구 가산로9길 54
신고번호	제2001-000018호
고객센터	1577-0902
교재 내용문의	(02)3282-8859

※ 정답 분실 시에는 천재교육 홈페이지에서 내려받으세요.

시 작 은

하루 수능

이 책의 **구성과 특징**

수능 수학 준비의 시작은 하루 수능!

수능 수학을 처음 접하는 학생들이 혼자서도 단계적으로 공부할 수 있도록 한 수능 수학 입문서입니다. 하루에 6쪽씩, 일주일에 5일, 4주 완성의 체계적인 구성과 부담 없는 분량으로 단기간에 기초를 완성할 수 있도록 하였습니다.

1 이번 주에는 무엇을 공부할까?

한 주 동안 공부할 내용과 관련된 내용을 복습하고 간단한 기초 문제를 풀어 보며 고등수학 개념에 보다 쉽게 다가갈 수 있도록 하였습니다.

2 핵심 개념 / 개념 확인

문제를 통해 교과서에 나오는 핵심 개념을 체크해 볼 수 있도록 하였습니다.

또 개념 확인 문제로 핵심 개념을 바로 적용해 보고 반복하는 연습을 통해 기초 실력을 탄탄히 할 수 있도록 하였습니다.

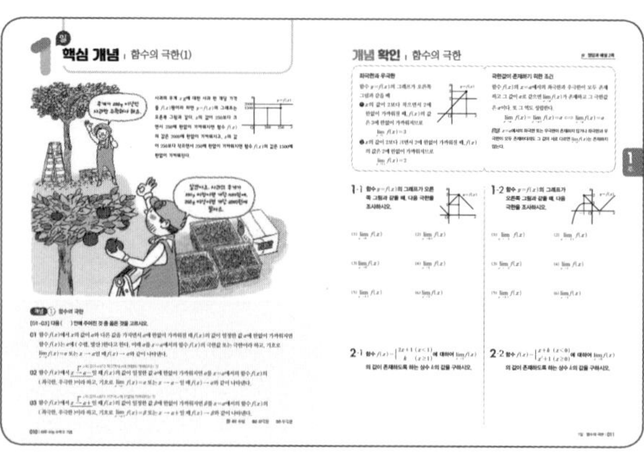

③ 기초 유형

교육청, 평가원, 수능에 자주 출제되는 문제를 통해 기출 문제에 대한 감각을 익히고, 쌍둥이 교과서 문제로 비슷한 유형의 문제를 다시 풀어 보면서 실력을 쌓을 수 있도록 하였습니다.

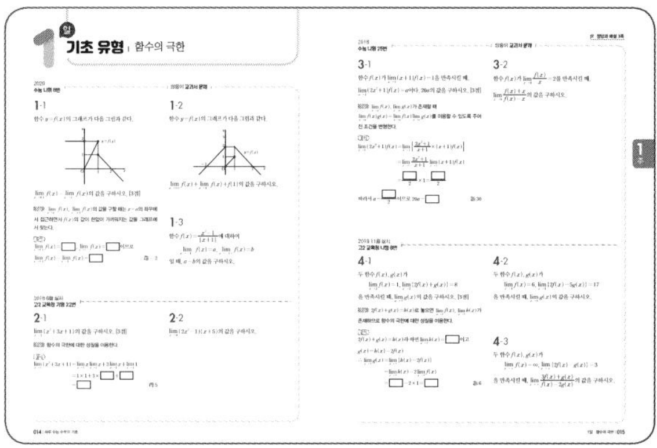

④ 누구나 100점 테스트

기초 유형에서 학습한 문제와 유사한 교육청, 평가원, 수능 기출 문제들로 구성하여 각 주에서 학습한 내용을 다시 한 번 정리하고, 자신의 실력을 점검할 수 있도록 하였습니다.

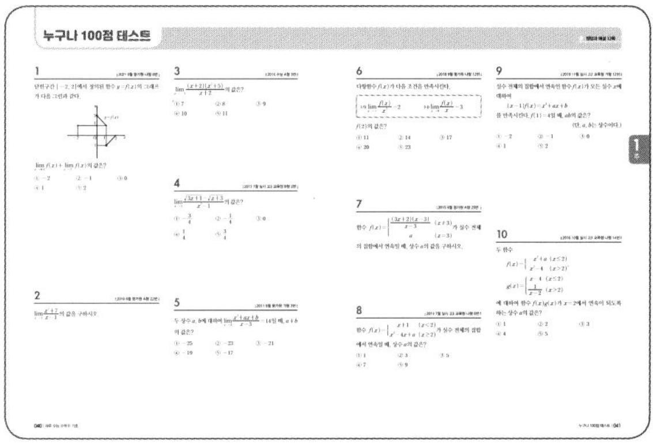

⑤ 창의 · 융합 · 코딩

교육청, 평가원, 수능 기출에서 창의력이 필요한 문제, 복합 유형의 문제를 엄선하여 구성하였습니다.
문제에 쉽게 접근할 수 있도록 문제의 각 조건에 대한 길잡이를 제시함으로써 문제 해결력을 키울 수 있도록 하였습니다.

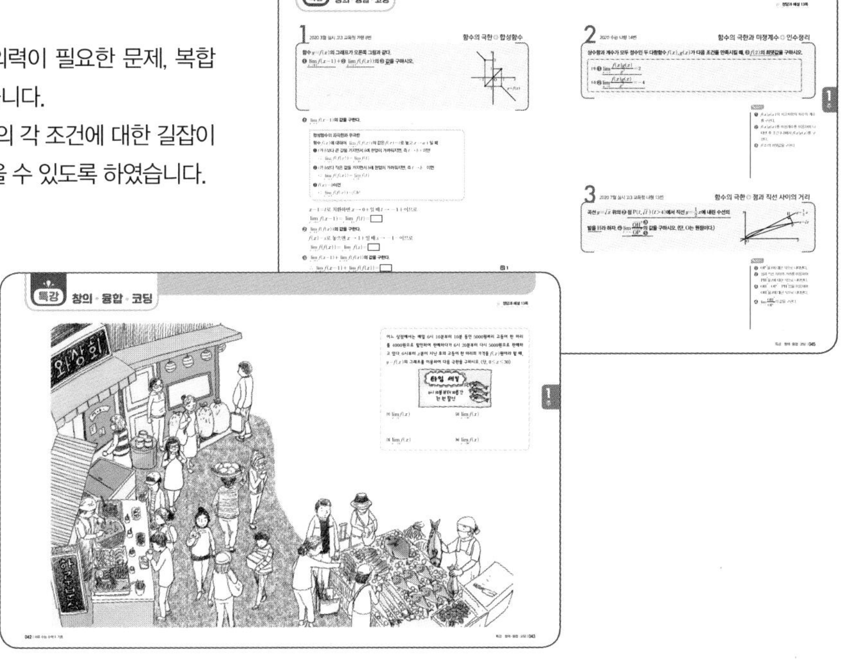

이 책의 **차례**

Week

Week

Contents

Week

Week

Week 1

1주에는 무엇을 공부할까? ①

우리 일상 속에 극한이 스며들어 있어!

우리 일상 속에 맛있는 것도 잔뜩 스며있지!

1일

함수의 극한

2일

함수의 극한값의 계산

공부할 내용

❶ 함수의 극한의 뜻 알아보기
❷ 함수의 극한에 대한 성질 이해하기
❸ 함수의 극한값 구하기
❹ 함수의 연속의 뜻 알아보기

1 주

배운 내용 다시보기

1 다음 함수의 그래프를 고르시오.

ㄱ.
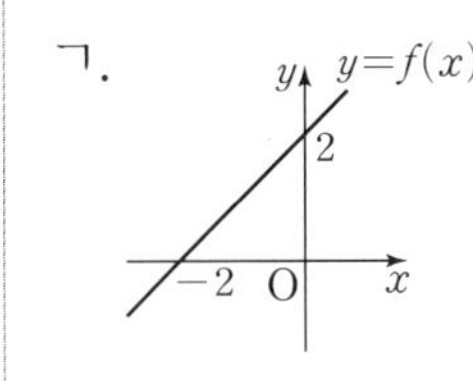

ㄴ.
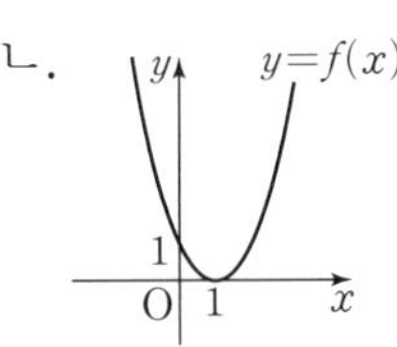

ㄷ.
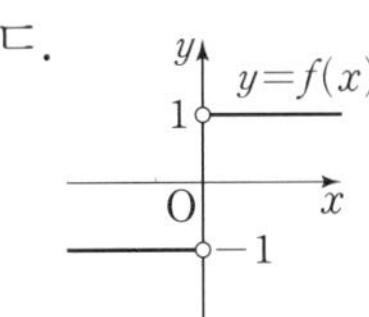

ㄹ.
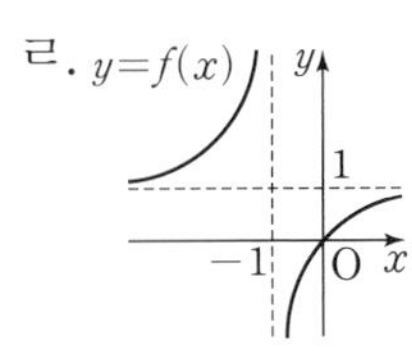

(1) $f(x)=x+2$　　(2) $f(x)=x^2-2x+1$

(3) $f(x)=\dfrac{x}{x+1}$　　(4) $f(x)=\dfrac{x}{|x|}$

2 다음을 간단히 하시오.

(1) $\dfrac{x^2+5x+6}{x+2}$　　(2) $\dfrac{x+1}{x^2-2x-3}$

답 **1** (1) ㄱ (2) ㄴ (3) ㄹ (4) ㄷ　**2** (1) $x+3$ (2) $\dfrac{1}{x-3}$

거대 크랩의
역습
4일
함수의 연속
샐러드 쌓기는
내 전공이지!
잘라 보지 않아도
비파괴 검사를 통해
정상 수박인지
알 수 있지.

5일

함수의 연속

1 주

배운 내용 다시보기

3 다음 무리식의 분모를 유리화하시오.

(1) $\dfrac{x-1}{\sqrt{x}+1}$

(2) $\dfrac{6}{\sqrt{x+3}-\sqrt{x-3}}$

4 다음 함수의 정의역을 구하시오.

(1) $y=2-\dfrac{1}{x-1}$

(2) $y=\dfrac{2x+1}{x-2}$

(3) $y=\sqrt{x+5}-1$

(4) $y=\sqrt{2x-6}$

5 주어진 범위에서 다음 함수의 최댓값과 최솟값을 구하시오.

(1) $y=3x+1$ $(1\leq x\leq 4)$

(2) $y=-x^2+6x$ $(0\leq x\leq 5)$

답 **3** (1) $\sqrt{x}-1$ (2) $\sqrt{x+3}+\sqrt{x-3}$ **4** (1) $\{x|x\neq 1$인 실수$\}$ (2) $\{x|x\neq 2$인 실수$\}$ (3) $\{x|x\geq -5\}$ (4) $\{x|x\geq 3\}$
5 (1) 최댓값 : 13, 최솟값 : 4 (2) 최댓값 : 9, 최솟값 : 0

1일 핵심 개념 | 함수의 극한(1)

사과의 무게 x g에 대한 사과 한 개당 가격을 $f(x)$원이라 하면 $y=f(x)$의 그래프는 오른쪽 그림과 같다. x의 값이 250보다 크면서 250에 한없이 가까워지면 함수 $f(x)$의 값은 2000에 한없이 가까워지고, x의 값이 250보다 작으면서 250에 한없이 가까워지면 함수 $f(x)$의 값은 1500에 한없이 가까워진다.

개념 ① 함수의 극한

[01~03] 다음 (　　) 안에 주어진 것 중 옳은 것을 고르시오.

01 함수 $f(x)$에서 x의 값이 a와 다른 값을 가지면서 a에 한없이 가까워질 때 $f(x)$의 값이 일정한 값 α에 한없이 가까워지면 함수 $f(x)$는 α에 (수렴, 발산)한다고 한다. 이때 α를 $x=a$에서의 함수 $f(x)$의 극한값 또는 극한이라 하고, 기호로 $\lim_{x \to a} f(x)=\alpha$ 또는 $x \to a$일 때 $f(x) \to \alpha$와 같이 나타낸다.

02 함수 $f(x)$에서 $x \to a-$ 일 때 $f(x)$의 값이 일정한 값 α에 한없이 가까워지면 α를 $x=a$에서의 함수 $f(x)$의 (좌극한, 우극한)이라 하고, 기호로 $\lim_{x \to a-} f(x)=\alpha$ 또는 $x \to a-$ 일 때 $f(x) \to \alpha$와 같이 나타낸다.
(↳ x의 값이 a보다 작으면서 a에 한없이 가까워지는 것)

03 함수 $f(x)$에서 $x \to a+$ 일 때 $f(x)$의 값이 일정한 값 β에 한없이 가까워지면 β를 $x=a$에서의 함수 $f(x)$의 (좌극한, 우극한)이라 하고, 기호로 $\lim_{x \to a+} f(x)=\beta$ 또는 $x \to a+$ 일 때 $f(x) \to \beta$와 같이 나타낸다.
(↳ x의 값이 a보다 크면서 a에 한없이 가까워지는 것)

답 **01** 수렴　**02** 좌극한　**03** 우극한

개념 확인 | 함수의 극한

정답과 해설 2쪽

좌극한과 우극한

함수 $y=f(x)$의 그래프가 오른쪽 그림과 같을 때

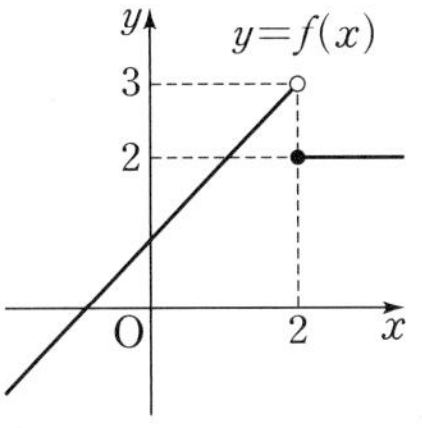

❶ x의 값이 2보다 작으면서 2에 한없이 가까워질 때, $f(x)$의 값은 3에 한없이 가까워지므로

$$\lim_{x\to 2-} f(x)=3$$

❷ x의 값이 2보다 크면서 2에 한없이 가까워질 때, $f(x)$의 값은 2에 한없이 가까워지므로

$$\lim_{x\to 2+} f(x)=2$$

극한값이 존재하기 위한 조건

함수 $f(x)$의 $x=a$에서의 좌극한과 우극한이 모두 존재하고 그 값이 α로 같으면 $\lim_{x\to a} f(x)$가 존재하고 그 극한값은 α이다. 또 그 역도 성립한다.

$$\lim_{x\to a-} f(x)=\lim_{x\to a+} f(x)=\alpha \iff \lim_{x\to a} f(x)=\alpha$$

참고 $x=a$에서의 좌극한 또는 우극한이 존재하지 않거나 좌극한과 우극한이 모두 존재하더라도 그 값이 서로 다르면 $\lim_{x\to a} f(x)$는 존재하지 않는다.

1 주

1-1 함수 $y=f(x)$의 그래프가 오른쪽 그림과 같을 때, 다음 극한을 조사하시오.

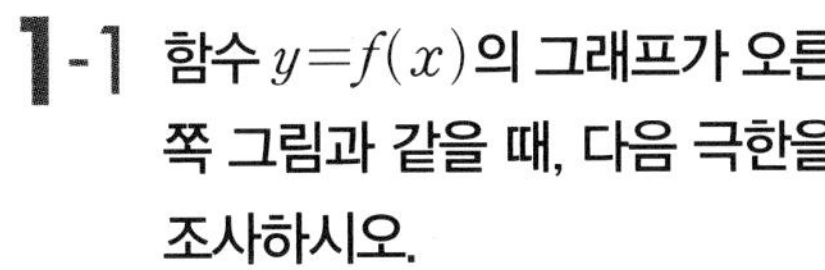

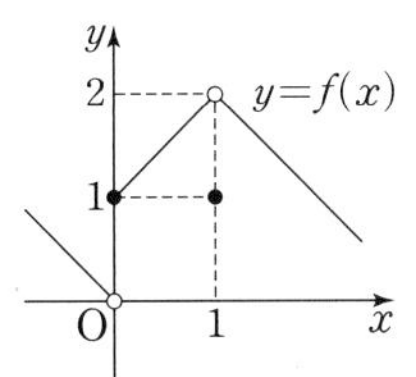

(1) $\lim_{x\to 0-} f(x)$ (2) $\lim_{x\to 0+} f(x)$

(3) $\lim_{x\to 0} f(x)$ (4) $\lim_{x\to 1-} f(x)$

(5) $\lim_{x\to 1+} f(x)$ (6) $\lim_{x\to 1} f(x)$

1-2 함수 $y=f(x)$의 그래프가 오른쪽 그림과 같을 때, 다음 극한을 조사하시오.

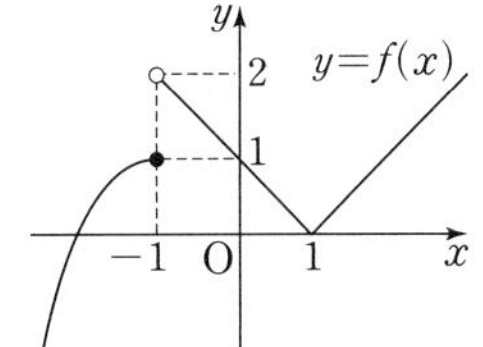

(1) $\lim_{x\to -1-} f(x)$ (2) $\lim_{x\to -1+} f(x)$

(3) $\lim_{x\to -1} f(x)$ (4) $\lim_{x\to 1-} f(x)$

(5) $\lim_{x\to 1+} f(x)$ (6) $\lim_{x\to 1} f(x)$

2-1 함수 $f(x)=\begin{cases} 2x+1 & (x<1) \\ k & (x\ge 1) \end{cases}$에 대하여 $\lim_{x\to 1} f(x)$의 값이 존재하도록 하는 상수 k의 값을 구하시오.

2-2 함수 $f(x)=\begin{cases} x+k & (x<0) \\ x^2+1 & (x\ge 0) \end{cases}$에 대하여 $\lim_{x\to 0} f(x)$의 값이 존재하도록 하는 상수 k의 값을 구하시오.

1일 핵심 개념 | 함수의 극한(2)

개념 ② **함수의 극한에 대한 성질**

[04~07] $\lim_{x\to a}f(x)=\alpha$, $\lim_{x\to a}g(x)=\beta$ (α, β는 실수)일 때, 다음 $\square$ 안에 알맞은 것을 아래 보기에서 찾아 써넣으시오.

> 보기
> α, β, $\alpha+\beta$, $\alpha-\beta$, $\alpha\beta$

04 $\lim_{x\to a}cf(x)=c\lim_{x\to a}f(x)=c\square$ (단, c는 상수)

05 $\lim_{x\to a}\{f(x)+g(x)\}=\lim_{x\to a}f(x)+\lim_{x\to a}g(x)=\square$, $\lim_{x\to a}\{f(x)-g(x)\}=\lim_{x\to a}f(x)-\lim_{x\to a}g(x)=\square$

06 $\lim_{x\to a}f(x)g(x)=\lim_{x\to a}f(x)\lim_{x\to a}g(x)=\square$

07 $\lim_{x\to a}\dfrac{f(x)}{g(x)}=\dfrac{\lim_{x\to a}f(x)}{\lim_{x\to a}g(x)}=\dfrac{\square}{\beta}$ (단, $\beta\neq0$)

답 **04** α **05** $\alpha+\beta$, $\alpha-\beta$ **06** $\alpha\beta$ **07** α

개념 확인 | 함수의 극한

정답과 해설 2쪽

함수의 극한에 대한 성질

$\lim_{x \to a} f(x) = \alpha$, $\lim_{x \to a} g(x) = \beta$ (α, β는 실수)일 때

❶ $\lim_{x \to a} cf(x) = c\alpha$ (단, c는 상수)

❷ $\lim_{x \to a} \{f(x) + g(x)\} = \alpha + \beta$

❸ $\lim_{x \to a} \{f(x) - g(x)\} = \alpha - \beta$

❹ $\lim_{x \to a} f(x)g(x) = \alpha\beta$

❺ $\lim_{x \to a} \dfrac{f(x)}{g(x)} = \dfrac{\alpha}{\beta}$ (단, $\beta \neq 0$)

참고 위의 성질은 $x \to a+$, $x \to a-$, $x \to \infty$, $x \to -\infty$일 때도 모두 성립한다.

1주

3-1 $\lim_{x \to 1} f(x) = 4$, $\lim_{x \to 1} g(x) = 3$일 때, 다음 극한값을 구하시오.

(1) $\lim_{x \to 1} \{3f(x) + 4g(x)\}$

(2) $\lim_{x \to 1} \dfrac{\{f(x)\}^2 - 2}{g(x) + 4}$

3-2 $\lim_{x \to 0} f(x) = 2$, $\lim_{x \to 0} g(x) = -1$일 때, 다음 극한값을 구하시오.

(1) $\lim_{x \to 0} \{2f(x) - 3g(x)\}$

(2) $\lim_{x \to 0} \dfrac{3f(x)g(x)}{f(x) + g(x)}$

4-1 다음 극한값을 구하시오.

(1) $\lim_{x \to 1} (4x + 5)$

(2) $\lim_{x \to -3} (x+1)(2x-1)$

(3) $\lim_{x \to 3} \dfrac{x+1}{2x-3}$

(4) $\lim_{x \to 2} \dfrac{\sqrt{2+x} - \sqrt{2-x}}{x}$

4-2 다음 극한값을 구하시오.

(1) $\lim_{x \to -1} (x^2 - 5x + 4)$

(2) $\lim_{x \to 2} (x+2)(x^2-3)$

(3) $\lim_{x \to -2} \dfrac{x^2 + x}{x - 1}$

(4) $\lim_{x \to 0} \dfrac{\sqrt{x+5}}{x^2 + 2}$

1일 기초 유형 | 함수의 극한

2020
수능 나형 8번

1-1

함수 $y=f(x)$의 그래프가 다음 그림과 같다.

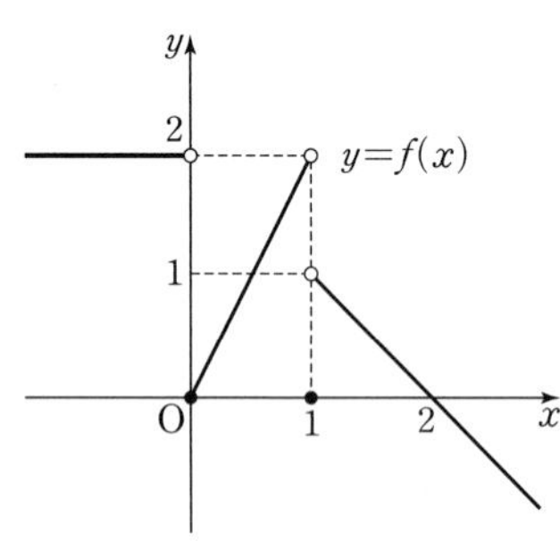

$\lim_{x\to0+}f(x)-\lim_{x\to1-}f(x)$의 값을 구하시오. [3점]

Tip $\lim_{x\to a-}f(x)$, $\lim_{x\to a+}f(x)$의 값을 구할 때는 $x=a$의 좌우에서 접근하면서 $f(x)$의 값이 한없이 가까워지는 값을 그래프에서 찾는다.

풀이

$\lim_{x\to0+}f(x)=\square$, $\lim_{x\to1-}f(x)=\square$이므로

$\lim_{x\to0+}f(x)-\lim_{x\to1-}f(x)=\square$

답 -2

쌍둥이 교과서 문제

1-2

함수 $y=f(x)$의 그래프가 다음 그림과 같다.

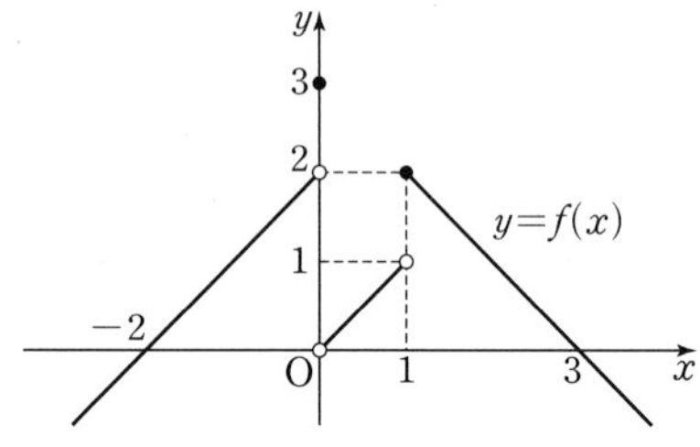

$\lim_{x\to0+}f(x)+\lim_{x\to1-}f(x)+f(1)$의 값을 구하시오.

1-3

함수 $f(x)=\dfrac{x^2-1}{|x+1|}$에 대하여

$$\lim_{x\to-1-}f(x)=a,\ \lim_{x\to-1+}f(x)=b$$

일 때, $a-b$의 값을 구하시오.

2018 6월 실시
고2 교육청 가형 22번

2-1

$\lim_{x\to1}(x^2+3x+1)$의 값을 구하시오. [3점]

Tip 함수의 극한에 대한 성질을 이용한다.

풀이

$$\lim_{x\to1}(x^2+3x+1)=\lim_{x\to1}x\lim_{x\to1}x+3\lim_{x\to1}x+\lim_{x\to1}1$$
$$=1\times1+3\times\square+\square$$
$$=\square$$

답 5

2-2

$\lim_{x\to0}(2x^2-1)(x+5)$의 값을 구하시오.

2018
수능 나형 25번

쌍둥이 교과서 문제

3-1

함수 $f(x)$가 $\lim_{x\to 1}(x+1)f(x)=1$을 만족시킬 때,

$\lim_{x\to 1}(2x^2+1)f(x)=a$이다. $20a$의 값을 구하시오. [3점]

Tip $\lim_{x\to a}f(x)$, $\lim_{x\to a}g(x)$가 존재할 때 $\lim_{x\to a}f(x)g(x)=\lim_{x\to a}f(x)\lim_{x\to a}g(x)$를 이용할 수 있도록 주어진 조건을 변형한다.

풀이

$$\lim_{x\to 1}(2x^2+1)f(x)=\lim_{x\to 1}\left\{\frac{2x^2+1}{x+1}\times(x+1)f(x)\right\}$$
$$=\lim_{x\to 1}\frac{2x^2+1}{x+1}\lim_{x\to 1}(x+1)f(x)$$
$$=\frac{\square}{2}\times 1=\frac{\square}{2}$$

따라서 $a=\frac{\square}{2}$이므로 $20a=\square$ 답 30

3-2

함수 $f(x)$가 $\lim_{x\to 0}\frac{f(x)}{x}=2$를 만족시킬 때,

$\lim_{x\to 0}\frac{f(x)+x}{f(x)-x}$의 값을 구하시오.

2019 11월 실시
고2 교육청 나형 6번

4-1

두 함수 $f(x)$, $g(x)$가

$$\lim_{x\to 2}f(x)=1,\ \lim_{x\to 2}\{2f(x)+g(x)\}=8$$

을 만족시킬 때, $\lim_{x\to 2}g(x)$의 값을 구하시오. [3점]

Tip $2f(x)+g(x)=h(x)$로 놓으면 $\lim_{x\to 2}f(x)$, $\lim_{x\to 2}h(x)$가 존재하므로 함수의 극한에 대한 성질을 이용한다.

풀이

$2f(x)+g(x)=h(x)$라 하면 $\lim_{x\to 2}h(x)=\square$이고

$g(x)=h(x)-2f(x)$

$$\therefore \lim_{x\to 2}g(x)=\lim_{x\to 2}\{h(x)-2f(x)\}$$
$$=\lim_{x\to 2}h(x)-2\lim_{x\to 2}f(x)$$
$$=\square-2\times 1=\square$$

답 6

4-2

두 함수 $f(x)$, $g(x)$가

$$\lim_{x\to 1}f(x)=6,\ \lim_{x\to 1}\{2f(x)-5g(x)\}=17$$

을 만족시킬 때, $\lim_{x\to 1}g(x)$의 값을 구하시오.

4-3

두 함수 $f(x)$, $g(x)$가

$$\lim_{x\to \infty}f(x)=\infty,\ \lim_{x\to \infty}\{2f(x)-g(x)\}=3$$

을 만족시킬 때, $\lim_{x\to \infty}\frac{3f(x)+g(x)}{f(x)-2g(x)}$의 값을 구하시오.

1
주

2일 핵심 개념 | 함수의 극한값의 계산(1)

뜨거운 음식을 상온에 놓으면 처음에는 음식의 온도가 빠르게 내려가기 시작한다. 그러나 그 온도가 주위의 온도와 비슷해지면 온도가 내려가는 속도는 점차 느려져서 결국 음식의 온도는 주위의 온도와 거의 같아지게 된다.

온도가 20 ℃인 실내에 놓인 80 ℃의 뜨거운 국밥의 온도는 시간이 지남에 따라 20 ℃에 한없이 가까워짐을 알 수 있다.

개념 ① $\frac{0}{0}$ 꼴의 극한값의 계산

[01~02] 다음 ☐ 안에 알맞은 것을 아래 보기에서 찾아 써넣으시오.

보기
0, ∞, 인수분해, 유리화

01 $\frac{0}{0}$ 꼴의 극한은 분모와 분자의 극한이 모두 ☐인 경우이다.

02 $\frac{0}{0}$ 꼴의 극한은

❶ 분모, 분자가 모두 다항식인 경우 ⇨ 분모, 분자를 각각 ☐한 다음 약분한다.

❷ 분모 또는 분자에 무리식이 있는 경우 ⇨ 근호가 있는 부분을 ☐하여 주어진 식을 변형한다.

답 **01** 0 **02** 인수분해, 유리화

개념 확인 | 함수의 극한값의 계산

정답과 해설 4쪽

$\frac{0}{0}$ **꼴의 극한값의 계산**

❶ $\lim_{x \to 1} \frac{x^2-1}{x-1}$의 극한값은 다음과 같이 분자를 인수분해한 다음 약분하여 구한다.

$$\lim_{x \to 1} \frac{x^2-1}{x-1} = \lim_{x \to 1} \frac{(x+1)(x-1)}{x-1} = \lim_{x \to 1}(x+1) = 2$$

❷ $\lim_{x \to 4} \frac{\sqrt{x}-2}{x-4}$의 극한값은 다음과 같이 분모, 분자에 $\sqrt{x}+2$를 곱해 분자를 유리화하여 구한다.

$$\lim_{x \to 4} \frac{\sqrt{x}-2}{x-4} = \lim_{x \to 4} \frac{(\sqrt{x}-2)(\sqrt{x}+2)}{(x-4)(\sqrt{x}+2)} = \lim_{x \to 4} \frac{x-4}{(x-4)(\sqrt{x}+2)} = \lim_{x \to 4} \frac{1}{\sqrt{x}+2} = \frac{1}{4}$$

1 주

1-1 다음 극한값을 구하시오.

(1) $\lim_{x \to 3} \frac{(x+1)(x-3)}{x-3}$

(2) $\lim_{x \to 2} \frac{x^2+x-6}{x-2}$

(3) $\lim_{x \to -1} \frac{x+1}{x^3+1}$

1-2 다음 극한값을 구하시오.

(1) $\lim_{x \to 0} \frac{x^3+3x}{x}$

(2) $\lim_{x \to -3} \frac{x^2+4x+3}{x^2+5x+6}$

(3) $\lim_{x \to 1} \frac{x^3+x-2}{x^2-1}$

2-1 다음 극한값을 구하시오.

(1) $\lim_{x \to 0} \frac{3-\sqrt{9-x}}{x}$

(2) $\lim_{x \to 2} \frac{\sqrt{x+7}-3}{x^2-4}$

(3) $\lim_{x \to 0} \frac{x}{\sqrt{4+x}-\sqrt{4-x}}$

2-2 다음 극한값을 구하시오.

(1) $\lim_{x \to 1} \frac{\sqrt{x+3}-2}{x-1}$

(2) $\lim_{x \to -1} \frac{\sqrt{x^2+3}-2}{x+1}$

(3) $\lim_{x \to 3} \frac{x-\sqrt{2x+3}}{\sqrt{x+1}-2}$

2일 핵심 개념 | 함수의 극한값의 계산(2)

하늘에서 떨어지는 빗방울의 속도는 중력의 영향으로 계속 증가할 것처럼 보이지만 실제로는 공기 저항으로 인해 일정한 값에 가까워진다. 이처럼 시간이 흐름에 따라 특정 성질이 일정한 상태가 되는 자연 현상은 함수의 극한을 이용하여 설명할 수 있다.

개념 ② $\frac{\infty}{\infty}$ 꼴, $\infty-\infty$ 꼴, $\infty\times0$ 꼴의 극한값의 계산

[03~05] 다음 (　　) 안에 주어진 것 중 옳은 것을 고르시오.

03 $\frac{\infty}{\infty}$ 꼴의 극한은 분모의 최고차항으로 분모, 분자를 각각 나눈다.

❶ (분자의 차수)=(분모의 차수)이면 극한값은 최고차항의 계수의 비이다.

❷ (분자의 차수)<(분모의 차수)이면 극한값은 (0, 1)이다.

❸ (분자의 차수)>(분모의 차수)이면 발산한다.

04 $\infty-\infty$ 꼴의 극한은 (다항식, 무리식)인 경우에는 최고차항으로 묶고, (다항식, 무리식)인 경우에는 근호가 있는 쪽을 유리화한다.

05 $\infty\times0$ 꼴의 극한은 (유리식, 무리식)인 경우에는 식을 통분하고, (유리식, 무리식)인 경우에는 근호가 있는 쪽을 유리화하여 $\frac{0}{0}$ 꼴 또는 $\frac{\infty}{\infty}$ 꼴로 변형한다.

답 **03** 0　**04** 다항식, 무리식　**05** 유리식, 무리식

개념 확인 | 함수의 극한값의 계산

정답과 해설 4쪽

$\dfrac{\infty}{\infty}$ 꼴의 극한값의 계산

$\lim\limits_{x\to\infty}\dfrac{3x^2+x-2}{x^2+2}$의 극한값은 다음과 같이 분모의 최고차항 x^2으로 분모, 분자를 나누어 구한다.

$$\lim_{x\to\infty}\frac{3x^2+x-2}{x^2+2}=\lim_{x\to\infty}\frac{3+\frac{1}{x}-\frac{2}{x^2}}{1+\frac{2}{x^2}}$$
$$=\frac{3+0-0}{1+0}=3$$

$\infty-\infty$ 꼴의 극한값의 계산

$\lim\limits_{x\to\infty}(\sqrt{x^2+2x}-x)$의 극한값은 다음과 같이 분모, 분자에 $\sqrt{x^2+2x}+x$를 곱해 분자를 유리화하여 구한다.

$$\lim_{x\to\infty}(\sqrt{x^2+2x}\quad x)$$
$$=\lim_{x\to\infty}\frac{(\sqrt{x^2+2x}-x)(\sqrt{x^2+2x}+x)}{\sqrt{x^2+2x}+x}$$
$$=\lim_{x\to\infty}\frac{2x}{\sqrt{x^2+2x}+x}=\lim_{x\to\infty}\frac{2}{\sqrt{1+\frac{2}{x}}+1}$$
$$=\frac{2}{1+1}=1$$

1 주

3-1 다음 극한값을 구하시오.

(1) $\lim\limits_{x\to\infty}\dfrac{x^2-4}{x^3+2x^2+1}$

(2) $\lim\limits_{x\to\infty}\dfrac{4x-1}{3x+5}$

(3) $\lim\limits_{x\to\infty}\dfrac{\sqrt{x^2+3}}{2x}$

(4) $\lim\limits_{x\to\infty}(x-\sqrt{x^2-1})$

3-2 다음 극한값을 구하시오.

(1) $\lim\limits_{x\to\infty}\dfrac{\sqrt{x+3}}{x-3}$

(2) $\lim\limits_{x\to\infty}\dfrac{x(2x+7)}{x^2+1}$

(3) $\lim\limits_{x\to\infty}\dfrac{3x}{\sqrt{x^2+4}-5}$

(4) $\lim\limits_{x\to\infty}(\sqrt{x^2+5x}-\sqrt{x^2-5x})$

4-1 $\lim\limits_{x\to0}\dfrac{1}{x}\left(\dfrac{1}{x+3}-\dfrac{1}{3}\right)$의 값을 구하시오.

4-2 $\lim\limits_{x\to2}\dfrac{1}{x-2}\left(\dfrac{1}{x+4}-\dfrac{1}{6}\right)$의 값을 구하시오.

2일 기초 유형 | 함수의 극한값의 계산

2021
수능 나형 3번

쌍둥이 교과서 문제

1-1

$\lim_{x \to 2} \frac{x^2+2x-8}{x-2}$의 값을 구하시오. [2점]

Tip 분자를 인수분해한 다음 약분하여 극한값을 구한다.

풀이

$$\lim_{x \to 2} \frac{x^2+2x-8}{x-2} = \lim_{x \to 2} \frac{(x+4)(x-2)}{x-2}$$

$$= \lim_{x \to 2} (x+\square)$$

$$= \square$$

답 6

1-2

$\lim_{x \to 3} \frac{2x^2-3x-9}{x^2-9}$의 값을 구하시오.

2015 11월 실시
고2 교육청 B형 24번

2-1

$\lim_{x \to 2} \frac{x^2+x-6}{\sqrt{x+2}-2}$의 값을 구하시오. [3점]

Tip 분모를 유리화하여 극한값을 구한다.

풀이

$$\lim_{x \to 2} \frac{x^2+x-6}{\sqrt{x+2}-2}$$

$$= \lim_{x \to 2} \frac{(x+3)(x-2)(\sqrt{x+2}+\square)}{(\sqrt{x+2}-2)(\sqrt{x+2}+2)}$$

$$= \lim_{x \to 2} \frac{(x+3)(x-2)(\sqrt{x+2}+\square)}{x-2}$$

$$= \lim_{x \to 2} (x+3)(\sqrt{x+2}+2)$$

$$= 5 \times \square = \square$$

답 20

2-2

$\lim_{x \to -1} \frac{1-\sqrt{x+2}}{x+1}$의 값을 구하시오.

2-3

$\lim_{x \to -8} \frac{x+8}{\sqrt[3]{x}+2}$의 값을 구하시오.

2010 7월 실시
고3 교육청 가형 3번

3-1

$\lim_{x\to-\infty}\frac{x-\sqrt{x^2-1}}{x+1}$의 값을 구하시오. [2점]

Tip $-x=t$로 치환하면 $x\to-\infty$일 때 $t\to\infty$임을 이용하여 $\frac{\infty}{\infty}$ 꼴의 극한값을 구한다.

풀이

$-x=t$로 치환하면 $x\to-\infty$일 때 $t\to\infty$이므로

$$\lim_{x\to-\infty}\frac{x-\sqrt{x^2-1}}{x+1}=\lim_{t\to\infty}\frac{-t-\sqrt{t^2-1}}{-t+1}$$
$$=\lim_{t\to\infty}\frac{t+\sqrt{t^2-1}}{t-1}$$
$$=\lim_{t\to\infty}\frac{\square+\sqrt{1-\frac{1}{t^2}}}{1-\frac{1}{t}}$$
$$=\square$$

답 2

쌍둥이 교과서 문제

3-2

$\lim_{x\to-\infty}\frac{\sqrt{x^2+x}-3}{x-2}$의 값을 구하시오.

2019 4월 실시
고3 교육청 나형 26번

4-1

두 상수 a, b에 대하여

$$\lim_{x\to\infty}\frac{ax^2}{x^2-1}=2,\ \lim_{x\to1}\frac{a(x-1)}{x^2-1}=b$$

일 때, $a+b$의 값을 구하시오. [4점]

Tip 주어진 극한의 꼴을 확인하여 극한값을 구한다.

풀이

분모, 분자를 각각 분모의 최고차항인 x^2으로 나누면

$$\lim_{x\to\infty}\frac{ax^2}{x^2-1}=\lim_{x\to\infty}\frac{a}{1-\frac{1}{x^2}}=a$$

이므로 $a=\square$

$$\lim_{x\to1}\frac{a(x-1)}{x^2-1}=\lim_{x\to1}\frac{2(x-1)}{(x+1)(x-1)}=\lim_{x\to1}\frac{2}{x+1}=b$$

이므로 $b=\square$

$\therefore a+b=3$

답 3

4-2

$\lim_{x\to\infty}\frac{2ax}{\sqrt{x^2+ax}+\sqrt{x^2-ax}}=5$일 때, 상수 a의 값을 구하시오.

4-3

두 상수 a, b에 대하여

$$\lim_{x\to a}\frac{x^3-a^3}{x^2-a^2}=6,\ \lim_{x\to\infty}(\sqrt{x^2+ax}-\sqrt{x^2+bx})=5$$

일 때, $a+b$의 값을 구하시오.

1주

3일 핵심 개념 | 함수의 극한의 활용(1)

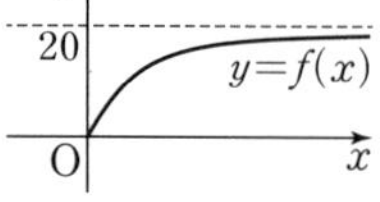

시럽이 담긴 유리컵에 밀크티를 넣은 후 x초가 지났을 때, 유리컵 속의 각 지점에서의 시럽의 농도를 $f(x)$ %라 하자.

함수 $y=f(x)$의 그래프가 $y=20$을 점근선으로 가질 때, $\lim_{x\to\infty} f(x)$의 값은 20이다.

개념 ① 미정계수의 결정

01 두 함수 $f(x)$, $g(x)$에 대하여 다음 $\square$ 안에 알맞은 것을 아래 보기에서 찾아 써넣으시오.

> 보기
>
> $f(x)$, $g(x)$, 0, 1

$\lim_{x\to a}\frac{f(x)}{g(x)}=a$ (a는 실수)이고 $\lim_{x\to a} g(x)=0$이면 함수의 극한에 대한 성질에 의하여

$\lim_{x\to a} f(x)=\lim_{x\to a}\left\{\frac{f(x)}{g(x)}\times\square\right\}=\lim_{x\to a}\frac{f(x)}{g(x)}\lim_{x\to a}\square$

$=a\times 0=\square$

즉, $\lim_{x\to a} f(x)=\square$이다.

$\lim_{x\to a}\frac{f(x)}{g(x)}$의 값이 존재하고, (분모) → 0이면 (분자) → 0이어야 해.

답 **01** $g(x)$, $g(x)$, 0, 0

개념 확인 | 함수의 극한의 활용

정답과 해설 6쪽

미정계수의 결정

두 함수 $f(x)$, $g(x)$에 대하여 $\lim_{x \to a}\frac{f(x)}{g(x)}=\alpha$($\alpha$는 실수)일 때, $f(x)$에 포함되어 있는 미정계수는 다음과 같은 순서로 구한다.

[1] $\lim_{x \to a}\frac{f(x)}{g(x)}=\alpha$($\alpha$는 실수)이고 $\lim_{x \to a}g(x)=0$이면 $\lim_{x \to a}f(x)=0$임을 이용하여 미지수의 값을 구한다.

[2] $f(x)$, $g(x)$가 다항식일 때 ⇨ [1]에서 구한 미지수의 값을 대입하여 분모, 분자를 각각 인수분해한다.
$f(x)$ 또는 $g(x)$가 무리식일 때 ⇨ [1]에서 구한 미지수의 값을 대입하여 근호가 있는 쪽을 유리화한다.

[3] 극한값 또는 다른 미지수의 값을 구한다.

1주

1-1 두 상수 a, b에 대하여 $\lim_{x \to 1}\frac{x^2+ax+b}{x-1}=6$일 때, 다음에 답하시오.

(1) b를 a에 대한 식으로 나타내시오.

(2) 극한값을 a에 대한 식으로 나타내시오.

(3) a, b의 값을 구하시오.

1-2 두 상수 a, b에 대하여 $\lim_{x \to 2}\frac{\sqrt{x+a}+b}{x-2}=\frac{1}{4}$일 때, 다음에 답하시오.

(1) b를 a에 대한 식으로 나타내시오.

(2) 극한값을 a에 대한 식으로 나타내시오.

(3) a, b의 값을 구하시오.

2-1 다음 등식이 성립하도록 하는 상수 a, b의 값을 구하시오.

(1) $\lim_{x \to -2}\frac{x^2+ax-6}{x+2}=b$

(2) $\lim_{x \to 3}\frac{ax+b}{x-3}=5$

(3) $\lim_{x \to 1}\frac{2x^2+ax+b}{x-1}=2$

2-2 다음 등식이 성립하도록 하는 상수 a, b의 값을 구하시오.

(1) $\lim_{x \to 1}\frac{\sqrt{x+8}-a}{x-1}=\frac{1}{b}$

(2) $\lim_{x \to 1}\frac{a\sqrt{x+1}-b}{x-1}=\sqrt{2}$

(3) $\lim_{x \to -1}\frac{ax+b}{\sqrt{x+2}-1}=2$

일

3 핵심 개념 | 함수의 극한의 활용(2)

$\frac{5x+1}{x+3} \le f(x) \le \frac{5x^2-2x+4}{x^2}$에서

$\lim_{x\to\infty}\frac{5x+1}{x+3} = \lim_{x\to\infty}\frac{5+\frac{1}{x}}{1+\frac{3}{x}} = 5$,

$\lim_{x\to\infty}\frac{5x^2-2x+4}{x^2} = \lim_{x\to\infty}\frac{5-\frac{2}{x}+\frac{4}{x^2}}{1} = 5$

이므로 $\lim_{x\to\infty} f(x) = 5$

따라서 선착순 5팀까지 할인받을 수 있다.

개념 ② 함수의 극한의 대소 관계

[02~04] $\lim_{x\to a} f(x)=\alpha$, $\lim_{x\to a} g(x)=\beta$ (α, β는 실수)일 때, 다음 ☐ 안에 알맞은 것을 아래 보기에서 찾아 써넣으시오.

보기

$<$, $\le$, $>$, $\ge$, $=$

02 a에 가까운 모든 실수 x에서 $f(x) \le g(x)$이면 α ☐ β

03 a에 가까운 모든 실수 x에서 함수 $h(x)$가 $f(x) \le h(x) \le g(x)$이고 $\alpha=\beta$이면 $\lim_{x\to a} h(x)$ ☐ α

04 $f(x)=x^2$, $g(x)=2x^2$이면 0에 가까운 모든 실수 x에서 $f(x)<g(x)$이지만

$\lim_{x\to 0} f(x)$ ☐ $\lim_{x\to 0} g(x)$ ☐ 0

이므로 반드시 $\lim_{x\to 0} f(x) < \lim_{x\to 0} g(x)$인 것은 아니다.

답 02 $\le$ 03 $=$ 04 $=$, $=$

개념 확인 | 함수의 극한의 활용

정답과 해설 7쪽

함수의 극한의 대소 관계

두 함수 $f(x)$, $g(x)$에 대하여 $\lim_{x \to a} f(x)=\alpha$, $\lim_{x \to a} g(x)=\beta$ (α, β는 실수)일 때,

a에 가까운 모든 실수 x에서

❶ $f(x) \le g(x)$이면 $\alpha \le \beta$

❷ 함수 $h(x)$가 $f(x) \le h(x) \le g(x)$이고 $\alpha=\beta$이면 $\lim_{x \to a} h(x)=\alpha$

참고 함수의 극한의 대소 관계는 $x \to a+$, $x \to a-$, $x \to \infty$, $x \to -\infty$일 때도 성립한다.

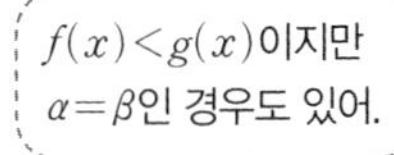

3-1 함수 $f(x)$가 모든 실수 x에 대하여

$$-x^2+1 \le f(x) \le 3x^2+1$$

을 만족시킬 때, 다음 극한값을 구하시오.

(1) $\lim_{x \to 0}(-x^2+1)$

(2) $\lim_{x \to 0}(3x^2+1)$

(3) $\lim_{x \to 0} f(x)$

3-2 함수 $f(x)$가 모든 양의 실수 x에 대하여

$$\frac{x^2+x+1}{2x^2} \le f(x) \le \frac{x^2+2x+3}{2x^2}$$

을 만족시킬 때, 다음 극한값을 구하시오.

(1) $\lim_{x \to \infty} \frac{x^2+x+1}{2x^2}$

(2) $\lim_{x \to \infty} \frac{x^2+2x+3}{2x^2}$

(3) $\lim_{x \to \infty} f(x)$

4-1 함수 $f(x)$가 모든 실수 x에 대하여

$$2x \le f(x) \le x^2+1$$

을 만족시킬 때, $\lim_{x \to 1} f(x)$의 값을 구하시오.

4-2 함수 $f(x)$가 모든 양의 실수 x에 대하여

$$1-\frac{1}{x} < f(x) < 1+\frac{1}{x}$$

을 만족시킬 때, $\lim_{x \to \infty} f(x)$의 값을 구하시오.

5-1 함수 $f(x)$가 모든 양의 실수 x에 대하여

$$5x+2 < f(x) < 5x+3$$

을 만족시킬 때, $\lim_{x \to \infty} \frac{f(x)}{x}$의 값을 구하시오.

5-2 함수 $f(x)$가 모든 양의 실수 x에 대하여

$$2x^2-x-1 < f(x) < 2x^2+4x+1$$

을 만족시킬 때, $\lim_{x \to \infty} \frac{f(x)}{x^2}$의 값을 구하시오.

3일 기초 유형 | 함수의 극한의 활용

2018 6월 실시
고2 교육청 나형 11번

1-1

두 상수 a, b에 대하여

$$\lim_{x\to 1}\frac{\sqrt{x+a}-2}{x-1}=b$$

일 때, $a+4b$의 값을 구하시오. [3점]

Tip $x \to 1$일 때, 극한값이 존재하고 (분모) $\to$ 0이므로 (분자) $\to$ 0임을 이용한다.

풀이

$\lim_{x\to 1}\frac{\sqrt{x+a}-2}{x-1}=b$이고 $\lim_{x\to 1}(x-1)=0$이므로

$\lim_{x\to 1}(\sqrt{x+a}-2)=0$

즉, $\sqrt{1+a}-2=0$이므로

$\sqrt{1+a}=2$, $1+a=4$ $\qquad\therefore a=3$

$a=3$을 주어진 식의 좌변에 대입하면

$$\begin{aligned}\lim_{x\to 1}\frac{\sqrt{x+3}-2}{x-1}&=\lim_{x\to 1}\frac{(\sqrt{x+3}-2)(\sqrt{x+3}+2)}{(x-1)(\sqrt{x+3}+2)}\\&=\lim_{x\to 1}\frac{x-1}{(x-1)(\sqrt{x+3}+2)}\\&=\lim_{x\to 1}\frac{1}{\sqrt{x+3}+2}\\&=\frac{1}{\boxed{}+2}=\frac{1}{\boxed{}}\qquad\therefore b=\frac{1}{4}\end{aligned}$$

$\therefore a+4b=3+4\times\frac{1}{\boxed{}}=\boxed{}$

답 4

쌍둥이 교과서 문제

1-2

두 상수 a, b에 대하여

$$\lim_{x\to 2}\frac{x^2-x+a}{x-2}=b$$

일 때, $a+b$의 값을 구하시오.

1-3

두 상수 a, b에 대하여

$$\lim_{x\to 1}\frac{ax^2-3x+b}{x^2+2x-3}=\frac{7}{4}$$

일 때, ab의 값을 구하시오.

1-4

두 상수 a, b에 대하여

$$\lim_{x\to 2}\frac{\sqrt{x^2+a}+b}{x-2}=\frac{2}{5}$$

일 때, $a+b$의 값을 구하시오.

2020 4월 실시
고3 교육청 나형 14번

2-1

다항함수 $f(x)$가

$$\lim_{x\to\infty}\frac{f(x)}{x^2}=3,\ \lim_{x\to 2}\frac{f(x)}{x^2-x-2}=6$$

을 만족시킬 때, $f(0)$의 값을 구하시오. [4점]

Tip 두 다항식 $f(x)$, $g(x)$에 대하여

❶ $\lim_{x\to\infty}\frac{f(x)}{g(x)}=\alpha$ (α는 0이 아닌 실수)이면
⇨ $f(x)$와 $g(x)$의 차수가 같다.

❷ $\lim_{x\to a}\frac{f(x)}{g(x)}=\beta$ (β는 실수)이고 $\lim_{x\to a}g(x)=0$이면
⇨ $\lim_{x\to a}f(x)=0$

풀이

$\lim_{x\to\infty}\frac{f(x)}{x^2}=3$에서 $f(x)$는 이차항의 계수가 ☐인 이차식임을 알 수 있다.

$\lim_{x\to 2}\frac{f(x)}{x^2-x-2}=6$이고 $\lim_{x\to 2}(x^2-x-2)=0$이므로

$\lim_{x\to 2}f(x)=0$ $\quad\therefore f(2)=0$

즉, $f(x)=3(x-2)(x+a)$ (a는 상수)로 놓을 수 있으므로

$$\begin{aligned}\lim_{x\to 2}\frac{f(x)}{x^2-x-2}&=\lim_{x\to 2}\frac{3(x-2)(x+a)}{x^2-x-2}\\&=\lim_{x\to 2}\frac{3(x-2)(x+a)}{(x+1)(x-2)}\\&=\lim_{x\to 2}\frac{3(x+a)}{x+1}\\&=2+a\end{aligned}$$

이때 $2+a=6$이므로 $a=4$

따라서 $f(x)=3(x-2)(x+$☐$)$이므로

$f(0)=3\times(-2)\times$☐$=$☐ 답 -24

쌍둥이 교과서 문제

2-2

다음 두 조건을 만족시키는 이차함수 $f(x)$를 구하시오.

(가) $\lim_{x\to\infty}\frac{f(x)}{3x^2-x+1}=1$

(나) $\lim_{x\to 2}\frac{f(x)}{x-2}=9$

2-3

다항함수 $f(x)$가

$$\lim_{x\to\infty}\frac{f(x)-2x^3}{x^2}=2,\ \lim_{x\to 0}\frac{f(x)}{x}=-3$$

을 만족시킬 때, $f(2)$의 값을 구하시오.

1주

일 핵심 개념 | 함수의 연속(1)

이 식당에서 샐러드를 x kg 담았을 때의 이용 금액을 $f(x)$원이라 하자.

$0<x\le1$일 때, $f(x)=20000$

$1<x\le1.1$일 때, $f(x)=20000+1000=21000$

$1.1<x\le1.2$일 때, $f(x)=20000+2\times1000=22000$

⋮

$1.5<x<1.6$일 때, $f(x)=20000+6\times1000=26000$

따라서 $0<x<1.6$일 때, 함수 $f(x)$가 불연속이 되는 x의 값은

1, 1.1, 1.2, 1.3, 1.4, 1.5

개념 ① 함수의 연속과 불연속

[01~02] 다음 ( ) 안에 주어진 것 중 옳은 것을 고르시오.

01 함수 $f(x)$가 실수 a에 대하여 다음 조건을 모두 만족시킬 때, 함수 $f(x)$는 $x=a$에서 (연속, 불연속)이라 한다.

❶ 함수 $f(x)$는 $x=a$에서 정의되어 있다.

❷ 극한값 $\lim_{x\to a}f(x)$가 존재한다.

❸ $\lim_{x\to a}f(x)=f(a)$

02 함수 $f(x)$가 $x=a$에서 연속이 아닐 때, 즉 **01**의 세 조건 중 어느 하나라도 만족시키지 않으면 함수 $f(x)$는 $x=a$에서 (연속, 불연속)이라 한다.

❶ $f(a)$가 정의되어 있지 않다.

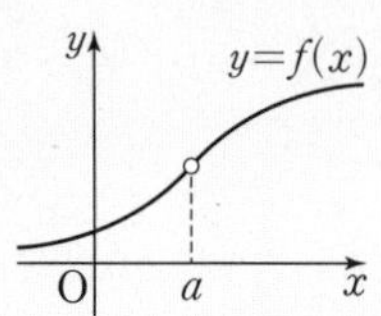

❷ $\lim_{x\to a}f(x)$가 존재하지 않는다.

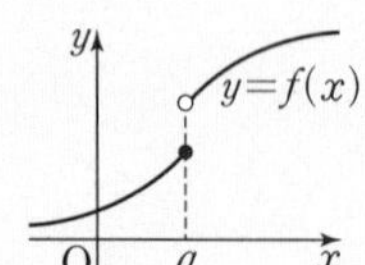

❸ $\lim_{x\to a}f(x)\ne f(a)$

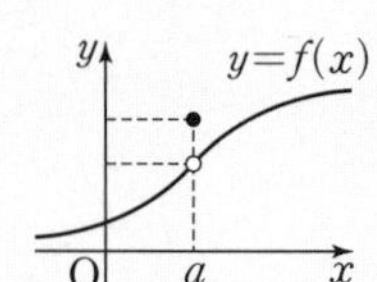

답 **01** 연속 **02** 불연속

개념 확인 | 함수의 연속

정답과 해설 9쪽

함수의 연속

함수 $f(x)$가 실수 a에 대하여 다음 조건을 모두 만족시킬 때, 함수 $f(x)$는 $x=a$에서 연속이라 한다.

❶ 함수 $f(x)$는 $x=a$에서 정의되어 있다. → 함숫값 존재

❷ 극한값 $\lim_{x \to a} f(x)$가 존재한다. → 극한값 존재

❸ $\lim_{x \to a} f(x) = f(a)$ → (극한값)=(함숫값)

함수의 불연속

함수 $f(x)$가 $x=a$에서 연속이 아닐 때, 즉 함수의 연속 조건 중 어느 하나라도 만족시키지 않으면 함수 $f(x)$는 $x=a$에서 불연속이라 한다.

참고 함수 $f(x)$가 $x=a$에서 연속이라는 것은 $x=a$에서 함수의 그래프가 끊어지지 않고 이어져 있는 것이고, 불연속이라는 것은 $x=a$에서 함수의 그래프가 끊어져 있는 것이다.

1 주

1-1 함수 $y=f(x)$의 그래프가 다음과 같을 때, 함수 $f(x)$가 $x=2$에서 불연속인 이유를 말하시오.

(1)

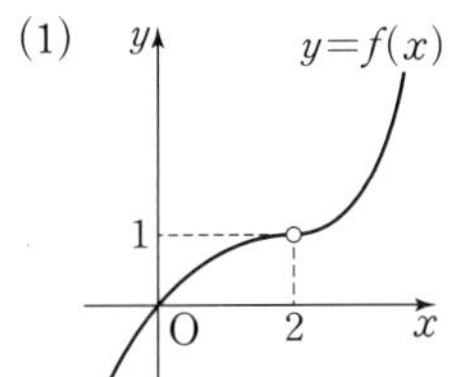

(2)

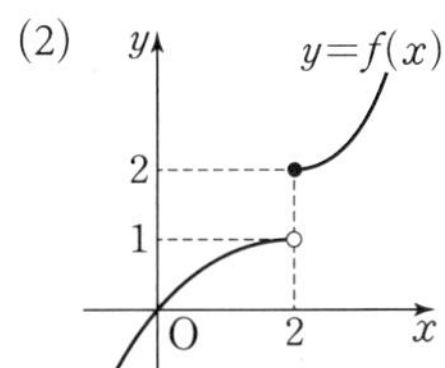

1-2 함수 $y=f(x)$의 그래프가 다음과 같을 때, 함수 $f(x)$가 $x=2$에서 불연속인 이유를 말하시오.

(1)

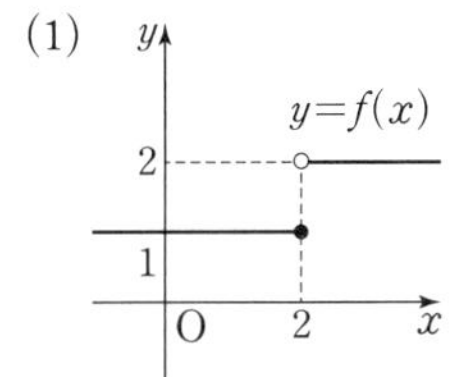

(2)

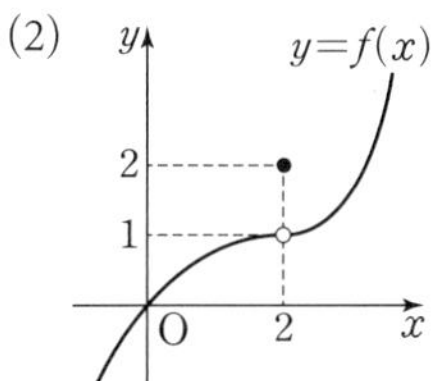

2-1 다음 함수가 $x=1$에서 연속인지 불연속인지 조사하시오.

(1) $f(x)=3x^2+1$

(2) $f(x)=\begin{cases} x & (x<1) \\ \sqrt{x-1} & (x\ge 1) \end{cases}$

2-2 다음 함수가 $x=2$에서 연속인지 불연속인지 조사하시오.

(1) $f(x)=\dfrac{x}{x-2}$

(2) $f(x)=\begin{cases} \dfrac{x^2-x-2}{x-2} & (x\neq 2) \\ 3 & (x=2) \end{cases}$

핵심 개념 | 함수의 연속(2)

제품을 손상하지 않고 내부의 균열을 찾아내는 비파괴 검사는 초음파를 제품 내부로 보내 반사되어 나온 초음파의 그래프를 분석하는 것이다. 반사되어 나온 초음파의 그래프가 연속적으로 그려지면 정상 수박, 불연속적으로 그려지면 내부에 균열이 있는 수박이다.

개념 ② 연속함수

[03~06] 두 실수 $a, b\ (a<b)$에 대하여 다음 ☐ 안에 알맞은 것을 아래 보기에서 찾아 써넣으시오.

보기
구간, 닫힌구간, 열린구간, $[a, b]$, (a, b), 연속, 불연속

03 집합 $\{x|a\le x\le b\}$, $\{x|a<x<b\}$, $\{x|a\le x<b\}$, $\{x|a<x\le b\}$를 ☐이라 한다.

04 구간을 기호로 각각 다음과 같이 나타낸다.
$\{x|a\le x\le b\}$ ⇨ ☐, $\{x|a<x<b\}$ ⇨ ☐, $\{x|a\le x<b\}$ ⇨ $[a, b)$, $\{x|a<x\le b\}$ ⇨ $(a, b]$

05 $[a, b]$를 ☐, (a, b)를 ☐이라 하고, $[a, b)$, $(a, b]$를 반닫힌 구간 또는 반열린 구간이라 한다.

06 함수 $f(x)$가 어떤 구간에 속하는 모든 점에서 ☐일 때, 함수 $f(x)$는 그 구간에서 연속 또는 그 구간에서 연속함수라 한다.

답 **03** 구간 **04** $[a, b]$, (a, b) **05** 닫힌구간, 열린구간 **06** 연속

개념 확인 | 함수의 연속

정답과 해설 9쪽

구간

두 실수 $a, b\ (a<b)$에 대하여 집합

$\{x|a\le x\le b\}$, $\{x|a<x<b\}$,

$\{x|a\le x<b\}$, $\{x|a<x\le b\}$

를 구간이라 하고, 기호로 각각

$[a, b]$, (a, b), $[a, b)$, $(a, b]$

닫힌구간 열린구간 반닫힌 구간 또는 반열린 구간

와 같이 나타낸다.

참고 집합 $\{x|x\le a\}$, $\{x|x<a\}$, $\{x|x\ge a\}$, $\{x|x>a\}$도 구간이라 하고, 기호로 각각 $(-\infty, a]$, $(-\infty, a)$, $[a, \infty)$, (a, ∞)와 같이 나타낸다. 특히 실수 전체의 집합도 하나의 구간이며, 기호로 $(-\infty, \infty)$와 같이 나타낸다.

연속함수

함수 $f(x)$가 어떤 구간에 속하는 모든 점에서 연속일 때, 함수 $f(x)$는 그 구간에서 연속 또는 그 구간에서 연속함수라 한다.

특히 함수 $f(x)$가 다음 조건을 모두 만족시킬 때, 함수 $f(x)$는 닫힌구간 $[a, b]$에서 연속이라 한다.

❶ 열린구간 (a, b)에서 연속이다.

❷ $\lim_{x\to a+} f(x)=f(a)$, $\lim_{x\to b-} f(x)=f(b)$

1주

3-1 다음 집합을 구간의 기호로 나타내시오.

(1) $\{x|-2\le x\le 5\}$ (2) $\{x|-5\le x<4\}$

3-2 다음 집합을 구간의 기호로 나타내시오.

(1) $\{x|1<x<3\}$ (2) $\{x|x<3\}$

4-1 다음 함수의 정의역을 구간의 기호로 나타내시오.

(1) $f(x)=x+2$

(2) $f(x)=1+\sqrt{x-3}$

4-2 다음 함수의 정의역을 구간의 기호로 나타내시오.

(1) $f(x)=\dfrac{x}{x-1}$

(2) $f(x)=\sqrt{9-x^2}$

5-1 다음 함수가 연속인 구간을 조사하시오.

(1) $f(x)=x^2-2x+1$

(2) $f(x)=\dfrac{2}{x-3}$

5-2 다음 함수가 연속인 구간을 조사하시오.

(1) $f(x)=\sqrt{x+5}$

(2) $f(x)=\dfrac{x+1}{x-4}$

4일 기초 유형 | 함수의 연속

2020 4월 실시
고3 교육청 나형 8번

1-1

함수 $f(x)=\begin{cases} ax+3 & (x\neq1) \\ 5 & (x=1) \end{cases}$ 가 실수 전체의 집합에서 연속일 때, 상수 a의 값을 구하시오. [3점]

Tip 함수 $f(x)$가 실수 전체의 집합에서 연속이려면 $x=1$에서 연속이어야 하므로 $\lim_{x\to1}f(x)=f(1)$

풀이

함수 $f(x)$가 실수 전체의 집합에서 연속이려면 $x=1$에서 연속이어야 한다. 즉, $\lim_{x\to1}f(x)=f(1)$

$\lim_{x\to1}f(x)=\lim_{x\to1}(ax+3)=a+\square$ 이므로

$a+\square=5$ $\therefore a=\square$

답 2

쌍둥이 교과서 문제

1-2

함수

$$f(x)=\begin{cases} x^2+2a & (x\neq1) \\ a & (x=1) \end{cases}$$

가 $x=1$에서 연속일 때, 상수 a의 값을 구하시오.

2018 4월 실시
고3 교육청 나형 13번

2-1

함수 $f(x)=\begin{cases} \dfrac{x^2-2x-3}{x-3} & (x\neq3) \\ a & (x=3) \end{cases}$ 가 실수 전체의 집합에서 연속일 때, 상수 a의 값을 구하시오. [3점]

Tip 함수 $f(x)$가 실수 전체의 집합에서 연속이려면 $x=3$에서 연속이어야 하므로 $\lim_{x\to3}f(x)=f(3)$

풀이

함수 $f(x)$가 실수 전체의 집합에서 연속이려면 $x=3$에서 연속이어야 한다. 즉, $\lim_{x\to3}f(x)=f(\square)$

$$\lim_{x\to3}f(x)=\lim_{x\to3}\frac{x^2-2x-3}{x-3}=\lim_{x\to3}\frac{(x+1)(x-3)}{x-3}$$

$$=\lim_{x\to3}(x+1)=\square$$

이므로 $a=\square$

답 4

2-2

함수

$$f(x)=\begin{cases} \dfrac{2x^3-4x^2-x+2}{x-2} & (x\neq2) \\ a & (x=2) \end{cases}$$

가 모든 실수 x에서 연속일 때, 상수 a의 값을 구하시오.

2017 7월 실시
고3 교육청 나형 24번

쌍둥이 교과서 문제

3-1

함수 $f(x)=\begin{cases} 3x+6 & (x<2) \\ x^2+ax-4 & (x\geq 2) \end{cases}$가 실수 전체의 집합에서 연속일 때, 상수 a의 값을 구하시오. [3점]

Tip 함수 $f(x)$가 $x=a$에서 연속이면
⇨ $\lim_{x\to a-} f(x)=\lim_{x\to a+} f(x)=f(a)$

풀이
함수 $f(x)$가 실수 전체의 집합에서 연속이려면 $x=2$에서 연속이어야 한다. 즉, $\lim_{x\to 2-} f(x)=\lim_{x\to 2+} f(x)=f(2)$

$\lim_{x\to 2-} f(x)=\lim_{x\to 2-}(3x+6)=\square$,

$\lim_{x\to 2+} f(x)=\lim_{x\to 2+}(x^2+ax-4)=2a$

$f(2)=2a$이므로 $2a=\square$

$\therefore a=\square$

답 6

3-2

함수

$$f(x)=\begin{cases} x^2-2x+3 & (x<1) \\ 3x+a & (x\geq 1) \end{cases}$$

가 $x=1$에서 연속일 때, 상수 a의 값을 구하시오.

2018 6월
평가원 나형 14번

4-1

함수 $f(x)=\begin{cases} \dfrac{x^2-5x+a}{x-3} & (x\neq 3) \\ b & (x=3) \end{cases}$가 실수 전체의 집합에서 연속일 때, $a+b$의 값을 구하시오.

(단, a, b는 상수이다.) [4점]

Tip $x\to a$일 때, (분모)$\to 0$이고 극한값이 존재하면 (분자)$\to 0$임을 이용하여 $\lim_{x\to 3} f(x)$의 값을 구한다.

풀이
함수 $f(x)$가 실수 전체의 집합에서 연속이려면 $x=3$에서 연속이어야 한다. 즉, $\lim_{x\to 3} f(x)=f(3)$

$\lim_{x\to 3}\dfrac{x^2-5x+a}{x-3}=b$에서 $\lim_{x\to 3}(x-3)=0$이므로

$\lim_{x\to 3}(x^2-5x+a)=0$

즉, $-6+a=\square$이므로 $a=\square$

$$\lim_{x\to 3}\frac{x^2-5x+6}{x-3}=\lim_{x\to 3}\frac{(x-2)(x-3)}{x-3}$$
$$=\lim_{x\to 3}(x-2)=\square$$

이므로 $b=1$

$\therefore a+b=7$

답 7

4-2

함수 $f(x)=\begin{cases} \dfrac{\sqrt{x+a}-2}{x-1} & (x\neq 1) \\ b & (x=1) \end{cases}$가 $x=1$에서 연속일 때, 상수 a, b의 값을 구하시오.

4-3

함수 $f(x)=\begin{cases} 2x-1 & (x\leq 2) \\ \dfrac{x^2+ax+b}{x-2} & (x>2) \end{cases}$가 모든 실수 x에서 연속일 때, 상수 a, b의 값을 구하시오.

1 주

핵심 개념 | 함수의 연속(3)

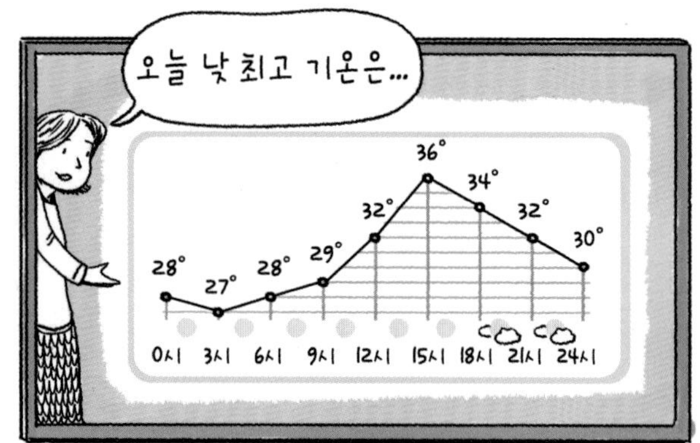

하루 기온을 세 시간 간격으로 측정하여 결과를 점으로 찍고 이웃하는 점 사이를 선분으로 연결하여 이 도시의 기온 변화를 대략적으로 나타내면 시간에 따라 연속으로 변하는 기온은 연속함수로 나타낼 수 있으므로 닫힌구간 [0시, 24시]에서 최고 기온과 최저 기온이 존재한다.

개념 ① 연속함수의 성질

01 다음 ☐ 안에 알맞은 것을 써넣으시오.

두 함수 $f(x)$, $g(x)$가 $x=a$에서 연속이면 다음 함수도 $x=$ ☐ 에서 연속이다.

❶ $cf(x)$ (단, c는 상수)

❷ $f(x)+g(x)$, $f(x)-g(x)$

❸ $f(x)g(x)$

❹ $\dfrac{f(x)}{g(x)}$ (단, $g(a)\neq 0$)

개념 ② 최대·최소 정리

[02~03] 다음 ( ) 안에 주어진 것 중 옳은 것을 고르시오.

02 함수 $f(x)$가 닫힌구간 $[a, b]$에서 (연속, 불연속)이면 $f(x)$는 이 닫힌구간에서 반드시 최댓값과 최솟값을 갖는다.

03 (열린구간, 닫힌구간)이 아닌 구간에서는 연속함수이더라도 최댓값 또는 최솟값을 갖지 않을 수 있다.

답 **01** a **02** 연속 **03** 닫힌구간

개념 확인 | 함수의 연속

정답과 해설 10쪽

연속함수의 성질

함수의 극한의 성질에 의하여

❶ $\lim_{x \to a}\{cf(x)\}=cf(a)$ (단, c는 상수)

❷ $\lim_{x \to a}\{f(x)+g(x)\}=f(a)+g(a)$

$\lim_{x \to a}\{f(x)-g(x)\}=f(a)-g(a)$

❸ $\lim_{x \to a} f(x)g(x)=f(a)g(a)$

❹ $\lim_{x \to a}\frac{f(x)}{g(x)}=\frac{f(a)}{g(a)}$ (단, $g(a)\neq0$)

따라서 함수 $cf(x)$, $f(x)+g(x)$, $f(x)-g(x)$, $f(x)g(x)$, $\frac{f(x)}{g(x)}$도 $x=a$에서 연속이다.

최대 · 최소 정리

함수 $f(x)$가 닫힌구간 $[a, b]$에서 연속이면 $f(x)$는 이 닫힌구간에서 반드시 최댓값과 최솟값을 갖는다.

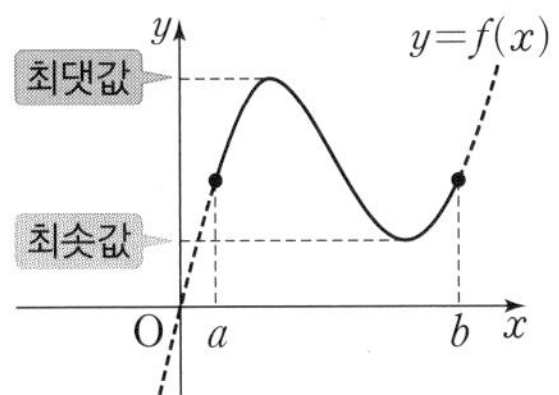

참고 열린구간이나 반닫힌 구간에서는 최댓값 또는 최솟값이 없을 수도 있다.

1주

1-1 두 함수 $f(x)=x^2-3x+2$, $g(x)=x-2$에 대하여 다음 함수가 연속인 구간을 구하시오.

(1) $\frac{g(x)}{f(x)}$

(2) $\sqrt{f(x)g(x)}$

1-2 두 함수 $f(x)=x^2+1$, $g(x)=x-1$에 대하여 다음 함수가 연속인 구간을 구하시오.

(1) $3f(x)-2g(x)$

(2) $\frac{f(x)-g(x)}{f(x)+g(x)}$

2-1 주어진 구간에서 다음 함수의 최댓값과 최솟값을 구하시오.

(1) $f(x)=2x+5$ $[-2, 0]$

(2) $f(x)=\frac{x}{x-1}$ $[2, 5]$

(3) $f(x)=\sqrt{x+2}$ $[-1, 2]$

2-2 주어진 구간에서 다음 함수의 최댓값과 최솟값을 구하시오.

(1) $f(x)=x^2+2x-3$ $[-2, 1]$

(2) $f(x)=\frac{1}{2-x}+1$ $[-3, 1]$

(3) $f(x)=\sqrt{4-3x}$ $[-1, 1]$

5일

핵심 개념 | 함수의 연속(4)

샌드위치 나왔습니다~

반반씩 돈을 냈으니 정확히 이등분해서 주세요.

이렇게 생긴 걸 어떻게 정확히 이등분해요?

지나가던 수학자인데 제가 한 번 해보죠.

사잇값의 정리를 이용하면 어떤 도형의 넓이를 이등분하는 직선이 항상 존재함을 설명할 수 있다. 이와 같은 방법을 이용하면 햄이나 치즈 등이 들어간 샌드위치의 부피를 정확하게 이등분할 수 있음을 수학적으로 증명할 수 있는데, 이것을 '햄 샌드위치 정리'라 한다.

개념 3 사잇값의 정리

[04~05] 다음 ☐ 안에 알맞은 것을 아래 보기에서 찾아 써넣으시오.

> **보기**
>
> a, b, k, 같으면, 다르면

04 함수 $f(x)$가 닫힌구간 $[a, b]$에서 연속이고 $f(a) \neq f(b)$이면 $f(a)$와 $f(b)$ 사이의 임의의 실수 k에 대하여 $f(c)=$ ☐ 인 c가 열린구간 (a, b)에 적어도 하나 존재한다.
이것을 사잇값의 정리라 한다.

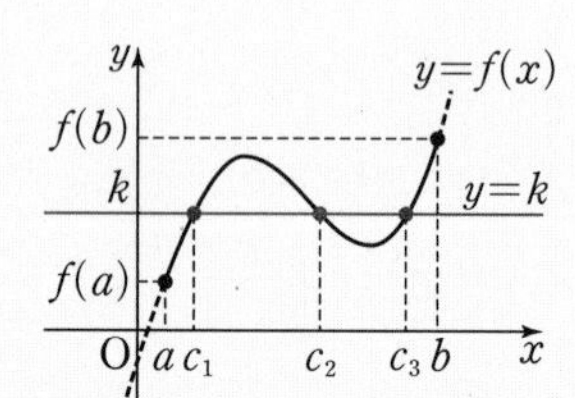

05 함수 $f(x)$가 닫힌구간 $[a, b]$에서 연속이고 $f(a)$와 $f(b)$의 부호가 서로 ☐ 사잇값의 정리에 의하여 $f(c)=0$인 c가 열린구간 (a, b)에 적어도 하나 존재한다.
즉, 방정식 $f(x)=0$은 열린구간 (a, b)에서 적어도 하나의 실근을 갖는다.

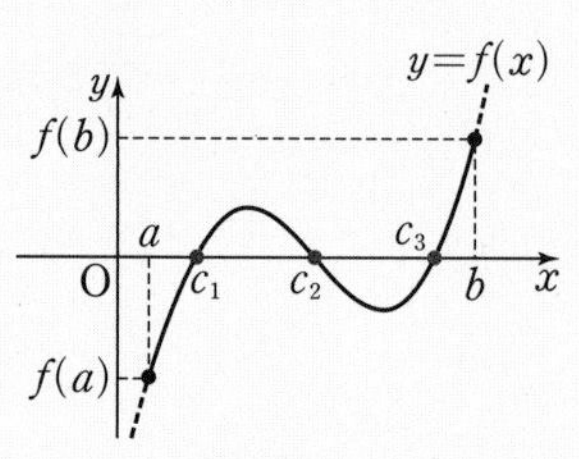

답 04 k 05 다르면

개념 확인 | 함수의 연속

사잇값의 정리

사잇값의 정리를 적용할 수 있는 예

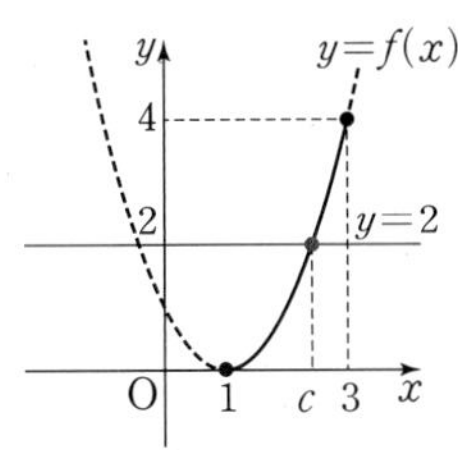

함수 $f(x)$는 닫힌구간 $[1, 3]$에서 연속이고 $f(1)\neq f(3)$이므로 $f(1)<2<f(3)$인 2에 대하여 $f(c)=2$인 c가 열린구간 $(1, 3)$에 적어도 하나 존재한다.

사잇값의 정리를 적용할 수 없는 예

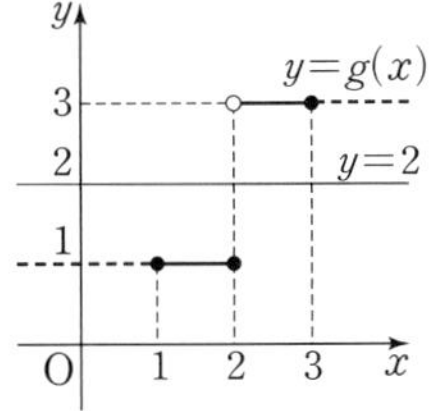

함수 $g(x)$는 $g(1)\neq g(3)$이지만 닫힌구간 $[1, 3]$에서 연속이 아니다. 이때 $g(1)<2<g(3)$인 2에 대하여 $g(c)=2$인 c가 열린구간 $(1, 3)$에 존재하지 않는다.

3-1 다음은 함수 $f(x)=x^3+x-2$에 대하여 $f(c)=1$인 c가 열린구간 $(1, 2)$에 적어도 하나 존재함을 보이는 과정이다. (가), (나)에 알맞은 것을 구하시오.

> 함수 $f(x)=x^3+x-2$는 열린구간 $(-\infty, \infty)$에서 [(가)] 이므로 닫힌구간 $[1, 2]$에서 [(가)] 이다.
> 또 $f(1)=0$, $f(2)=8$에서 $f(1)\neq f(2)$이고, $0<1<8$이므로 [(나)] 에 의하여 $f(c)=1$인 c가 열린구간 $(1, 2)$에 적어도 하나 존재한다.

3-2 방정식 $x^4-2x^3+x-1=0$은 열린구간 $(-1, 1)$에서 적어도 하나의 실근을 가짐을 보이는 과정이다. (가), (나)에 알맞은 것을 구하시오.

> $f(x)=x^4-2x^3+x-1$이라 하면 함수 $f(x)$는 열린구간 $(-\infty, \infty)$에서 연속이므로 닫힌구간 $[-1, 1]$에서 연속이다.
> 또 $f(-1)=1>0$, $f(1)=-1<0$이므로 사잇값의 정리에 의하여 $f(c)=$ [(가)] 인 c가 열린구간 $(-1, 1)$에 적어도 하나 존재한다.
> 즉, 방정식 $x^4-2x^3+x-1=0$은 열린구간 $(-1, 1)$에서 적어도 [(나)] 의 실근을 갖는다.

4-1 모든 실수 x에서 연속인 함수 $f(x)$에 대하여

$f(-1)=-2$, $f(0)=1$,
$f(1)=2$, $f(2)=-1$

일 때, 방정식 $f(x)=0$은 열린구간 $(-1, 2)$에서 적어도 몇 개의 실근을 갖는지 구하시오.

4-2 모든 실수 x에서 연속인 함수 $f(x)$에 대하여

$f(-2)=1$, $f(-1)=5$, $f(0)=-2$,
$f(1)=2$, $f(2)=-4$

일 때, 방정식 $f(x)=0$은 열린구간 $(-2, 2)$에서 적어도 몇 개의 실근을 갖는지 구하시오.

1주

일 기초 유형 | 함수의 연속

2020 3월 실시
고3 교육청 나형 6번

쌍둥이 교과서 문제

1-1

모든 실수 x에서 연속인 함수 $f(x)$가

$$(x-1)f(x)=x^2-3x+2$$

를 만족시킬 때, $f(1)$의 값을 구하시오. [3점]

Tip $x\neq1$일 때, 함수 $f(x)$를 구하고 함수 $f(x)$는 $x=1$에서 연속임을 이용하여 $f(1)$의 값을 구한다.

풀이

$x\neq1$일 때

$$f(x)=\frac{x^2-3x+2}{x-1}=\frac{(x-1)(x-2)}{x-1}=x-\square$$

함수 $f(x)$가 $x=1$에서 연속이므로

$$f(1)=\lim_{x\to1}f(x)=\lim_{x\to1}(x-\square)=\square$$

답 -1

1-2

실수 전체의 집합에서 연속인 함수 $f(x)$가

$$(x+1)f(x)=x^2-2x-3$$

을 만족시킬 때, $f(-1)$의 값을 구하시오.

2017 9월
평가원 나형 10번

2-1

실수 전체의 집합에서 연속인 함수 $f(x)$가

$$\lim_{x\to2}\frac{(x^2-4)f(x)}{x-2}=12$$

를 만족시킬 때, $f(2)$의 값을 구하시오. [3점]

Tip 함수의 극한의 성질을 이용하여 $\lim_{x\to2}f(x)$의 값을 구하고, 함수 $f(x)$가 $x=2$에서 연속임을 이용하여 $f(2)$의 값을 구한다.

풀이

$$\lim_{x\to2}\frac{(x^2-4)f(x)}{x-2}=\lim_{x\to2}(x+2)f(x)$$
$$=4\lim_{x\to2}f(x)$$

즉, $4\lim_{x\to2}f(x)=\square$이므로 $\lim_{x\to2}f(x)=\square$

함수 $f(x)$가 $x=2$에서 연속이므로

$$f(2)=\lim_{x\to2}f(x)=\square$$

답 3

2-2

모든 실수 x에서 연속인 함수 $f(x)$가

$$\lim_{x\to3}\frac{(x-3)f(x)}{x^2-9}=2$$

를 만족시킬 때, $f(3)$의 값을 구하시오.

2016
수능 A형 27번

쌍둥이 교과서 문제

3-1

두 함수

$$f(x)=\begin{cases} x+3 & (x\le a) \\ x^2-x & (x>a) \end{cases},\ g(x)=x-(2a+7)$$

에 대하여 함수 $f(x)g(x)$가 실수 전체의 집합에서 연속이 되도록 하는 모든 실수 a의 값의 곱을 구하시오.

[4점]

Tip 함수 $f(x)g(x)$가 실수 전체의 집합에서 연속이면 $x=a$에서도 연속이므로

$\lim_{x\to a-} f(x)g(x)=\lim_{x\to a+} f(x)g(x)=f(a)g(a)$

풀이

함수 $f(x)$는 $x\le a$, $x>a$에서 각각 연속이고 함수 $g(x)$는 실수 전체의 집합에서 연속이므로 함수 $f(x)g(x)$가 실수 전체의 집합에서 연속이려면 $x=$ ☐ 에서 연속이어야 한다.

즉, $\lim_{x\to a-} f(x)g(x)=\lim_{x\to a+} f(x)g(x)=f(a)g(a)$

$$\begin{aligned}\lim_{x\to a-} f(x)g(x)&=\lim_{x\to a-}(x+3)\{x-(2a+7)\}\\&=(a+3)\{a-(2a+7)\}\\&=(a+3)(-a-7)\end{aligned}$$

$$\begin{aligned}\lim_{x\to a+} f(x)g(x)&=\lim_{x\to a+}(x^2-x)\{x-(2a+7)\}\\&=(a^2-a)\{a-(2a+7)\}\\&=(a^2-a)(-a-7)\end{aligned}$$

$f(a)g(a)=(a+3)(-a-7)$

이므로

$(a+3)(-a-7)=(a^2-a)(-a-7)$

$(a+7)(a^2-2a-3)=0$, $(a+7)(a+1)(a-$ ☐ $)=0$

$\therefore a=-7$ 또는 $a=-1$ 또는 $a=$ ☐

따라서 모든 실수 a의 값의 곱은

$-7\times(-1)\times$ ☐ $=$ ☐

답 21

3-2

두 함수

$$f(x)=\begin{cases} x-1 & (x<3) \\ x-2 & (x\ge 3) \end{cases},\ g(x)=x+a$$

에 대하여 함수 $f(x)g(x)$가 $x=3$에서 연속이 되도록 하는 상수 a의 값을 구하시오.

3-3

두 함수

$$f(x)=\begin{cases} -x+1 & (x<0) \\ x^3 & (x\ge 0) \end{cases},$$

$$g(x)=\begin{cases} x^2+3 & (x<0) \\ x+a & (x\ge 0) \end{cases}$$

에 대하여 함수 $f(x)+g(x)$가 $x=0$에서 연속이 되도록 하는 상수 a의 값을 구하시오.

1 주

누구나 100점 테스트

1

| 2021 9월 평가원 나형 6번 |

닫힌구간 $[-2, 2]$에서 정의된 함수 $y=f(x)$의 그래프가 다음 그림과 같다.

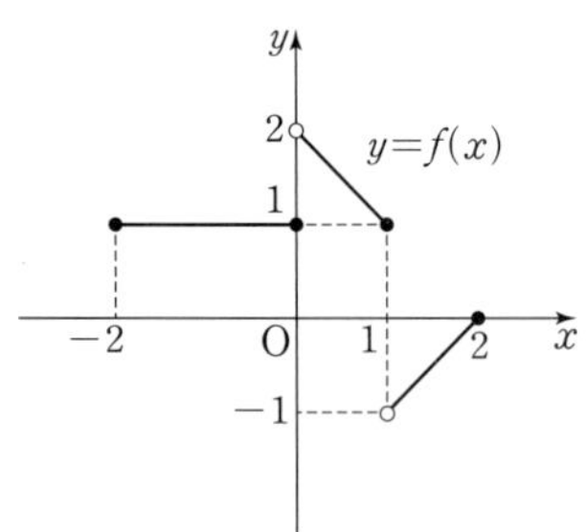

$\lim_{x \to 0+} f(x) + \lim_{x \to 2-} f(x)$의 값은?

① -2　② -1　③ 0　④ 1　⑤ 2

2

| 2016 6월 평가원 A형 22번 |

$\lim_{x \to 2} \frac{x^2+7}{x-1}$의 값을 구하시오.

3

| 2016 수능 A형 3번 |

$\lim_{x \to -2} \frac{(x+2)(x^2+5)}{x+2}$의 값은?

① 7　② 8　③ 9　④ 10　⑤ 11

4

| 2013 7월 실시 고3 교육청 B형 2번 |

$\lim_{x \to 1} \frac{\sqrt{3x+1}-\sqrt{x+3}}{x^2-1}$의 값은?

① $-\frac{3}{4}$　② $-\frac{1}{4}$　③ 0　④ $\frac{1}{4}$　⑤ $\frac{3}{4}$

5

| 2011 6월 평가원 가형 3번 |

두 상수 a, b에 대하여 $\lim_{x \to 3} \frac{x^2+ax+b}{x-3}=14$일 때, $a+b$의 값은?

① -25　② -23　③ -21　④ -19　⑤ -17

6

| 2018 9월 평가원 나형 12번 |

다항함수 $f(x)$가 다음 조건을 만족시킨다.

(가) $\lim_{x \to \infty} \frac{f(x)}{x^2}=2$　　(나) $\lim_{x \to 0} \frac{f(x)}{x}=3$

$f(2)$의 값은?

① 11　② 14　③ 17　④ 20　⑤ 23

7

| 2015 9월 평가원 A형 25번 |

함수 $f(x)=\begin{cases} \frac{(3x+2)(x-3)}{x-3} & (x \neq 3) \\ a & (x=3) \end{cases}$가 실수 전체의 집합에서 연속일 때, 상수 a의 값을 구하시오.

8

| 2019 7월 실시 고3 교육청 나형 6번 |

함수 $f(x)=\begin{cases} x+1 & (x<2) \\ x^2-4x+a & (x \geq 2) \end{cases}$가 실수 전체의 집합에서 연속일 때, 상수 a의 값은?

① 1　② 3　③ 5　④ 7　⑤ 9

9

| 2019 11월 실시 고2 교육청 가형 12번 |

실수 전체의 집합에서 연속인 함수 $f(x)$가 모든 실수 x에 대하여

$$(x-1)f(x)=x^3+ax+b$$

를 만족시킨다. $f(1)=4$일 때, ab의 값은?

(단, a, b는 상수이다.)

① -2　② -1　③ 0　④ 1　⑤ 2

10

| 2016 10월 실시 고3 교육청 나형 14번 |

두 함수

$$f(x)=\begin{cases} -x^2+a & (x \leq 2) \\ x^2-4 & (x>2) \end{cases},$$

$$g(x)=\begin{cases} x-4 & (x \leq 2) \\ \frac{1}{x-2} & (x>2) \end{cases}$$

에 대하여 함수 $f(x)g(x)$가 $x=2$에서 연속이 되도록 하는 상수 a의 값은?

① 1　② 2　③ 3　④ 4　⑤ 5

1주

특강 창의 · 융합 · 코딩

정답과 해설 13쪽

어느 상점에서는 매일 6시 10분부터 10분 동안 5000원짜리 고등어 한 마리를 4000원으로 할인하여 판매하다가 6시 20분부터 다시 5000원으로 판매하고 있다. 6시부터 x분이 지난 후의 고등어 한 마리의 가격을 $f(x)$원이라 할 때, $y=f(x)$의 그래프를 이용하여 다음 극한을 구하시오. (단, $0\leq x\leq 30$)

(1) $\lim_{x\to 5}f(x)$

(2) $\lim_{x\to 10}f(x)$

(3) $\lim_{x\to 15}f(x)$

(4) $\lim_{x\to 20}f(x)$

1주

1

2020 3월 실시 고3 교육청 가형 8번

함수의 극한 ⊕ 합성함수

함수 $y=f(x)$의 그래프가 오른쪽 그림과 같다.

❶ $\lim_{x \to 0+} f(x-1)$ + ❷ $\lim_{x \to 1+} f(f(x))$의 ❸ 값을 구하시오.

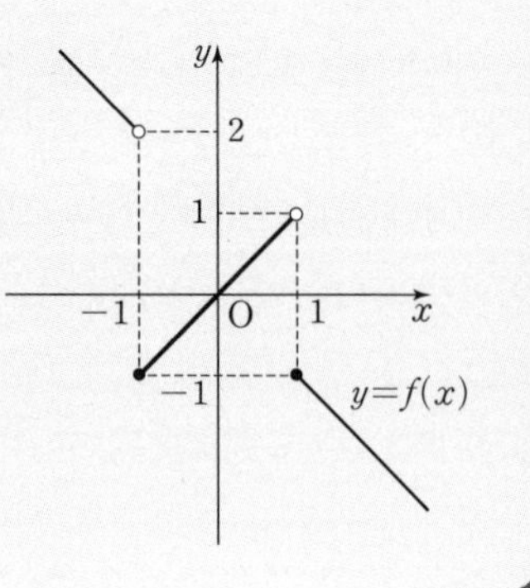

❶ $\lim_{x \to 0+} f(x-1)$의 값을 구한다.

합성함수의 좌극한과 우극한

함수 $f(x)$에 대하여 $\lim_{x \to a+} f(f(x))$의 값은 $f(x)=t$로 놓고 $x \to a+$일 때

❶ t가 b보다 큰 값을 가지면서 b에 한없이 가까워지면, 즉 $t \to b+$이면

⇨ $\lim_{x \to a+} f(f(x)) = \lim_{t \to b+} f(t)$

❷ t가 b보다 작은 값을 가지면서 b에 한없이 가까워지면, 즉 $t \to b-$이면

⇨ $\lim_{x \to a+} f(f(x)) = \lim_{t \to b-} f(t)$

❸ $f(x)=b$이면

⇨ $\lim_{x \to a+} f(f(x)) = f(b)$

$x-1=t$로 치환하면 $x \to 0+$일 때 $t \to -1+$이므로

$\lim_{x \to 0+} f(x-1) = \lim_{t \to -1+} f(t) = \square$

❷ $\lim_{x \to 1+} f(f(x))$의 값을 구한다.

$f(x)=s$로 놓으면 $x \to 1+$일 때 $s \to -1-$이므로

$\lim_{x \to 1+} f(f(x)) = \lim_{s \to -1-} f(s) = \square$

❸ $\lim_{x \to 0+} f(x-1) + \lim_{x \to 1+} f(f(x))$의 값을 구한다.

$\therefore \lim_{x \to 0+} f(x-1) + \lim_{x \to 1+} f(f(x)) = \square$

답 1

정답과 해설 13쪽

2 2020 수능 나형 14번

함수의 극한과 미정계수 + 인수정리

상수항과 계수가 모두 정수인 두 다항함수 $f(x)$, $g(x)$가 다음 조건을 만족시킬 때, ❸ $f(2)$의 최댓값을 구하시오.

(가) ❶ $\lim_{x\to\infty}\frac{f(x)g(x)}{x^3}=2$

(나) ❷ $\lim_{x\to 0}\frac{f(x)g(x)}{x^2}=-4$

1주

길잡이

❶ $f(x)g(x)$의 최고차항의 차수와 계수를 구한다.

❷ $f(x)g(x)$를 미정계수를 이용하여 나타낸 후 조건 (나)에서 $f(x)g(x)$를 구한다.

❸ $f(2)$의 최댓값을 구한다.

3 2020 7월 실시 고3 교육청 나형 13번

함수의 극한 + 점과 직선 사이의 거리

곡선 $y=\sqrt{x}$ 위의 ❷ 점 $\mathrm{P}(t, \sqrt{t})$ $(t>4)$에서 직선 $y=\frac{1}{2}x$에 내린 수선의 발을 H라 하자. ❹ $\lim_{t\to\infty}\frac{\overline{\mathrm{OH}}^2}{\overline{\mathrm{OP}}^2}$ ❸ ❶ 의 값을 구하시오. (단, O는 원점이다.)

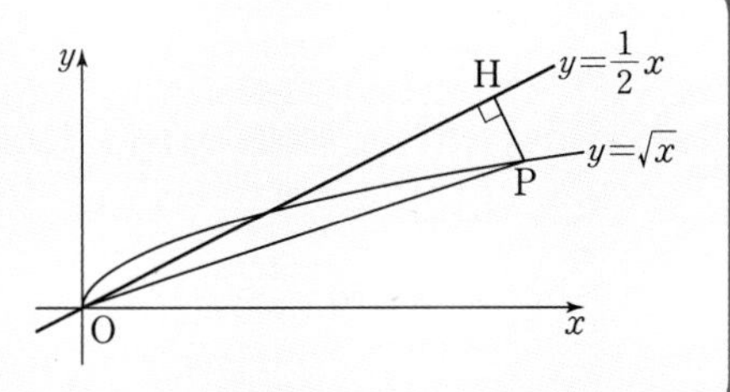

길잡이

❶ $\overline{\mathrm{OP}}^2$을 t에 대한 식으로 나타낸다.

❷ 점과 직선 사이의 거리를 이용하여 $\overline{\mathrm{PH}}^2$을 t에 대한 식으로 나타낸다.

❸ $\overline{\mathrm{OH}}^2=\overline{\mathrm{OP}}^2-\overline{\mathrm{PH}}^2$임을 이용하여 $\overline{\mathrm{OH}}^2$을 t에 대한 식으로 나타낸다.

❹ $\lim_{t\to\infty}\frac{\overline{\mathrm{OH}}^2}{\overline{\mathrm{OP}}^2}$의 값을 구한다.

2017 4월 실시 고3 교육청 나형 21번

함수의 극한 + 직선의 방정식

오른쪽 그림과 같이 곡선 $y=x^2$ 위의 점 $\mathrm{P}(t, t^2)\ (t>0)$에 대하여 x축 위의 점 Q, y축 위의 점 R가 다음 조건을 만족시킨다.

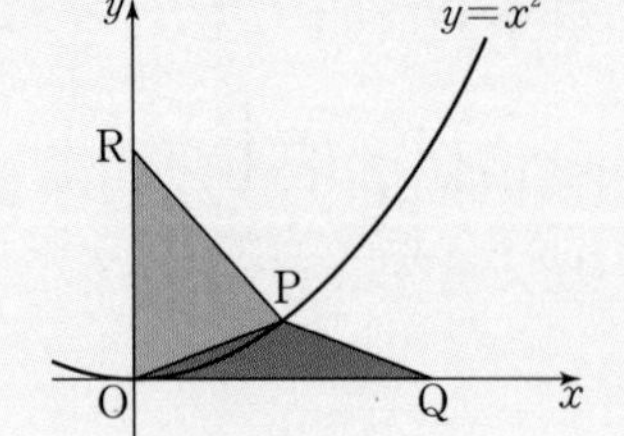

> (가) ❶ 삼각형 POQ는 $\overline{\mathrm{PO}}=\overline{\mathrm{PQ}}$인 이등변삼각형이다.
> (나) ❷ 삼각형 PRO는 $\overline{\mathrm{RO}}=\overline{\mathrm{RP}}$인 이등변삼각형이다.

삼각형 POQ와 삼각형 PRO의 넓이를 각각 ❶ $S(t)$, ❷ $T(t)$라 할 때,

❸ $\displaystyle\lim_{t\to0+}\frac{T(t)-S(t)}{t}$의 값을 구하시오. (단, O는 원점이다.)

❶ 점 Q의 좌표를 구한 다음 $S(t)$를 구한다.

조건 (가)에 의하여 점 $\mathrm{P}(t, t^2)$에서 변 OQ에 내린 수선의 발 $(t, 0)$은 변 OQ의 중점이므로 $\mathrm{Q}(2t, 0)$

$\therefore S(t)=\frac{1}{2}\times2t\times t^2=t^3$

❷ 점 R의 좌표를 구한 다음 $T(t)$를 구한다.

> **한 점과 기울기가 주어진 직선의 방정식**
> 좌표평면 위의 점 (x_1, y_1)을 지나고 기울기가 m인 직선의 방정식은
> $y-y_1=m(x-x_1)$

점 R에서 변 OP에 내린 수선의 발을 M이라 하면 조건 (나)에 의하여 점 M은 변 OP의 중점이므로 $\mathrm{M}\left(\frac{t}{2}, \frac{t^2}{2}\right)$

직선 OP의 기울기는 $\frac{t^2}{t}=t$이므로 직선 MR의 기울기는 $-\frac{1}{t}$이다.

즉, 직선 MR의 방정식은

$y-\frac{t^2}{2}=-\frac{1}{t}\left(x-\frac{t}{2}\right)\qquad\therefore y=-\frac{1}{t}x+\frac{t^2+1}{2}$

점 R는 이 직선이 y축과 만나는 점이므로 $\mathrm{R}\left(0, \frac{t^2+1}{\square}\right)$

$\therefore T(t)=\frac{1}{2}\times\frac{t^2+1}{\square}\times t=\frac{t^3+t}{\square}$

❸ $\displaystyle\lim_{t\to0+}\frac{T(t)-S(t)}{t}$의 값을 구한다.

$$\therefore \lim_{t\to0+}\frac{T(t)-S(t)}{t}=\lim_{t\to0+}\frac{\frac{t^3+t}{\square}-t^3}{t}=\lim_{t\to0+}\left(-\frac{3}{4}t^2+\frac{1}{\square}\right)=\frac{1}{\square}$$

답 $\frac{1}{4}$

정답과 해설 14쪽

5 2014 3월 실시 고3 교육청 B형 16번

함수의 연속 ⊕ 합성함수

두 함수

❶ $f(x)=\begin{cases} 3x+a & (x<1) \\ x^2-x+2a & (x\geq 1) \end{cases}$, $g(x)=x^2+ax+3$

에 대하여 ❷ 합성함수 $(g\circ f)(x)$가 실수 전체의 집합에서 연속이 되도록 하는 ❸ 모든 상수 a의 값의 합을 구하시오.

길잡이

❶ 연속성을 조사할 x의 값을 알아낸다.
❷ $x=1$에서 함수 $(g\circ f)(x)$의 좌극한, 우극한, 함숫값을 각각 구하여 a의 값을 구한다.
❸ 모든 상수 a의 값의 합을 구한다.

1
주

2013 수능 나형 20번

함수의 극한 ⊕ 함수의 연속

두 함수 ❶ $f(x)=\begin{cases} 1 & (|x|<1) \\ -1 & (|x|\geq 1) \end{cases}$, $g(x)=\begin{cases} -x & (|x|<1) \\ 1 & (|x|\geq 1) \end{cases}$ 에 대하여 ❺ 옳은 것만을 보기에서 있는 대로 고르시오.

ㄱ. ❷ $\lim_{x\to 1} f(x)g(x)=-1$
ㄴ. ❸ 함수 $g(x+1)$은 $x=0$에서 연속이다.
ㄷ. ❹ 함수 $f(x)g(x+1)$은 $x=-1$에서 연속이다.

길잡이

❶ 두 함수 $y=f(x)$, $y=g(x)$의 그래프를 각각 그린다.
❷ 함수의 극한의 성질을 이용하여 $\lim_{x\to 1} f(x)g(x)$의 값을 구한다.
❸ $\lim_{x\to 0-} g(x+1)=\lim_{x\to 0+} g(x+1)=g(1)$이 성립하는지 확인한다.
❹ $\lim_{x\to -1-} f(x)g(x+1)$ $=\lim_{x\to -1+} f(x)g(x+1)=f(-1)g(0)$이 성립하는지 확인한다.
❺ 옳은 것을 모두 찾는다.

Week 2

2주에는 무엇을 공부할까? ①

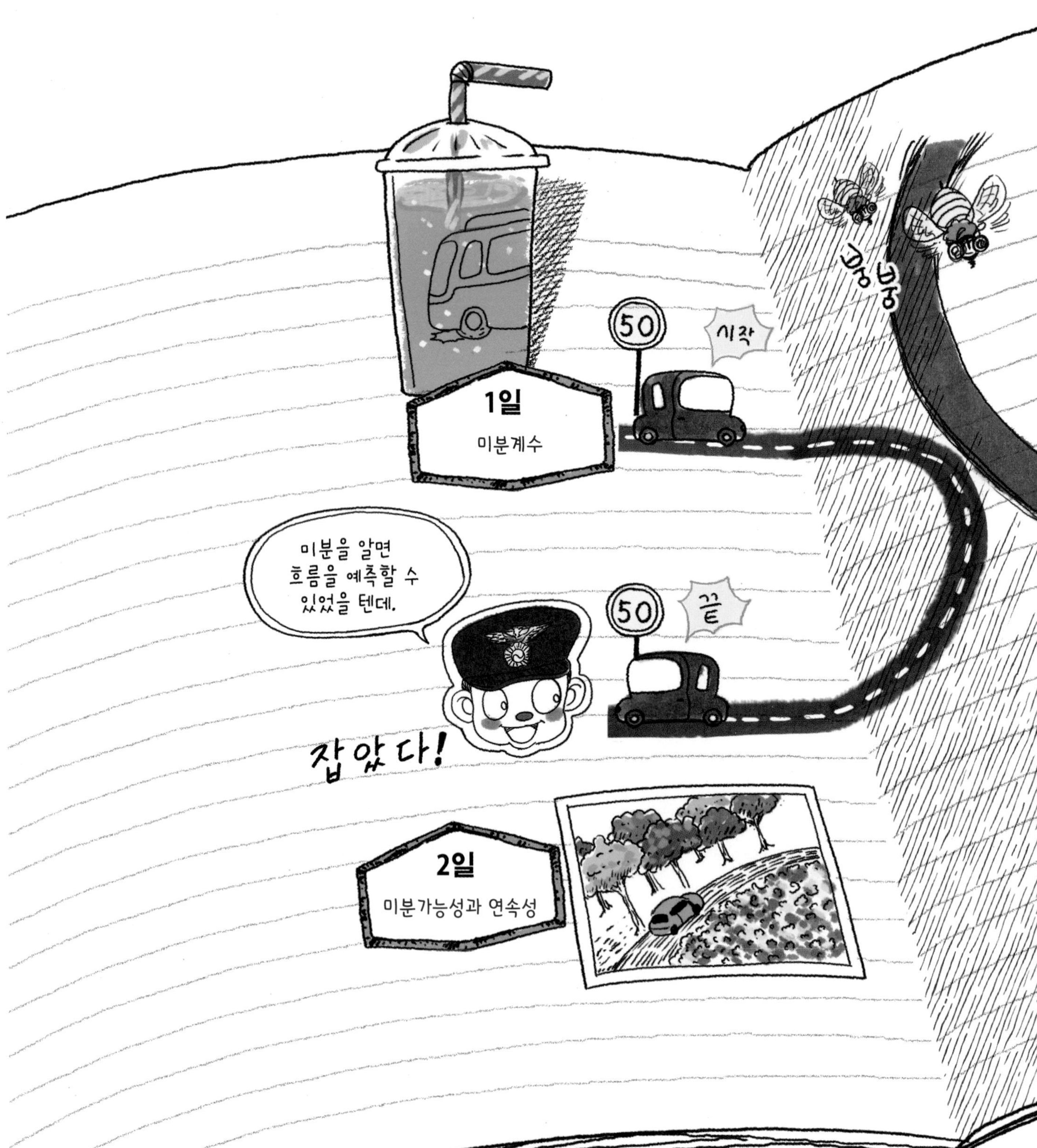

공부할 내용

❶ 미분계수의 뜻을 알고, 미분가능성과 연속성의 관계 이해하기
❷ 다항함수의 도함수 구하기
❸ 접선의 방정식 구하기

2 주

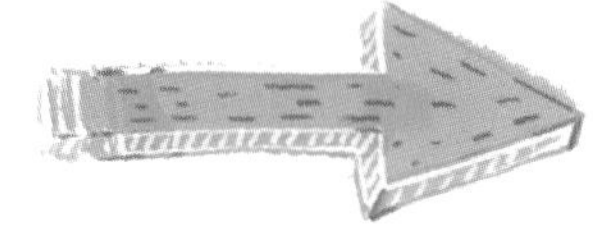

배운 내용 다시보기

1 좌표평면에서 다음 두 점을 지나는 직선의 기울기를 구하시오.

(1) $(0, 0), (-3, 4)$ (2) $(1, 3), (2, 5)$

2 다음 극한값을 구하시오.

(1) $\lim\limits_{x\to 3}\dfrac{x^2-9}{x-3}$ (2) $\lim\limits_{x\to 0}\dfrac{(1+x)^2-1}{x}$

3 다음 함수가 $x=1$에서 연속인지 불연속인지 조사하시오.

(1) $f(x)=|x-1|$ (2) $f(x)=\begin{cases} \dfrac{x^2-1}{x-1} & (x\neq 1) \\ 1 & (x=1) \end{cases}$

답 **1** (1) $-\frac{4}{3}$ (2) 2 **2** (1) 6 (2) 2 **3** (1) 연속 (2) 불연속

만두 빚는 속도에
놀라고, 그 맛에
다시 놀라게 되네.
味味 달인 만두
4일
접선의 방정식

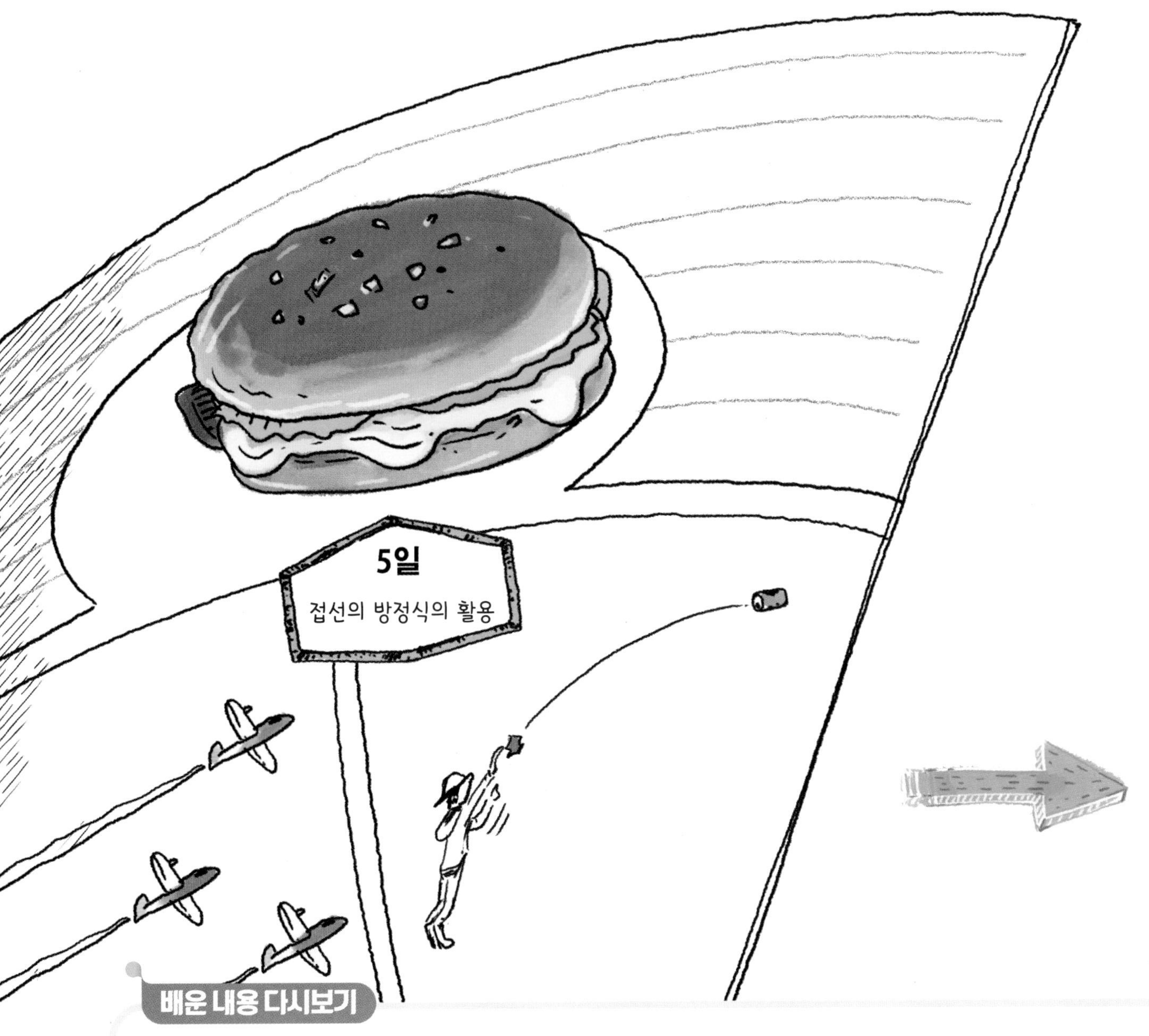

2
주

배운 내용 다시보기

4 $\lim_{x\to1}f(x)=3$, $\lim_{x\to1}g(x)=-2$일 때, 다음 극한값을 구하시오.

(1) $\lim_{x\to1}3f(x)$

(2) $\lim_{x\to1}\{4f(x)+3g(x)\}$

(3) $\lim_{x\to1}\dfrac{f(x)g(x)}{2f(x)-g(x)}$

5 다음 직선의 방정식을 구하시오.

(1) 점 $(1, 2)$를 지나고 기울기가 2인 직선

(2) 두 점 $(0, 1)$, $(3, 2)$를 지나는 직선

(3) 점 $(2, -1)$을 지나고 직선 $y=3x+1$에 평행한 직선

(4) 점 $(3, 0)$을 지나고 직선 $y=-\dfrac{1}{2}x$에 수직인 직선

답 **4** (1) 9 (2) 6 (3) $-\dfrac{3}{4}$ **5** (1) $y=2x$ (2) $y=\dfrac{1}{3}x+1$ (3) $y=3x-7$ (4) $y=2x-6$

1일 핵심 개념 | 미분계수(1)

500 mL의 음료를 10분 동안 모두 마실 때, x분 후 컵에 남아 있는 음료의 부피 $f(x)$ mL는 다음과 같다.

$f(x)=500-5x^2\ (0\le x\le 10)$

$x=5$일 때, 남아 있는 음료의 부피의 순간변화율은

$$f'(5)=\lim_{\Delta x\to 0}\frac{f(5+\Delta x)-f(5)}{\Delta x}=\lim_{\Delta x\to 0}\frac{500-5(5+\Delta x)^2-375}{\Delta x}$$

$$=\lim_{\Delta x\to 0}\frac{-50\Delta x-5(\Delta x)^2}{\Delta x}=\lim_{\Delta x\to 0}(-50-5\Delta x)$$

$$=-50$$

개념 ① 평균변화율

[01~02] 다음 ( ) 안에 주어진 것 중 옳은 것을 고르시오.

01 함수 $y=f(x)$에서 x의 값의 변화량 ($b-a$, $f(b)-f(a)$)를 x의 증분, y의 값의 변화량 ($b-a$, $f(b)-f(a)$)를 y의 증분이라 하고, 기호로 각각 Δx, Δy와 같이 나타낸다.

02 함수 $y=f(x)$에서 x의 값이 a에서 b까지 변할 때의 (평균변화율, 순간변화율)은

$$\frac{\Delta y}{\Delta x}=\frac{f(b)-f(a)}{b-a}=\frac{f(a+\Delta x)-f(a)}{\Delta x}$$

개념 ② 미분계수

03 다음 □ 안에 알맞은 것을 써넣으시오.

함수 $y=f(x)$의 $x=a$에서의 순간변화율 또는 미분계수는

$$f'(a)=\lim_{\Delta x\to 0}\frac{\Delta y}{\Delta x}=\lim_{\Delta x\to 0}\frac{f(a+\Delta x)-f(a)}{\square}=\lim_{h\to 0}\frac{f(a+h)-f(a)}{h}$$

답 **01** $b-a$, $f(b)-f(a)$ **02** 평균변화율 **03** Δx

개념 확인 | 미분계수

■ 정답과 해설 15쪽

평균변화율

함수 $y=f(x)$에서 x의 값이 a에서 b까지 변할 때의 평균변화율은

$$\frac{\Delta y}{\Delta x}=\frac{f(b)-f(a)}{b-a}=\frac{f(a+\Delta x)-f(a)}{\Delta x}$$

⇨ 함수 $y=f(x)$ 위의 두 점 $(a, f(a))$, $(b, f(b))$를 지나는 직선의 기울기와 같다.

미분계수

❶ 함수 $y=f(x)$의 $x=a$에서의 미분계수 $f'(a)$는

$$f'(a)=\lim_{\Delta x\to 0}\frac{\Delta y}{\Delta x}=\lim_{\Delta x\to 0}\frac{f(a+\Delta x)-f(a)}{\Delta x}$$

참고 위의 식에서 $a+\Delta x=x$로 놓으면 $\Delta x=x-a$이고, $\Delta x\to 0$이면 $x\to a$이므로

$$f'(a)=\lim_{x\to a}\frac{f(x)-f(a)}{x-a}$$

❷ 함수 $y=f(x)$의 $x=a$에서의 미분계수 $f'(a)$가 존재하면 함수 $y=f(x)$는 $x=a$에서 미분가능하다고 한다.

1-1 함수 $f(x)=x^2-x$에서 x의 값이 다음과 같이 변할 때의 평균변화율을 구하시오.

(1) 1에서 3까지

(2) 1에서 $1+\Delta x$까지

1-2 함수 $f(x)=2x^2+1$에서 x의 값이 다음과 같이 변할 때의 평균변화율을 구하시오.

(1) 2에서 4까지

(2) 2에서 $2+h$까지

2-1 함수 $f(x)=-x^2+2x$에서 다음을 구하시오.

(1) x의 값이 1에서 $1+\Delta x$까지 변할 때의 평균변화율

(2) $x=1$에서의 미분계수

2-2 함수 $f(x)=x^2+3x$에서 다음을 구하시오.

(1) x의 값이 0에서 Δx까지 변할 때의 평균변화율

(2) $x=0$에서의 미분계수

3-1 다음 함수의 $x=2$에서의 미분계수를 구하시오.

(1) $f(x)=2x+1$

(2) $f(x)=x^2+2$

3-2 다음 함수의 $x=3$에서의 미분계수를 구하시오.

(1) $f(x)=3x-1$

(2) $f(x)=x^3-x-3$

2주

1일

핵심 개념 | 미분계수(2)

자동차나 오토바이의 과속을 단속하는 무인 단속기는 대부분 카메라 앞을 지나는 순간의 속도를 측정한다. 따라서 카메라 앞에서만 속도를 줄이는 운전자를 단속하기는 어렵다. 이와 같은 단점을 보완하기 위하여 '구간 단속'이라는 방법을 사용하는데, 구간 단속은 일정 구간의 시작점 A와 종점 B를 통과하는 시각을 각각 측정하여 그 구간을 달린 평균 속도를 측정하는 원리이다.

개념 3 미분계수를 이용한 극한값의 계산

[04~05] 다음 □ 안에 알맞은 것을 아래 보기에서 찾아 써넣으시오.

보기

$a,\ m,\ f(a),\ f'(a)$

04 ❶ $\lim_{h \to 0} \frac{f(a+h)-f(a)}{h} = \square$

❷ $\lim_{h \to 0} \frac{f(a+mh)-f(a)}{h} = \lim_{h \to 0} \frac{f(a+mh)-f(a)}{mh} \times m = \square f'(a)$

05 ❶ $\lim_{x \to a} \frac{f(x)-f(a)}{x-a} = \square$

❷ $\lim_{x \to a} \frac{af(x)-xf(a)}{x-a} = \lim_{x \to a} \frac{af(x)-af(a)+af(a)-xf(a)}{x-a}$

$= \lim_{x \to a} \frac{a\{f(x)-f(a)\}}{x-a} - \lim_{x \to a} \frac{(x-a)f(a)}{x-a} = af'(a) - \square$

답 **04** $f'(a)$, m **05** $f'(a)$, $f(a)$

개념 확인 | 미분계수

정답과 해설 16쪽

미분계수를 이용한 극한값의 계산 (1)

미분계수를 이용하여 극한값을 구할 때 분모의 항이 1개이면

$$\lim_{▲\to 0}\frac{f(a+▲)-f(a)}{▲}=f'(a)$$

와 같이 ▲가 모두 같아지도록 주어진 식을 변형한다.

미분계수를 이용한 극한값의 계산 (2)

미분계수를 이용하여 극한값을 구할 때 분모의 항이 2개이면

$$\lim_{★\to ■}\frac{f(★)-f(■)}{★-■}=f'(■)$$

와 같이 ★는 ★끼리, ■는 ■끼리 각각 같아지도록 주어진 식을 변형한다.

4-1 함수 $f(x)$에서 $f'(1)=2$일 때, 다음 극한값을 구하시오.

(1) $\lim_{h\to 0}\frac{f(1+h)-f(1)}{2h}$

(2) $\lim_{h\to 0}\frac{f(1+3h)-f(1)}{h}$

(3) $\lim_{h\to 0}\frac{f(1+2h)-f(1-h)}{h}$

4-2 함수 $f(x)$에서 $f'(3)=1$일 때, 다음 극한값을 구하시오.

(1) $\lim_{h\to 0}\frac{f(3-h)-f(3)}{h}$

(2) $\lim_{h\to 0}\frac{f(3+4h)-f(3)}{2h}$

(3) $\lim_{h\to 0}\frac{f(3+h)-f(3-3h)}{h}$

5-1 함수 $f(x)$에서 $f(3)=2$, $f'(3)=1$일 때, 다음 극한값을 구하시오.

(1) $\lim_{x\to 3}\frac{f(x)-f(3)}{x-3}$

(2) $\lim_{x\to 3}\frac{f(x)-f(3)}{x^2-9}$

(3) $\lim_{x\to 3}\frac{3f(x)-xf(3)}{x-3}$

5-2 함수 $f(x)$에서 $f(1)=3$, $f'(1)=2$일 때, 다음 극한값을 구하시오.

(1) $\lim_{x\to 1}\frac{f(x)-f(1)}{x-1}$

(2) $\lim_{x\to 1}\frac{f(x^2)-f(1)}{x-1}$

(3) $\lim_{x\to 1}\frac{f(x)-xf(1)}{x-1}$

1일 기초 유형 | 미분계수

2021 6월
평가원 나형 26번

1-1

함수 $f(x)=x^3-3x^2+5x$에서 x의 값이 0에서 a까지 변할 때의 평균변화율이 $f'(2)$의 값과 같게 되도록 하는 양수 a의 값을 구하시오. [4점]

Tip ❶ 함수 $f(x)$에서 x의 값이 0에서 a까지 변할 때의 평균변화율은 $\frac{\Delta y}{\Delta x}=\frac{f(a)-f(0)}{a-0}$

❷ 함수 $f(x)$의 $x=2$에서의 미분계수는

$$f'(2)=\lim_{h\to 0}\frac{f(2+h)-f(2)}{h}$$

풀이

함수 $f(x)=x^3-3x^2+5x$에서 x의 값이 0에서 a까지 변할 때의 평균변화율은

$$\frac{\Delta y}{\Delta x}=\frac{f(a)-f(0)}{a-0}=\frac{a^3-3a^2+5a}{a}=a^2-3a+5$$

$f'(2)$는 함수 $y=f(x)$의 $x=\square$에서의 미분계수이므로

$$f'(2)=\lim_{h\to 0}\frac{f(2+h)-f(2)}{h}$$
$$=\lim_{h\to 0}\frac{\{(2+h)^3-3(2+h)^2+5(2+h)\}-\square}{h}$$
$$=\lim_{h\to 0}\frac{h^3+3h^2+5h}{h}$$
$$=\lim_{h\to 0}(h^2+3h+5)=\square$$

이때 $a^2-3a+5=5$이므로 $a^2-3a=0$

$a(a-3)=0$ $\therefore a=3$ ($\because a>0$)

답 3

쌍둥이 교과서 문제

1-2

함수 $f(x)=x^2-2x$에서 x의 값이 a에서 $a+3$까지 변할 때의 평균변화율이 -3일 때, 상수 a의 값을 구하시오.

1-3

함수 $f(x)=x^2-5x+3$에서 x의 값이 1에서 2까지 변할 때의 평균변화율과 $x=a$에서의 미분계수가 같을 때, 상수 a의 값을 구하시오.

1-4

함수 $f(x)=x^2+2x+2$에서 x의 값이 -1에서 a까지 변할 때의 평균변화율과 $x=1$에서의 미분계수가 같을 때, 상수 a의 값을 구하시오.

2019 11월 실시
고2 교육청 나형 23번

쌍둥이 교과서 문제

2-1

다항함수 $f(x)$에 대하여 $\lim_{h \to 0} \frac{f(4+h)-f(4)}{3h}=7$일 때, $f'(4)$의 값을 구하시오. [3점]

Tip $\lim_{h \to 0} \frac{f(a+h)-f(a)}{nh}=\frac{1}{n}f'(a)$

풀이

$$\lim_{h \to 0} \frac{f(4+h)-f(4)}{3h}=\lim_{h \to 0} \frac{f(4+h)-f(4)}{h} \times \frac{1}{\square}$$

$$=\frac{1}{\square}f'(4)$$

이때 $\frac{1}{3}f'(4)=7$이므로 $f'(4)=21$ 답 21

2-2

미분가능한 함수 $f(x)$에 대하여

$$\lim_{\Delta x \to 0} \frac{f(1+2\Delta x)-f(1)}{\Delta x}=14$$

일 때, $f'(1)$의 값을 구하시오.

2 주

2020 10월 실시
고3 교육청 나형 4번

3-1

함수 $f(x)$에 대하여 $\lim_{x \to 2} \frac{f(x)-f(2)}{x-2}=3$일 때, $\lim_{h \to 0} \frac{f(2+h)-f(2-h)}{h}$의 값을 구하시오. [3점]

Tip $\lim_{x \to 2} \frac{f(x)-f(2)}{x-2}=\lim_{h \to 0} \frac{f(2+h)-f(2)}{h}=f'(2)$

풀이

$\lim_{x \to 2} \frac{f(x)-f(2)}{x-2}=3$에서 $f'(2)=\square$

$$\lim_{h \to 0} \frac{f(2+h)-f(2-h)}{h}$$

$$=\lim_{h \to 0} \frac{f(2+h)-f(2)+f(2)-f(2-h)}{h}$$

$$=\lim_{h \to 0} \frac{f(2+h)-f(2)}{h}-\lim_{h \to 0} \frac{f(2-h)-f(2)}{-h} \times (-1)$$

$$=f'(2)+f'(2)$$

$$=2f'(2)=\square$$

답 6

3-2

다항함수 $f(x)$에 대하여 $f(3)=1$, $f'(3)=-2$일 때, $\lim_{x \to 3} \frac{x^2-9f(x)}{x-3}$의 값을 구하시오.

3-3

미분가능한 함수 $f(x)$에 대하여

$$\lim_{h \to 0} \frac{f(1+2h)-f(1-3h)}{h}=10$$

일 때, $\lim_{x \to 1} \frac{f(x^2)-f(1)}{x-1}$의 값을 구하시오.

핵심 개념 | 미분가능성과 연속성(1)

함수 $y=f(x)$가 $x=a$에서 미분가능할 때, $x=a$에서의 미분계수 $f'(a)$는 곡선 $y=f(x)$ 위의 점 $(a, f(a))$에서의 접선의 기울기이다.

도로가 숲과 $x=1$에서 접한다고 하면 $f(x)=x^2$이라 할 때, $f'(1)=2$이므로 도로의 기울기는 2이다.

개념 ① 미분계수의 기하적 의미

[01~02] 다음 ☐ 안에 알맞은 것을 아래 보기에서 찾아 써넣으시오.

> •보기•
>
> $f(x)$, $f'(x)$, $f(a)$, $f'(a)$

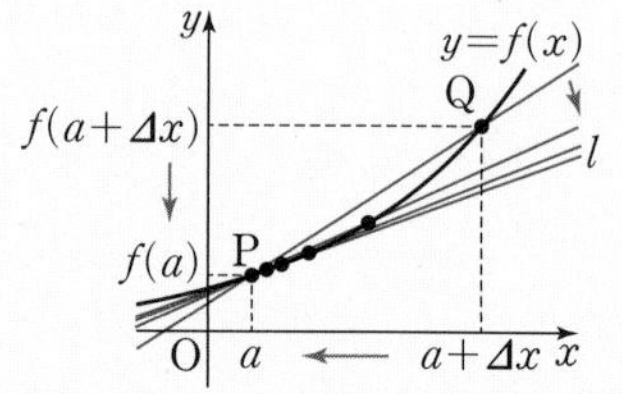

01 함수 $y=f(x)$의 $x=a$에서의 미분계수

$$f'(a)=\lim_{\Delta x\to 0}\frac{f(a+\Delta x)-f(a)}{\Delta x}$$

는 곡선 $y=f(x)$ 위의 점 P$(a,$ ☐$)$에서의 접선 l의 기울기와 같다.

02 함수 $y=f(x)$가 $x=a$에서 미분가능할 때, $x=a$에서의 미분계수 ☐는 곡선 위의 점 $(a, f(a))$에서의 접선의 기울기와 같다.

답 **01** $f(a)$ **02** $f'(a)$

개념 확인 | 미분가능성과 연속성

정답과 해설 17쪽

미분계수와 접선의 기울기

함수 $y=f(x)$가 $x=a$에서 미분가능할 때, $x=a$에서의 미분계수 $f'(a)$는 곡선 위의 점 $(a, f(a))$에서의 접선의 기울기와 같다.

예 이차함수 $y=f(x)$의 그래프가 오른쪽 그림과 같을 때

❶ $f'(3)$은 $x=3$에서의 접선의 기울기이므로 $f'(3)>0$

❷ $f'(1)$은 $x=1$에서의 접선의 기울기이므로 $f'(1)=0$

❸ $f'(-1)$은 $x=-1$에서의 접선의 기울기이므로 $f'(-1)<0$

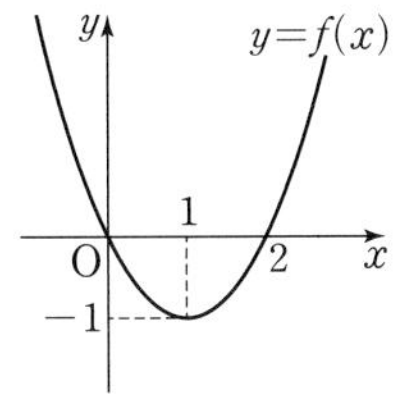

1-1 다음 곡선 위의 주어진 점에서의 접선의 기울기를 구하시오.

(1) $y=1-x \quad (2, -1)$

(2) $y=-x^2+2 \quad (-1, 1)$

1-2 다음 곡선 위의 주어진 점에서의 접선의 기울기를 구하시오.

(1) $y=x^2+x \quad (1, 2)$

(2) $y=x^2-2x-1 \quad (-2, 7)$

2-1 다음은 함수 $y=f(x)$의 그래프가 주어졌을 때, 평균변화율과 미분계수의 기하적 의미를 이용하여 세 수 $f'(a), f'(b), \dfrac{f(b)-f(a)}{b-a}$의 크기를 비교하는 과정이다. ☐ 안에 알맞은 것을 써넣으시오. (단, $0<a<b$)

(i) $f'(a)$는 점 $A(a, f(a))$에서의 접선의 기울기이다.

(ii) $f'(b)$는 점 ☐에서의 접선의 기울기이다.

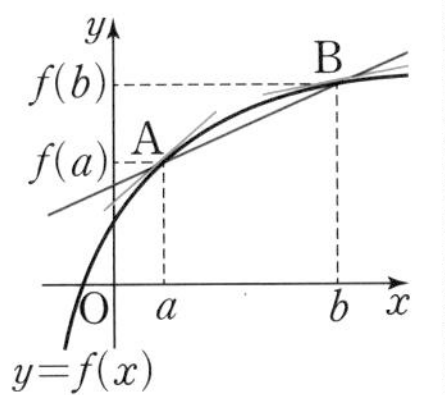

(iii) $\dfrac{f(b)-f(a)}{b-a}$는 두 점 A, B를 지나는 직선의 기울기이다.

(i), (ii), (iii)을 그래프에서 확인하면

$\square < \dfrac{f(b)-f(a)}{b-a} < \square$

2-2 다음은 함수 $y=f(x)$의 그래프가 주어졌을 때, 평균변화율과 미분계수의 기하적 의미를 이용하여 세 수 $f'(a), f'(b), \dfrac{f(b)-f(a)}{b-a}$의 크기를 비교하는 과정이다. ☐ 안에 알맞은 것을 써넣으시오. (단, $0<a<b$)

(i) $f'(a)$는 점 ☐에서의 접선의 기울기이다.

(ii) $f'(b)$는 점 $B(b, f(b))$에서의 접선의 기울기이다.

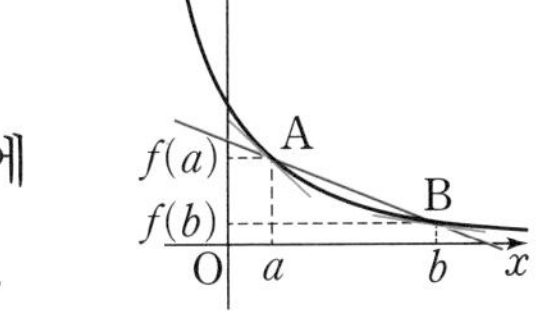

(iii) $\dfrac{f(b)-f(a)}{b-a}$는 두 점 A, B를 지나는 직선의 기울기이다.

(i), (ii), (iii)을 그래프에서 확인하면

$\square < \dfrac{f(b)-f(a)}{b-a} < \square$

2주

2일 핵심 개념 | 미분가능성과 연속성(2)

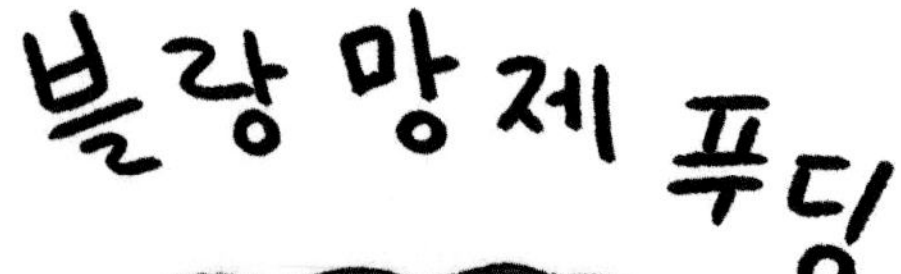

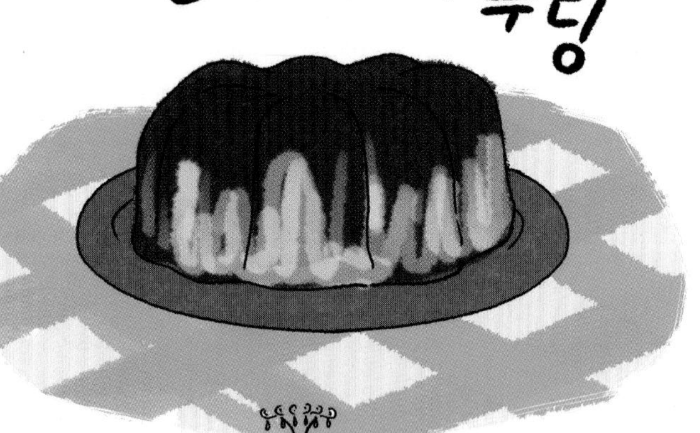

블랑망제 함수는 연속함수이지만 미분할 수 없는 함수의 한 종류이다.
이 함수의 그래프는 처음에는 타카기 프랙털 곡선으로 불리다 함수의 그래프가 블랑망제를 잘랐을 때 단면에 나타나는 곡선과 비슷한 형태라는 점에 착안하여 블랑망제 함수 곡선이라는 이름이 붙여졌다고 한다.

개념 ② 미분가능성과 연속성

03 다음 ☐ 안에 알맞은 것을 아래 보기에서 찾아 써넣으시오.

보기

$0,\ 1,\ f(a),\ f'(a)$, 연속, 불연속

함수 $y=f(x)$가 $x=a$에서 미분가능하면 미분계수 $f'(a)=\lim_{x\to a}\frac{f(x)-f(a)}{x-a}$가 존재하므로

$$\lim_{x\to a}\{f(x)-f(a)\}=\lim_{x\to a}\left\{\frac{f(x)-f(a)}{x-a}\times(x-a)\right\}=\lim_{x\to a}\frac{f(x)-f(a)}{x-a}\times\lim_{x\to a}(x-a)$$
$$=f'(a)\times 0=\square$$

즉, $\lim_{x\to a}f(x)=\square$이므로 함수 $y=f(x)$는 $x=a$에서 ☐이다.

일반적으로 위의 역은 성립하지 않는다.

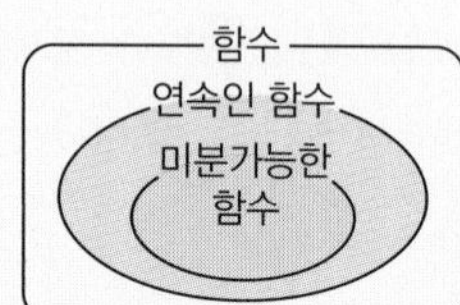

답 **03** 0, $f(a)$, 연속

개념 확인 | 미분가능성과 연속성

정답과 해설 18쪽

미분가능성과 연속성

함수 $y=f(x)$가 $x=a$에서 미분가능하면 $f(x)$는 $x=a$에서 연속이다.
일반적으로 위의 역은 성립하지 않는다.

미분가능 $\overset{\bigcirc}{\longrightarrow}$ / $\overset{\times}{\longleftarrow}$ 연속

참고 (1) $x=a$에서 함수 $f(x)$의 미분가능성을 따질 때는 먼저 $x=a$에서 $f(x)$가 연속인지 확인한다.
(2) 함수 $f(x)$가 $x=a$에서 미분가능하지 않을 경우
❶ $x=a$에서 불연속인 경우
❷ $x=a$에서 그래프가 뾰족한 경우

3-1 다음은 함수 $f(x)=|x|$가 $x=0$에서 연속이지만 미분가능하지 않음을 보이는 과정이다. $\square$ 안에 알맞은 것을 써넣으시오.

(i) $\lim\limits_{x\to 0} f(x)=\lim\limits_{x\to 0}|x|=0$이고
$f(0)=\square$이므로
$\lim\limits_{x\to 0} f(x)=f(0)$
즉, 함수 $f(x)=|x|$는 $x=0$에서 $\square$이다.

(ii) $\lim\limits_{h\to 0-}\dfrac{f(0+h)-f(0)}{h}=\lim\limits_{h\to 0-}\dfrac{|h|}{h}$
$=\lim\limits_{h\to 0-}\dfrac{-h}{h}=\square$

$\lim\limits_{h\to 0+}\dfrac{f(0+h)-f(0)}{h}=\lim\limits_{h\to 0+}\dfrac{|h|}{h}$
$=\lim\limits_{h\to 0+}\dfrac{h}{h}=\square$

즉, $\lim\limits_{h\to 0}\dfrac{f(0+h)-f(0)}{h}$이 존재하지 않으므로
함수 $f(x)=|x|$는 $x=0$에서 미분가능하지 않다.

(i), (ii)에서 함수 $f(x)=|x|$는 $x=0$에서 연속이지만 미분가능하지 않다.

3-2 다음은 함수 $f(x)=x+|x|$가 $x=0$에서 연속이지만 미분가능하지 않음을 보이는 과정이다. $\square$ 안에 알맞은 것을 써넣으시오.

(i) $\lim\limits_{x\to 0} f(x)=\lim\limits_{x\to 0}(x+|x|)=\square$이고
$f(0)=0$이므로
$\lim\limits_{x\to 0} f(x)=f(0)$
즉, 함수 $f(x)=x+|x|$는 $x=0$에서 $\square$ 이다.

(ii) $\lim\limits_{h\to 0-}\dfrac{f(0+h)-f(0)}{h}=\lim\limits_{h\to 0-}\dfrac{h+|h|}{h}$
$=\lim\limits_{h\to 0-}\dfrac{h-h}{h}=\square$

$\lim\limits_{h\to 0+}\dfrac{f(0+h)-f(0)}{h}=\lim\limits_{h\to 0+}\dfrac{h+|h|}{h}$
$=\lim\limits_{h\to 0+}\dfrac{h+h}{h}=\square$

즉, $\lim\limits_{h\to 0}\dfrac{f(0+h)-f(0)}{h}$이 존재하지 않으므로
함수 $f(x)=x+|x|$는 $x=0$에서 미분가능하지 않다.

(i), (ii)에서 함수 $f(x)=x+|x|$는 $x=0$에서 연속이지만 미분가능하지 않다.

2일 기초 유형 | 미분가능성과 연속성

2021 9월
평가원 나형 10번

1-1

함수

$$f(x)=\begin{cases} x^3+ax+b & (x<1) \\ bx+4 & (x\geq 1) \end{cases}$$

가 실수 전체의 집합에서 미분가능할 때, $a+b$의 값을 구하시오. (단, a, b는 상수이다.) [3점]

Tip 함수 $f(x)$가 $x=1$에서 미분가능하므로 $x=1$에서 연속이고 미분계수가 존재한다.

풀이

함수 $f(x)$가 $x=1$에서 미분가능하므로 $x=1$에서 연속이다.

즉, $\lim\limits_{x\to 1}f(x)=f(1)$에서

$1+a+b=b+4 \qquad \therefore a=3$

또 $x=1$에서의 미분계수 $f'(1)$이 존재하므로

$$\begin{aligned}\lim_{x\to 1-}\frac{f(x)-f(1)}{x-1}&=\lim_{x\to 1-}\frac{(x^3+3x+b)-(b+4)}{x-1}\\&=\lim_{x\to 1-}\frac{x^3+3x-4}{x-1}\\&=\lim_{x\to 1-}\frac{(x-1)(x^2+x+4)}{x-1}\\&=\lim_{x\to 1-}(x^2+x+4)=\square\end{aligned}$$

$$\begin{aligned}\lim_{x\to 1+}\frac{f(x)-f(1)}{x-1}&=\lim_{x\to 1+}\frac{(bx+4)-(b+4)}{x-1}\\&=\lim_{x\to 1+}\frac{bx-b}{x-1}\\&=\lim_{x\to 1+}\frac{b(x-1)}{x-1}\\&=\lim_{x\to 1+}b=b\end{aligned}$$

따라서 $b=\square$이므로

$a+b=\square$

답 9

쌍둥이 교과서 문제

1-2

함수

$$f(x)=\begin{cases} x^2+ax & (x\geq 2) \\ bx^2+4 & (x<2) \end{cases}$$

가 $x=2$에서 미분가능할 때, 상수 a, b의 값을 구하시오.

1-3

함수

$$f(x)=\begin{cases} x^3-ax^2 & (x\geq 1) \\ bx-3 & (x<1) \end{cases}$$

이 모든 실수 x에서 미분가능할 때, 상수 a, b의 값을 구하시오.

2010 이전
고3 교육청

쌍둥이 교과서 문제

2-1

보기의 함수 중 $x=0$에서 미분가능한 것만을 있는 대로 고르시오. [3점]

보기

ㄱ. $f(x)=\begin{cases} x & (x\geq 0) \\ -x & (x<0) \end{cases}$

ㄴ. $g(x)=\begin{cases} (x+1)^2 & (x\geq 0) \\ 2x+1 & (x<0) \end{cases}$

ㄷ. $h(x)=\begin{cases} x^2+x+1 & (x\geq 0) \\ -x^2+x-1 & (x<0) \end{cases}$

Tip ❶ 주어진 함수가 $x=0$에서 연속인지 확인한다.
❷ $x=0$에서의 미분계수가 존재하는지 확인한다.

풀이

ㄱ. $\lim_{x\to 0} f(x)=f(0)=0$이므로 $f(x)$는 $x=0$에서 연속이다.

$\lim_{h\to 0-}\frac{f(h)-f(0)}{h}=\lim_{h\to 0-}\frac{-h-0}{h}=\square$

$\lim_{h\to 0+}\frac{f(h)-f(0)}{h}=\lim_{h\to 0+}\frac{h-0}{h}=1$

이므로 $f'(0)$이 존재하지 않는다.

따라서 함수 $f(x)$는 $x=0$에서 미분가능하지 않다.

ㄴ. $\lim_{x\to 0} g(x)=g(0)=1$이므로 $g(x)$는 $x=0$에서 연속이다.

$\lim_{h\to 0-}\frac{g(h)-g(0)}{h}=\lim_{h\to 0-}\frac{(2h+1)-1}{h}=2$

$\lim_{h\to 0+}\frac{g(h)-g(0)}{h}=\lim_{h\to 0+}\frac{(h+1)^2-1}{h}=\square$

이므로 $g'(\square)$이 존재한다.

따라서 함수 $g(x)$는 $x=0$에서 미분가능하다.

ㄷ. $h(0)=\square$이고

$\lim_{x\to 0-} h(x)=\lim_{x\to 0-}(-x^2+x-1)=-1$

$\lim_{x\to 0+} h(x)=\lim_{x\to 0+}(x^2+x+1)=1$

이므로 $\lim_{x\to 0} h(x)$가 존재하지 않는다.

따라서 함수 $h(x)$는 $x=0$에서 불연속이므로 $x=0$에서 미분가능하지 않다.

따라서 $x=0$에서 미분가능한 것은 ㄴ이다. 답 ㄴ

2-2

함수

$$f(x)=\begin{cases} x^2 & (x\geq 2) \\ 2x & (x<2) \end{cases}$$

에 대하여 $x=2$에서의 연속성과 미분가능성을 조사하시오.

2-3

$x=-1$에서 연속이지만 미분가능하지 않은 함수인 것만을 보기에서 있는 대로 고르시오.

보기

ㄱ. $f(x)=x+1$ ㄴ. $g(x)=|x+1|$
ㄷ. $h(x)=x^2+1$ ㄹ. $k(x)=|x^2-1|$

2 주

일 핵심 개념 | 도함수(1)

마늘과 양파, 샐러리와 같이 혈압을 낮추는 효과가 있는 식품들을 섭취하면 동맥 혈관에 좋은 영향을 미친다. 또 하루 20~30분간 규칙적으로 유산소 운동을 하면 동맥 혈관을 건강하게 유지하는 데 도움이 된다. 혈압이 일정할 때, 반지름의 길이가 r인 혈관을 일정한 시간 동안 흐르는 혈액의 양 F는 $F=kr^4$ (k는 양의 상수)이라고 한다. 도함수의 정의를 이용하여 $\frac{dF}{dr}$를 구하면 $\frac{dF}{dr}=4kr^3$이다.

개념 ① 도함수의 정의

01 다음 ( ) 안에 주어진 것 중 옳은 것을 고르시오.

미분가능한 함수 $y=f(x)$의 도함수는 $f'(x)=\lim\limits_{\Delta x \to 0}\frac{f(x+\Delta x)-f(x)}{\Delta x}=\lim\limits_{h \to 0}\frac{f(x+h)-f(x)}{h}$이다. 이때 함수 $y=f(x)$의 도함수를 구하는 것을 함수 $f(x)$를 x에 대하여 미분한다고 하며, 그 계산법을 (도함수, 미분법)(이)라 한다.

개념 ② 미분법의 공식 (1)

[02~03] 다음 ( ) 안에 주어진 것 중 옳은 것을 고르시오.

02 $f(x)=x^n$ (n은 2 이상의 양의 정수) ⇨ $f'(x)=(\,nx^n,\ nx^{n-1}\,)$

03 두 함수 $f(x)$, $g(x)$가 미분가능할 때

$\{cf(x)\}'=cf'(x)$ (c는 상수), $\{f(x)+g(x)\}'=f'(x)+(\,g(x),\ g'(x)\,)$, $\{f(x)-g(x)\}'=f'(x)-g'(x)$

답 **01** 미분법 **02** nx^{n-1} **03** $g'(x)$

개념 확인 | 도함수

정답과 해설 19쪽

함수 $f(x)=x^n$과 상수함수의 도함수

❶ $f(x)=x^n$ (n은 2 이상의 양의 정수)
⇨ $f'(x)=nx^{n-1}$
❷ $f(x)=x$ ⇨ $f'(x)=1$
❸ $f(x)=c$ (c는 상수) ⇨ $f'(x)=0$

함수의 실수배, 합, 차의 미분법

두 함수 $f(x)$, $g(x)$가 미분가능할 때
❶ $\{cf(x)\}'=cf'(x)$ (c는 상수)
❷ $\{f(x)+g(x)\}'=f'(x)+g'(x)$
❸ $\{f(x)-g(x)\}'=f'(x)-g'(x)$

참고 함수의 합, 차의 미분법은 세 개 이상의 함수에서도 성립한다.

1-1 도함수의 정의를 이용하여 다음 함수의 도함수를 구하시오.

(1) $f(x)=-4x+3$

(2) $f(x)=-2x^2-3x$

1-2 도함수의 정의를 이용하여 다음 함수의 도함수를 구하시오.

(1) $f(x)=x^2-2x+3$

(2) $f(x)=x^3+1$

2-1 다음 함수를 미분하시오.

(1) $y=x^6$ (2) $y=-2$

(3) $y=3x^2+6x-5$ (4) $y=-\frac{1}{2}x^2+3$

2-2 다음 함수를 미분하시오.

(1) $y=-x^7$ (2) $y=x^2-2x$

(3) $y=-x^3+2x$ (4) $y=3x^4-2x^2+1$

3-1 $f(-1)=2$, $f'(0)=-2$, $f'(1)=4$를 만족시키는 이차함수 $f(x)$를 구하시오.

3-2 $f(0)=1$, $f'(0)=2$, $f'(2)=-2$를 만족시키는 이차함수 $f(x)$를 구하시오.

2주

핵심 개념 | 도함수(2)

만두를 x개 빚는 데 드는 비용을 $C(x)$라 할 때, $C(x)$의 $x=a$에서의 미분계수 $C'(a)$를 만두를 a개 빚을 때의 한계 비용이라 한다.

이 만두 가게에서 만두를 x개 빚는 데 드는 비용이

$C(x)=-0.1(x+100)(x-2500)$이라 하면

$C'(x)=-0.1(x-2500)-0.1(x+100)=-0.1(2x-2400)$

이므로 만두를 100개 빚을 때의 한계 비용은

$C'(100)=-0.1(2\times100-2400)=220$

개념 3 미분법의 공식 (2)

[04~05] 두 함수 $f(x)$, $g(x)$가 미분가능할 때, 다음 ☐ 안에 알맞은 것을 아래 보기에서 찾아 써넣으시오.

보기

$f(x)$, $f'(x)$, $g(x)$, $g'(x)$

04 $\{f(x)g(x)\}'=f'(x)g(x)+f(x)$ ☐

05 n이 자연수일 때, $y=\{f(x)\}^n$ ⇨ $y'=n\{f(x)\}^{n-1}$ ☐

개념 4 다항식의 나머지정리와 미분법

06 다항식 $f(x)$가 $(x-a)^2$으로 나누어떨어지고 그때의 몫을 $Q(x)$라 할 때, 다음 ( ) 안에 주어진 것 중 옳은 것을 고르시오.

❶ $f(x)=(x-a)^2Q(x)$ ⇨ $f(a)=(\ 0, 1\ )$

❷ $f'(x)=2(x-a)Q(x)+(x-a)^2Q'(x)$ ⇨ $f'(a)=0$

답 **04** $g'(x)$ **05** $f'(x)$ **06** 0

개념 확인 | 도함수

정답과 해설 20쪽

함수의 곱의 미분법

두 함수 $f(x), g(x)$가 미분가능할 때

❶ $\{f(x)g(x)\}'=f'(x)g(x)+f(x)g'(x)$

❷ n이 자연수일 때,

$y=\{f(x)\}^n \Rightarrow y'=n\{f(x)\}^{n-1}f'(x)$

참고 세 함수 $f(x), g(x), h(x)$가 미분가능할 때

$\{f(x)g(x)h(x)\}'=f'(x)g(x)h(x)$
$+f(x)g'(x)h(x)+f(x)g(x)h'(x)$

다항식의 나머지정리와 미분법

❶ 다항식 $f(x)$가 $(x-\alpha)^2$으로 나누어떨어지고 그때의 몫을 $Q(x)$라 하면

$f(x)=(x-\alpha)^2Q(x) \Rightarrow f(\alpha)=0$

$f'(x)=2(x-\alpha)Q(x)+(x-\alpha)^2Q'(x)$
$\Rightarrow f'(\alpha)=0$

❷ 다항식 $f(x)$가 $(x-\alpha)^2$으로 나누었을 때의 몫을 $Q(x)$, 나머지를 $ax+b$ (a, b는 상수)라 하면

$f(x)=(x-\alpha)^2Q(x)+ax+b \Rightarrow f(\alpha)=a\alpha+b$

$f'(x)=2(x-\alpha)Q(x)+(x-\alpha)^2Q'(x)+a$
$\Rightarrow f'(\alpha)=a$

4-1 다음 함수를 미분하시오.

(1) $y=(2x+3)(3x-2)$

(2) $y=(x+1)(x^2-x+1)$

4-2 다음 함수를 미분하시오.

(1) $y=(x^2-1)(2x+1)$

(2) $y=(x^2-x+1)(x^2+x+1)$

5-1 다음 함수를 미분하시오.

(1) $y=(3x+1)^3$ (2) $y=(x^2+2x+3)^4$

5-2 다음 함수를 미분하시오.

(1) $y=(x-1)^3$ (2) $y=(3-4x)^5$

6-1 다음을 구하시오.

(1) 다항식 x^3+ax^2+b가 $(x-2)^2$으로 나누어떨어질 때, 상수 a, b의 값

(2) 다항식 x^7-2x+4를 $(x-1)^2$으로 나누었을 때의 나머지

6-2 다음을 구하시오.

(1) 다항식 x^4+ax^2+b가 $(x-1)^2$으로 나누어떨어질 때, 상수 a, b의 값

(2) 다항식 $x^{10}-2x^3+1$을 $(x+1)^2$으로 나누었을 때의 나머지

일 기초 유형 | 도함수

2014 6월
평가원 A형 6번

쌍둥이 교과서 문제

1-1

함수 $f(x)=x^3-x$에 대하여 $\lim_{h\to 0}\frac{f(1+3h)-f(1)}{2h}$의 값을 구하시오. [3점]

Tip $f(x)=x^n$ (n은 2 이상의 양의 정수)의 도함수는 $f'(x)=nx^{n-1}$

풀이

$f(x)=x^3-x$에서 $f'(x)=3x^2-$ ☐

$\therefore \lim_{h\to 0}\frac{f(1+3h)-f(1)}{2h}=\lim_{h\to 0}\frac{f(1+3h)-f(1)}{3h}\times\frac{3}{2}$

$=\frac{3}{2}f'(1)$

$=\frac{3}{2}\times$ ☐ $=$ ☐

답 3

1-2

함수 $f(x)=x+2x^2+3x^3+4x^4+5x^5$에 대하여 $f'(1)$의 값을 구하시오.

1-3

함수 $f(x)=x^2+3x$에 대하여 $\lim_{h\to 0}\frac{f(1+2h)-f(1)}{h}$의 값을 구하시오.

2020 3월 실시
고3 교육청 나형 9번

2-1

함수 $f(x)=x^3-2x^2+ax+1$에 대하여

$$\lim_{h\to 0}\frac{f(2+h)-f(2)}{h}=9$$

일 때, 상수 a의 값을 구하시오. [3점]

Tip $\lim_{h\to 0}\frac{f(2+h)-f(2)}{h}=f'(2)$임을 이용하여 주어진 함수의 미정계수를 구한다.

풀이

$f(x)=x^3-2x^2+ax+1$에서

$f'(x)=3x^2-4x+a$

이때 $\lim_{h\to 0}\frac{f(2+h)-f(2)}{h}=f'($ ☐ $)=9$이므로

$12-8+a=9$ $\therefore a=$ ☐

답 5

2-2

함수 $f(x)=2x^4-3x^3+ax+5$에 대하여 $f'(1)=2$일 때, 상수 a의 값을 구하시오.

2-3

함수 $f(x)=x^3+ax^2-4x+1$에 대하여

$$\lim_{h\to 0}\frac{f(1+h)-f(1-3h)}{2h}=6$$

일 때, 상수 a의 값을 구하시오.

2019 11월 실시
고2 교육청 나형 9번

쌍둥이 교과서 문제

3-1

함수 $f(x)=(x-2)(x^3-4x+a)$에 대하여 $f'(1)=6$일 때, 상수 a의 값을 구하시오. [3점]

Tip 두 함수 $f(x)$, $g(x)$가 미분가능할 때
$\{f(x)g(x)\}'=f'(x)g(x)+f(x)g'(x)$

풀이

$f(x)=(x-2)(x^3-4x+a)$에서

$f'(x)=(x-2)'(x^3-4x+a)+(x-2)(x^3-4x+a)'$

$=(x^3-4x+a)+(x-2)(3x^2-\square)$

$=4x^3-6x^2-\square x+a+8$

이때 $f'(1)=6$이므로

$4-6-8+a+8=6 \qquad \therefore a=8$

답 8

3-2

함수 $f(x)=(x^3+a)(x^3+x^2+x+2)$에 대하여 $f'(0)=5$일 때, 상수 a의 값을 구하시오.

3-3

함수 $f(x)=(x-a)(x^2-4x+3)$에 대하여 $f'(a)=-1$일 때, $f'(1)$의 값을 구하시오.

2주

2018 11월 실시
고2 교육청 나형 26번

4-1

다항함수 $f(x)$가 $\lim_{x\to 1}\dfrac{f(x)-3}{x-1}=2$를 만족시킨다.
$g(x)=x^3f(x)$라 할 때, $g'(1)$의 값을 구하시오. [4점]

Tip 다음을 이용하여 $f(1)$, $f'(1)$의 값을 구한다.

❶ $x\to a$일 때, 극한값이 존재하고 (분모)$\to 0$이면 (분자)$\to 0$이다.

❷ $\lim_{x\to a}\dfrac{f(x)-f(a)}{x-a}=f'(a)$

풀이

$\lim_{x\to 1}\dfrac{f(x)-3}{x-1}=2$에서 $x\to 1$일 때, 극한값이 존재하고

(분모)$\to 0$이므로 (분자)$\to 0$이다.

즉, $\lim_{x\to 1}\{f(x)-3\}=\square$이므로

$\lim_{x\to 1}f(x)=\square \qquad \therefore f(1)=\square$

$\lim_{x\to 1}\dfrac{f(x)-3}{x-1}=\lim_{x\to 1}\dfrac{f(x)-f(1)}{x-1}=f'(1)$이므로

$f'(1)=2$

이때 $g'(x)=3x^2f(x)+x^3f'(x)$이므로

$g'(1)=3f(1)+f'(1)=9+2=11$

답 11

4-2

두 다항함수 $f(x)$, $g(x)$가

$$\lim_{x\to 3}\frac{f(x)-2}{x-3}=1,\ \lim_{x\to 3}\frac{g(x)-1}{x-3}=2$$

를 만족시킬 때, 함수 $f(x)g(x)$의 $x=3$에서의 미분계수를 구하시오.

4일 핵심 개념 | 접선의 방정식(1)

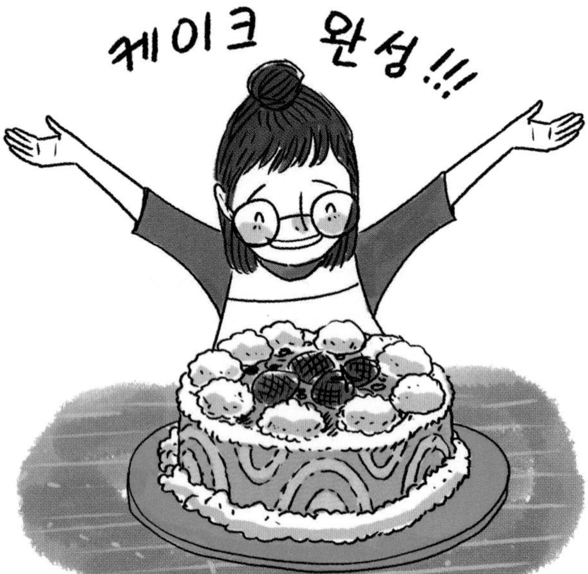

케이크 완성!!!

파리 A의 경로는 곡선 $y=x^3+1$의 일부이고 이 곡선이 점 $(1, 2)$에서 파리 B의 경로를 나타내는 직선과 접한다.

$f(x)=x^3+1$이라 하면 $f'(x)=3x^2$

곡선 $y=x^3+1$ 위의 점 $(1, 2)$에서의 접선의 기울기는

$f'(1)=3$

따라서 파리 B의 경로를 나타내는 직선의 방정식은

$y-2=3(x-1)$, 즉 $y=3x-1$

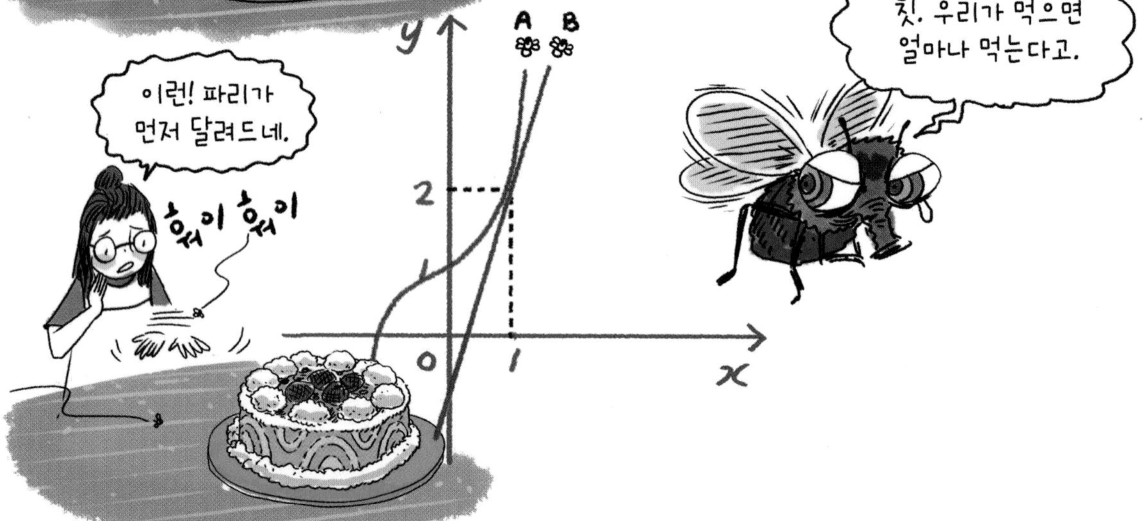

이런! 파리가 먼저 달려드네.

훠이 훠이

칫. 우리가 먹으면 얼마나 먹는다고.

개념 1 곡선 위의 한 점에서의 접선의 방정식

[01~02] 다음 ☐ 안에 알맞은 것을 아래 보기에서 찾아 써넣으시오.

보기

a, $f(a)$, $f'(a)$, $f(x)$

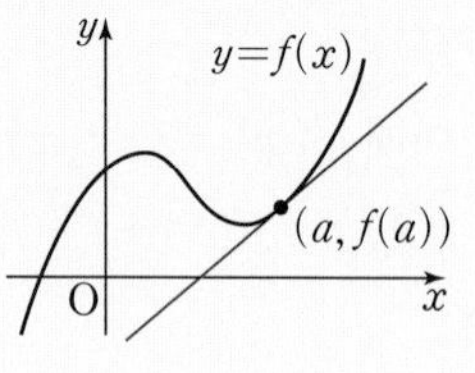

01 함수 $f(x)$가 $x=a$에서 미분가능할 때, 곡선 $y=f(x)$ 위의 점 $(a, f(a))$에서의 접선의 기울기는 $x=a$에서의 미분계수 ☐와 같다.

02 함수 $f(x)$가 $x=a$에서 미분가능할 때, 곡선 $y=f(x)$ 위의 점 $(a, f(a))$에서의 접선의 방정식은 $y-$ ☐ $=f'(a)(x-a)$

답 01 $f'(a)$ 02 $f(a)$

개념 확인 | 접선의 방정식

정답과 해설 22쪽

곡선 위의 한 점 $(a, f(a))$에서의 접선의 방정식

1 접선의 기울기 $f'(a)$를 구한다.
2 $y-f(a)=f'(a)(x-a)$에 a, $f(a)$, $f'(a)$를 대입하여 접선의 방정식을 구한다.

참고 점 (a, b)를 지나고 기울기가 m인 직선의 방정식은
$y-b=m(x-a)$

곡선 $y=x^2$ 위의 점 $(1, 1)$에서의 접선의 방정식
1 $f(x)=x^2$이라 하면 $f'(x)=2x$에서 $f'(1)=2$
2 구하는 접선의 방정식은
$y-1=2(x-1)$, 즉 $y=2x-1$

1-1 다음 곡선 위의 주어진 점에서의 접선의 방정식을 구하시오.

(1) $y=-x^2+4x-3$ $(1, 0)$

(2) $y=x^2-3x+4$ $(1, 2)$

(3) $y=x^3-1$ $(-1, -2)$

1-2 다음 곡선 위의 주어진 점에서의 접선의 방정식을 구하시오.

(1) $y=1+2x-3x^2$ $(0, 1)$

(2) $y=-2x^2+5x+1$ $(2, 3)$

(3) $y=x^3-2x$ $(1, -1)$

2-1 다음 곡선 위의 주어진 점을 지나고 이 점에서의 접선에 수직인 직선의 방정식을 구하시오.

(1) $y=-x^2+3x+2$ $(1, 4)$

(2) $y=-x^3+2x+1$ $(-1, 0)$

(3) $y=x^3+x^2$ $(1, 2)$

2-2 다음 곡선 위의 주어진 점을 지나고 이 점에서의 접선에 수직인 직선의 방정식을 구하시오.

(1) $y=2x^2-x-1$ $(0, -1)$

(2) $y=x^2+1$ $(1, 2)$

(3) $y=5x-x^3$ $(2, 2)$

핵심 개념 | 접선의 방정식(2)

곡선 도로 위를 달리는 자동차는 그 곡선의 접선 방향으로 진행하려는 성질이 있다. 따라서 곡선 도로가 끝나는 지점에 연결되는 직선 도로가 곡선 도로의 접선 방향이 되어야 자동차의 진행 방향이 크게 바뀌지 않아서 운전자가 보다 안전하게 운전을 할 수 있다.

개념 ② 기울기가 주어진 접선의 방정식

[03~05] 함수 $f(x)$가 미분가능할 때, 곡선 $y=f(x)$에 접하고 기울기가 m인 직선의 방정식을 구하는 과정이다. 다음 $\square$ 안에 알맞은 것을 아래 보기에서 찾아 써넣으시오.

보기

$1,\quad a,\quad f(a),\quad f'(a)$

03 접점의 좌표를 $(a, \square)$로 놓는다.

04 $\square=m$임을 이용하여 a의 값을 구한 다음 접점의 좌표 $(a, f(a))$를 구한다.

05 $y-f(a)=m(x-\square)$에 대입하여 접선의 방정식을 구한다.

답 **03** $f(a)$ **04** $f'(a)$ **05** a

개념 확인 | 접선의 방정식

정답과 해설 22쪽

기울기 m이 주어진 접선의 방정식

1 접점의 좌표를 $(a, f(a))$로 놓는다.

2 $f'(a)=m$임을 이용하여 a의 값을 구한 다음 접점의 좌표 $(a, f(a))$를 구한다.

3 $y-f(a)=m(x-a)$에 대입하여 접선의 방정식을 구한다.

곡선 $y=x^2$에 접하고 기울기가 4인 접선의 방정식

1 $f(x)=x^2$이라 하면 $f'(x)=2x$
접점의 좌표를 (a, a^2)이라 하면

2 접선의 기울기가 4이므로
$f'(a)=2a=4 \quad \therefore a=2$
따라서 접점의 좌표는 $(2, 4)$

3 구하는 접선의 방정식은
$y-4=4(x-2)$, 즉 $y=4x-4$

3-1 다음 곡선에 접하고 기울기가 1인 직선의 방정식을 구하시오.

(1) $y=3x^2-5x+2$

(2) $y=-x^3+x+4$

3-2 다음 곡선에 접하고 기울기가 -1인 직선의 방정식을 구하시오.

(1) $y=x^2+x$

(2) $y=x^3+3x^2-x+2$

4-1 함수 $f(x)=(x-1)(2x+1)$에 대하여 다음을 구하시오.

(1) 곡선 $y=f(x)$와 x축의 교점에서의 접선의 기울기

(2) 곡선 $y=f(x)$에 접하고 기울기가 -5인 직선의 방정식

4-2 함수 $f(x)=x^2-5x+6$에 대하여 다음을 구하시오.

(1) 곡선 $y=f(x)$와 x축의 교점에서의 접선의 기울기

(2) 곡선 $y=f(x)$에 접하고 기울기가 3인 직선의 방정식

5-1 다음 곡선에 접하고 직선 $y=x$와 평행한 직선의 방정식을 구하시오.

(1) $y=-x^2-3x+1$

(2) $y=x^3+x+1$

5-2 다음 곡선에 접하고 직선 $y=3x$와 평행한 직선의 방정식을 구하시오.

(1) $y=x^2+5x$

(2) $y=x^3+8$

기초 유형 | 접선의 방정식

2017
수능 나형 26번

쌍둥이 교과서 문제

1-1

곡선 $y=x^3-ax+b$ 위의 점 $(1, 1)$에서의 접선과 수직인 직선의 기울기가 $-\frac{1}{2}$이다. 두 상수 a, b에 대하여 $a+b$의 값을 구하시오. [4점]

Tip 곡선 $y=f(x)$ 위의 점 $(a, f(a))$에서의 접선의 기울기는 $f'(a)$이다.

풀이

$f(x)=x^3-ax+b$라 하면 $f'(x)=3x^2-a$

점 $(1, 1)$에서의 접선과 수직인 직선의 기울기가 $-\frac{1}{2}$이므로 접선의 기울기는 2이다. 즉,

$f'(1)=3-a=2 \quad \therefore a=1$

점 $(1, 1)$이 곡선 $y=x^3-ax+b$ 위의 점이므로

$1-a+b=1 \quad \therefore b=a=$ ☐

$\therefore a+b=$ ☐

답 2

1-2

곡선 $y=x^2+ax+b$ 위의 점 $(2, 3)$에서의 접선의 기울기가 6일 때, 상수 a, b의 값을 구하시오.

2017 11월 실시
고2 교육청 가형 6번

2-1

곡선 $y=x^3-5x$ 위의 점 $(2, -2)$에서의 접선의 방정식이 $y=mx+n$일 때, 두 상수 m, n의 합 $m+n$의 값을 구하시오. [3점]

Tip 곡선 $y=f(x)$ 위의 점 $(a, f(a))$에서의 접선의 방정식은 $y-f(a)=f'(a)(x-a)$

풀이

$f(x)=x^3-5x$라 하면 $f'(x)=3x^2-5$

곡선 $y=x^3-5x$ 위의 점 $(2, -2)$에서의 접선의 기울기는

$f'(2)=$ ☐

이므로 접선의 방정식은

$y-(-2)=$ ☐ $(x-2)$, 즉 $y=7x-$ ☐

따라서 $m=7$, $n=-16$이므로 $m+n=-9$

답 -9

2-2

곡선 $y=x^3+6x^2-11x+7$ 위의 점 $(1, 3)$에서의 접선의 방정식이 $y=mx+n$일 때, 두 상수 m, n에 대하여 $m-n$의 값을 구하시오.

2-3

다항함수 $y=f(x)$의 그래프 위의 점 $(1, 2)$에서의 접선의 방정식이 $y=3x-1$일 때, 곡선 $y=\{f(x)\}^2$ 위의 x좌표가 1인 점에서의 접선의 방정식을 구하시오.

2021
수능 나형 9번

쌍둥이 교과서 문제

3-1

곡선 $y=x^3-3x^2+2x+2$ 위의 점 A(0, 2)에서의 접선과 수직이고 점 A를 지나는 직선의 x절편을 구하시오. [3점]

Tip 곡선 $y=f(x)$ 위의 점 $(a, f(a))$에서의 접선과 수직이고 점 $(a, f(a))$를 지나는 직선의 방정식은

$y-f(a)=-\dfrac{1}{f'(a)}(x-a)$

풀이

$f(x)=x^3-3x^2+2x+2$라 하면

$f'(x)=3x^2-6x+2$

곡선 $y=x^3-3x^2+2x+2$ 위의 점 A(0, 2)에서의 접선의 기울기는 $f'(0)=$ ☐이므로 이 접선에 수직이고 점 A를 지나는 직선의 방정식은

$y-2=-\dfrac{1}{2}x$, 즉 $y=-\dfrac{1}{2}x+2$

$-\dfrac{1}{2}x+2=0$에서 $x=4$

따라서 구하는 직선의 x절편은 ☐이다. 답 4

3-2

곡선 $y=x^3-3x^2+x-2$ 위의 점 $(1, -3)$을 지나고, 이 점에서의 접선과 수직인 직선의 방정식을 구하시오.

2013
수능 나형 15번

4-1

삼차함수 $f(x)=x^3+ax^2+9x+3$의 그래프 위의 점 $(1, f(1))$에서의 접선의 방정식이 $y=2x+b$이다. $a+b$의 값을 구하시오. (단, a, b는 상수이다.) [4점]

Tip 곡선 $y=f(x)$ 위의 점 $(1, f(1))$에서의 접선의 기울기는 $f'(1)=2$임을 이용한다.

풀이

$f(x)=x^3+ax^2+9x+3$에서 $f'(x)=3x^2+2ax+9$

점 $(1, f(1))$에서의 접선의 기울기는

$f'($☐$)=3+2a+9=2a+12$

이때 $y=2x+b$에서 $f'(1)=$ ☐이므로

$2a+12=$ ☐ $\quad \therefore a=-5$

따라서 $f(x)=x^3-5x^2+9x+3$이므로

$f(1)=1-5+9+3=8$

접선 $y=2x+b$가 점 (☐, 8)을 지나므로

$8=2+b \quad \therefore b=6$

$\therefore a+b=1$ 답 1

4-2

곡선 $y=-x^2+ax+b$ 위의 점 $(3, 5)$에서의 접선의 방정식이 $y=-x+8$일 때, 상수 a, b에 대하여 $a-b$의 값을 구하시오.

4-3

곡선 $y=ax^2+bx+1$ 위의 점 $(1, 3)$에서의 접선과 직선 $y=-\dfrac{1}{5}x+1$이 수직일 때, $a-b$의 값을 구하시오.

(단, a, b는 상수이다.)

2주

5일 핵심 개념 | 접선의 방정식의 활용(1)

공항 활주로에 비나 눈이 내릴 때와 같이 평소와 다른 환경 때문에 마찰 계수가 달라지면 항공기의 제동 거리도 달라진다. 이때 정확한 제동 거리를 계산해서 착륙 지점을 찾지 않으면 자칫 큰 사고로 이어질 수 있다.

항공기가 이륙할 때 비행 궤적의 접선은 활주로(지면)가 된다. 마찬가지로 항공기가 착륙할 때에도 비행 궤적의 접선이 활주로(지면)가 되도록 운항하여야 적은 충격으로 안전하게 착륙할 수 있다.

개념 ① 곡선 밖의 한 점에서 그은 접선의 방정식

01 다음 ☐ 안에 알맞은 것을 아래 보기에서 찾아 써넣으시오.

보기

$1,\ a,\ f(a),\ f'(a)$

곡선 $y=f(x)$ 위에 있지 않은 한 점 (x_1, y_1)에서 곡선에 그은 접선의 방정식은 다음과 같이 구한다.

[1] 접점의 좌표를 $(a,$ ☐$)$로 놓는다.

[2] 점 $(a, f(a))$에서의 접선의 방정식은 $y-f(a)=$ ☐ $(x-a)$ ⋯⋯ ㉠

[3] ㉠에 $x=x_1$, $y=y_1$을 대입하여 a의 값을 구한다.

[4] [3]에서 구한 ☐ 의 값을 ㉠에 대입하여 접선의 방정식을 구한다.

답 **01** $f(a), f'(a), a$

개념 확인 | 접선의 방정식의 활용

정답과 해설 24쪽

곡선 밖의 한 점에서 그은 접선의 방정식

1. 접점의 좌표를 $(a, f(a))$로 놓는다.
2. 점 $(a, f(a))$에서의 접선의 방정식은 $y-f(a)=f'(a)(x-a)$
3. $y-f(a)=f'(a)(x-a)$에 $x=x_1$, $y=y_1$을 대입하여 a의 값을 구한다.
4. $y-f(a)=f'(a)(x-a)$에 a의 값을 대입하여 접선의 방정식을 구한다.

점 $(0, -1)$에서 곡선 $y=x^2$에 그은 접선의 방정식

1. $f(x)=x^2$이라 하면 $f'(x)=2x$
   접점의 좌표를 (a, a^2)이라 하면
2. 접선의 기울기는 $f'(a)=2a$
   따라서 접선의 방정식은 $y-a^2=2a(x-a)$
3. 이 접선이 점 $(0, -1)$을 지나므로
   $-1-a^2=2a(-a)$, $a^2=1$ $\quad \therefore a=-1$ 또는 $a=1$
4. 접선의 방정식은 $y=-2x-1$ 또는 $y=2x-1$

1-1 주어진 점에서 다음 곡선에 그은 접선의 방정식을 구하시오.

(1) $y=x^2-2x$ $\quad (3, -1)$

(2) $y=-x^2+2x-4$ $\quad (0, 0)$

(3) $y=x^3$ $\quad (0, -2)$

(4) $y=-x^3+3x+2$ $\quad (1, 9)$

1-2 주어진 점에서 다음 곡선에 그은 접선의 방정식을 구하시오.

(1) $y=x^2+2$ $\quad (1, -1)$

(2) $y=-x^2+4x-2$ $\quad (2, 3)$

(3) $y=-x^3+1$ $\quad (0, -1)$

(4) $y=x^3-4x^2+5x$ $\quad (2, 10)$

2-1 다음을 구하시오.

(1) 두 곡선 $y=ax^3$과 $y=bx^2-x$가 $x=1$인 점에서 공통접선을 가질 때, 상수 a, b의 값

(2) 두 곡선 $y=ax^2$과 $y=x^3+bx+c$가 점 $(-2, 4)$에서 접할 때, 상수 a, b, c의 값

2-2 다음을 구하시오.

(1) 두 곡선 $y=x^3+ax$와 $y=x^2+2x+b$가 $x=1$인 점에서 공통접선을 가질 때, 상수 a, b의 값

(2) 두 곡선 $y=x^2+ax+b$와 $y=-x^3+c$가 점 $(1, -2)$에서 접할 때, 상수 a, b, c의 값

핵심 개념 | 접선의 방정식의 활용(2)

P 지점에서 캔을 재활용 분리수거함을 향해 던질 때, P 지점에서 수평으로 x m 떨어진 지점의 캔의 지면으로부터의 높이를 $f(x)$ m라 하면

$$f(x)=-x^2+3x+\frac{3}{2}$$

이다. 함수 $f(x)$는 닫힌구간 $[0,\ 3]$에서 연속이고 열린구간 $(0,\ 3)$에서 미분가능하다. 이때 $f(0)=f(3)$이므로 롤의 정리에 의하여 $f'(c)=0$인 c가 열린구간 $(0,\ 3)$에 적어도 하나 존재한다.

개념 ② 롤의 정리와 평균값 정리

[02~03] 다음 ( ) 안에 주어진 것 중 옳은 것을 고르시오.

02 함수 $f(x)$가 닫힌구간 $[a, b]$에서 연속이고 열린구간 (a, b)에서 미분가능할 때, $f(a)=f(b)$이면 $f'(c)=0$인 c가 열린구간 (a, b)에 적어도 하나 존재한다. 이와 같은 정리를 (롤의 정리, 평균값 정리)라 한다.

03 함수 $f(x)$가 닫힌구간 $[a, b]$에서 연속이고 열린구간 (a, b)에서 미분가능하면

$$\frac{f(b)-f(a)}{b-a}=f'(c)$$

인 c가 열린구간 (a, b)에 적어도 하나 존재한다. 이와 같은 정리를 (롤의 정리, 평균값 정리)라 한다.
이때 $f(a)=f(b)$이면 롤의 정리와 같다.

답 **02** 롤의 정리 **03** 평균값 정리

개념 확인 | 접선의 방정식의 활용

정답과 해설 26쪽

롤의 정리

함수 $f(x)$가 닫힌구간 $[a, b]$에서 연속이고 열린구간 (a, b)에서 미분가능할 때, $f(a)=f(b)$이면

$f'(c)=0$

인 c가 열린구간 (a, b)에 적어도 하나 존재한다.

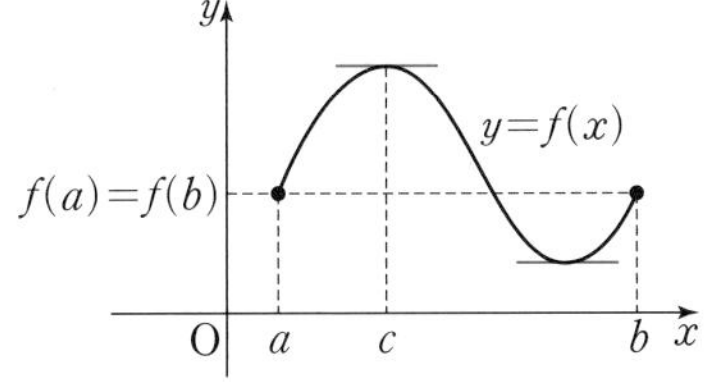

평균값 정리

함수 $f(x)$가 닫힌구간 $[a, b]$에서 연속이고 열린구간 (a, b)에서 미분가능하면

$$\frac{f(b)-f(a)}{b-a}=f'(c)$$

인 c가 열린구간 (a, b)에 적어도 하나 존재한다.

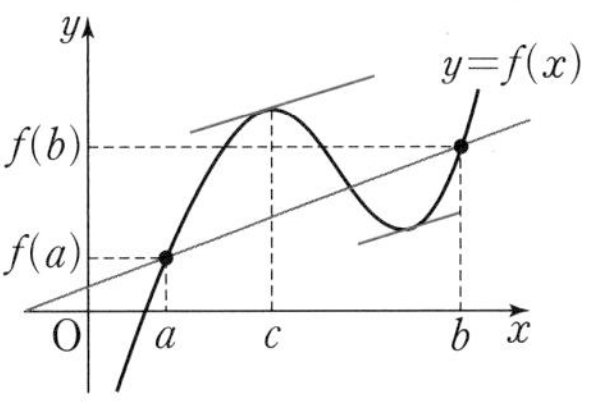

2주

3-1 다음 함수에 대하여 주어진 닫힌구간에서 롤의 정리를 만족시키는 c의 값을 구하시오.

(1) $f(x)=-x^2+2x$ $[0, 2]$

(2) $f(x)=x^3-3x$ $[0, \sqrt{3}]$

3-2 다음 함수에 대하여 주어진 닫힌구간에서 롤의 정리를 만족시키는 c의 값을 구하시오.

(1) $f(x)=2x^2-2x+1$ $[-1, 2]$

(2) $f(x)=-x^3+6x$ $[0, \sqrt{6}]$

4-1 다음 함수에 대하여 주어진 닫힌구간에서 평균값 정리를 만족시키는 c의 값을 구하시오.

(1) $f(x)=x^2+2x$ $[-1, 1]$

(2) $f(x)=-x^3+1$ $[-3, 0]$

4-2 다음 함수에 대하여 주어진 닫힌구간에서 평균값 정리를 만족시키는 c의 값을 구하시오.

(1) $f(x)=2x^2+3x+1$ $[-2, 0]$

(2) $f(x)=x^3$ $[-1, 2]$

5-1 함수 $f(x)=x^3-6x^2+9x+1$에 대하여 닫힌구간 $[0, a]$에서 롤의 정리를 만족시키는 상수의 값이 b일 때, a, b의 값을 구하시오.

5-2 함수 $f(x)=x^2-3$에 대하여 닫힌구간 $[-1, a]$에서 평균값 정리를 만족시키는 상수 c의 값이 $\frac{1}{2}$일 때, a의 값을 구하시오.

5일 기초 유형 | 접선의 방정식의 활용

2012 9월
평가원 나형 15번

1-1

점 $(0,\ -4)$에서 곡선 $y=x^3-2$에 그은 접선이 x축과 만나는 점의 좌표를 $(a,\ 0)$이라 할 때, a의 값을 구하시오. [4점]

Tip 곡선 $y=f(x)$의 접점의 좌표를 $(t,\ f(t))$라 하면 이 점에서의 접선의 기울기는 $f'(t)$이다.

풀이

$f(x)=x^3-2$라 하면 $f'(x)=3x^2$

접점의 좌표를 $(t,\ t^3-2)$라 하면 접선의 기울기는

$f'(t)=$ ☐ 이므로 접선의 방정식은

$y-(t^3-2)=3t^2(x-t)$

$\therefore y=3t^2x-2t^3-2$ ……㉠

이 접선이 점 $(0,\ -4)$를 지나므로

$-4=-2t^3-2,\ t^3-1=0$

$(t-1)(t^2+t+1)=0$

t는 실수이므로 $t=$ ☐

t의 값을 ㉠에 대입하면 접선의 방정식은

$y=3x-$ ☐

이 직선이 x축과 만나는 점의 좌표가 $(a,\ 0)$이므로

$3a-4=0 \qquad \therefore a=\frac{4}{3}$

답 $\frac{4}{3}$

쌍둥이 교과서 문제

1-2

점 $(0,\ -3)$에서 곡선 $y=x^3-1$에 그은 접선이 x축과 만나는 점의 좌표를 $(a,\ 0)$이라 할 때, a의 값을 구하시오.

1-3

점 $(2,\ 8)$에서 곡선 $y=x^3-6x^2+9x-10$에 그은 접선의 y절편을 구하시오.

1-4

원점 O에서 곡선 $y=x^4-3x^2+6$에 그은 두 접선의 접점을 각각 A, B라 할 때, 삼각형 OAB의 넓이를 구하시오.

2014 9월
평가원 A형 27번

쌍둥이 교과서 문제

2-1

곡선 $y=x^3+2x+7$ 위의 점 $\mathrm{P}(-1, 4)$에서의 접선이 점 P가 아닌 점 (a, b)에서 곡선과 만난다. $a+b$의 값을 구하시오. [4점]

Tip 곡선 $y=f(x)$ 위의 점 $(t, f(t))$에서의 접선의 기울기는 $f'(t)$이다.

풀이

$f(x)=x^3+2x+7$이라 하면 $f'(x)=3x^2+2$

점 $\mathrm{P}(-1, 4)$에서의 접선의 기울기는

$f'(-1)=3+2=5$이므로 이 점에서의 접선의 방정식은

$y-4=\square\{x-(-1)\}$ $\quad\therefore y=\square x+9$

곡선 $y=x^3+2x+7$과 직선 $y=5x+9$의 교점의 x좌표는

$x^3+2x+7=5x+9$, $x^3-3x-2=0$

$(x+1)^2(x-2)=0$ $\quad\therefore x=-1$ 또는 $x=2$

$a\neq-1$이므로 $a=2$

점 $(2, b)$는 직선 $y=5x+9$ 위의 점이므로 $b=\square$

$\therefore a+b=21$

답 21

2-2

곡선 $y=x^3-6x^2+12x-3$ 위의 점 $(1, 4)$에서의 접선이 이 곡선과 점 (a, b)에서 만날 때, $b-a$의 값을 구하시오. (단, $a\neq1$)

2015 11월 실시
고2 교육청 가형 15번

3-1

곡선 $y=x^4+2x^2+a$가 직선 $y=8x+2$에 접하도록 하는 상수 a의 값을 구하시오. [4점]

Tip 곡선 $y=f(x)$와 직선 $y=mx+n$이 서로 접할 때, 접점의 좌표를 $(t, f(t))$라 하면 $f'(t)=m$이다.

풀이

$f(x)=x^4+2x^2+a$라 하면 $f'(x)=4x^3+4x$

접점의 좌표를 (t, t^4+2t^2+a)라 하면 접선의 기울기는

$f'(t)=4t^3+4t$이므로 접선의 방정식은

$y-(t^4+2t^2+a)=(4t^3+4t)(x-t)$

$\therefore y=(4t^3+4t)x-3t^4-\square+a$

이 직선이 $y=8x+2$와 일치하므로

$4t^3+4t=\square$, $(t-1)(t^2+t+2)=0$

t는 실수이므로 $t=\square$

t의 값을 $-3t^4-2t^2+a=2$에 대입하면 $a=\square$

답 7

3-2

직선 $y=mx+2$가 곡선 $y=-x^3+2x$에 접할 때, 상수 m의 값을 구하시오.

3-3

곡선 $y=x^3+6x^2+10x+4$를 x축의 방향으로 m만큼 평행이동하면 직선 $y=x-2$와 접한다. 이때 모든 m의 값의 합을 구하시오.

2주

누구나 100점 테스트

1

| 2018 9월 실시 고2 교육청 가형 10번 |

함수 $f(x)=x(x+1)(x-2)$에서 x의 값이 -2에서 0까지 변할 때의 평균변화율과 x의 값이 0에서 a까지 변할 때의 평균변화율이 서로 같을 때, 양수 a의 값은?

① 1 ② 2 ③ 3
④ 4 ⑤ 5

2

| 2018 11월 실시 고2 교육청 나형 8번 |

다항함수 $f(x)$가 $\lim_{h \to 0} \frac{f(2+h)-f(2)}{3h}=5$를 만족시킬 때, $f'(2)$의 값은?

① 9 ② 12 ③ 15
④ 18 ⑤ 21

3

| 2017 9월 실시 고2 교육청 나형 25번 |

두 상수 a, b에 대하여 함수

$$f(x)=\begin{cases} 2x^2+ax+b & (x<2) \\ 5ax-12 & (x \geq 2) \end{cases}$$

가 $x=2$에서 미분가능할 때, a^2+b^2의 값을 구하시오.

4

| 2017 11월 실시 고2 교육청 나형 14번 |

함수 $f(x)=x^2-ax+3$에 대하여

$\lim_{h \to 0} \frac{f(2+h)-f(2)}{h}=1$일 때, 상수 a의 값은?

① 1 ② 2 ③ 3
④ 4 ⑤ 5

5

| 2020 3월 실시 고3 교육청 가형 22번 |

함수 $f(x)=(2x+3)(x^2+5)$에 대하여 $f'(1)$의 값을 구하시오.

곱의 미분법을 사용하면 시간을 절약할 수 있어.

6

| 2020 4월 실시 고3 교육청 나형 10번 |

다항함수 $f(x)$가

$$\lim_{h \to 0} \frac{f(3+h)-4}{2h}=1$$

을 만족시킬 때, $f(3)+f'(3)$의 값은?

① 6 ② 7 ③ 8
④ 9 ⑤ 10

7

| 2021 평가원 나형 24번 |

곡선 $y=x^3-6x^2+6$ 위의 점 $(1, 1)$에서의 접선이 점 $(0, a)$를 지날 때, a의 값을 구하시오.

8

| 2017 9월 실시 고2 교육청 가형 6번 |

이차함수 $f(x)=x^2-x+5$의 그래프 위의 점 $(a, f(a))$에서의 접선의 방정식이 $y=3x+b$일 때, 두 상수 a, b에 대하여 $a+b$의 값을 구하시오.

9

| 2016 11월 실시 고2 교육청 나형 28번 |

함수 $f(x)=x^3-ax$에 대하여 점 $(0, 16)$에서 곡선 $y=f(x)$에 그은 접선의 기울기가 8일 때, $f(a)$의 값을 구하시오. (단, a는 상수이다.)

10

| 2011 4월 실시 고3 교육청 가형 23번 |

곡선 $y=2x^2+1$ 위의 점 $(-1, 3)$에서의 접선이 곡선 $y=2x^3-ax+3$에 접할 때, 상수 a의 값을 구하시오.

특강 창의 • 융합 • 코딩

정답과 해설 29쪽

두 자동차 A, B가 같은 지점에서 동시에 출발하여 4시간 동안 달렸다. 두 자동차 A, B가 출발 후 x시간 동안 달린 거리 y km를 나타낸 그래프가 다음과 같을 때, 물음에 답하시오.

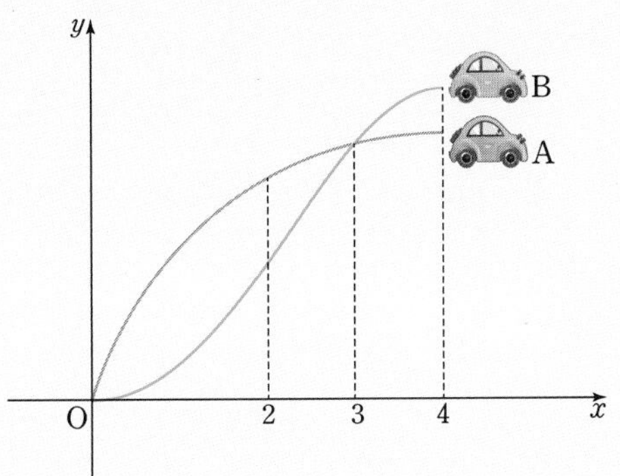

(1) 출발 후 2시간 동안 달린 거리의 평균변화율이 더 큰 자동차를 말하시오.

(2) 출발한 지 3시간이 되는 순간 달린 거리의 순간변화율이 더 큰 자동차를 말하시오.

2
주

1 2018 수능 나형 18번

미분계수와 곱의 미분법 ⊕ 함수의 극한

❷ 최고차항의 계수가 1이고 $f(1)=0$인 삼차함수 $f(x)$가

❶ $\lim_{x\to 2}\frac{f(x)}{(x-2)\{f'(x)\}^2}=\frac{1}{4}$

을 만족시킬 때, ❸ $f(3)$의 값을 구하시오.

❶ $f(2)$의 값을 구한다.

> **함수의 극한**
>
> 두 함수 $f(x)$, $g(x)$에 대하여 $\lim_{x\to a}\frac{f(x)}{g(x)}=k$ (k는 실수)일 때
>
> $\lim_{x\to a}g(x)=0$이면 $\lim_{x\to a}f(x)=0$

$x\to 2$일 때, 극한값이 존재하고 (분모)$\to 0$이므로 (분자)$\to 0$이다.

즉, $\lim_{x\to 2}f(x)=0$이므로 $f(2)=\square$

❷ $f(x)$, $f'(x)$를 미정계수를 사용하여 나타낸다.

> **함수의 곱의 미분법**
>
> ❶ 두 함수 $f(x)$, $g(x)$가 미분가능할 때
>
> $\{f(x)g(x)\}'=f'(x)g(x)+f(x)g'(x)$
>
> ❷ 세 함수 $f(x)$, $g(x)$, $h(x)$가 미분가능할 때
>
> $\{f(x)g(x)h(x)\}'=f'(x)g(x)h(x)+f(x)g'(x)h(x)+f(x)g(x)h'(x)$

삼차함수 $f(x)$의 최고차항의 계수가 1이고 $f(1)=0$, $f(2)=0$이므로

$f(x)=(x-1)(x-2)(x-a)$ (a는 상수)

$f'(x)=(x-2)(x-a)+(x-1)(x-a)+(x-1)(x-2)$

❸ $f(3)$의 값을 구한다.

$$\lim_{x\to 2}\frac{f(x)}{(x-2)\{f'(x)\}^2}=\lim_{x\to 2}\frac{(x-1)(x-2)(x-a)}{(x-2)\{f'(x)\}^2}=\lim_{x\to 2}\frac{(x-1)(x-a)}{\{f'(x)\}^2}$$

$$=\lim_{x\to 2}\frac{(x-1)(x-a)}{\{(x-2)(x-a)+(x-1)(x-a)+(x-1)(x-2)\}^2}$$

$$=\frac{2-a}{(2-a)^2}=\frac{1}{2-a}$$

$\frac{1}{2-a}=\frac{1}{\square}$에서 $2-a=4$ $\quad\therefore a=-2$

따라서 $f(x)=(x-1)(x-2)(x+2)$이므로 $f(3)=\square$

답 10

정답과 해설 30쪽

2 2013 10월 실시 고3 교육청 A형 26번

미분계수와 곱의 미분법 + 삼차방정식

❶ 최고차항의 계수가 1인 삼차함수 $f(x)$와 실수 a가 다음 조건을 만족시킬 때, ❸ $f'(a)$의 값을 구하시오.

(가) ❶ $f(a)=f(2)=f(6)$

(나) ❷ $f'(2)=-4$

길잡이

❶ $f(a)=f(2)=f(6)=k$ (k는 실수)로 놓고 $f(x)$의 식을 세운다.

❷ a의 값을 구한다.

❸ $f'(a)$의 값을 구한다.

2주

3 2019 6월 평가원 나형 17번

미분계수 + 항등식

함수 ❷ $f(x)=ax^2+b$가 모든 실수 x에 대하여

❶ $4f(x)=\{f'(x)\}^2+x^2+4$

를 만족시킨다. ❸ $f(2)$의 값을 구하시오. (단, a, b는 상수이다.)

길잡이

❶ $f'(x)$를 구한 다음 등식에 대입하여 x의 식으로 나타낸다.

❷ 항등식의 성질을 이용하여 a, b의 값을 구한다.

❸ $f(2)$의 값을 구한다.

4 2018 7월 실시 고3 교육청 나형 27번

접선의 기울기 + 함수의 극한

❶ 최고차항의 계수가 1이고 $f(0)=2$인 삼차함수 $f(x)$가

❷ $\lim_{x \to 1} \frac{f(x)-x^2}{x-1}=-2$

를 만족시킨다. ❸ 곡선 $y=f(x)$ 위의 점 $(3, f(3))$에서의 접선의 기울기를 구하시오.

❶ $f(x)$를 식으로 나타낸다.

$f(x)=x^3+ax^2+bx+2$ (a, b는 상수) ……㉠

로 놓는다.

❷ $f(x)$, $f'(x)$를 구한다.

> **함수의 극한**
>
> 두 함수 $f(x)$, $g(x)$에 대하여 $\lim_{x \to a} \frac{f(x)}{g(x)}=k$ (k는 실수)일 때
>
> $\lim_{x \to a} g(x)=0$이면 $\lim_{x \to a} f(x)=0$

$\lim_{x \to 1} \frac{f(x)-x^2}{x-1}=-2$에서 $x \to 1$일 때, 극한값이 존재하고 (분모)$\to 0$이므로 (분자)$\to 0$이다.

즉, $\lim_{x \to 1} \{f(x)-x^2\}=0$이므로 $f(1)=$ □

$f(1)=$ □을 ㉠에 대입하면 $1+a+b+2=1$ $\therefore b=-a-2$

$\therefore f(x)=x^3+ax^2-(a+2)x+2$

$\lim_{x \to 1} \frac{f(x)-x^2}{x-1}=\lim_{x \to 1} \frac{x^3+(a-1)x^2-(a+2)x+2}{x-1}$

$=\lim_{x \to 1} \frac{(x-1)(x^2+ax-2)}{x-1}=\lim_{x \to 1}(x^2+ax-2)=a-$ □

$a-1=-2$ $\therefore a=-1$

$a=-1$을 $b=-a-2$에 대입하면 $b=-1$

$f(x)=x^3-x^2-x+2$이므로 $f'(x)=3x^2-2x-1$

❸ 접선의 기울기를 구한다.

> **접선의 기울기**
>
> 함수 $f(x)$가 $x=a$에서 미분가능할 때, 곡선 $y=f(x)$ 위의 점 $(a, f(a))$에서의 접선의 기울기는 $x=a$에서의 미분계수 $f'(a)$와 같다.

따라서 점 $(3, f(3))$에서의 접선의 기울기는 $f'(3)=27-6-1=20$

답 20

정답과 해설 30쪽

5 2017 7월 실시 고3 교육청 나형 17번

접선의 방정식 + 곱의 미분법

❷ 최고차항의 계수가 1인 삼차함수 $f(x)$에 대하여 ❶ 곡선 $y=f(x)$ 위의 점 $(2, 4)$에서의 접선이 점 $(-1, 1)$에서 이 곡선과 만날 때, ❸ $f'(3)$의 값을 구하시오.

길잡이

❶ 두 점 $(2, 4)$, $(-1, 1)$을 지나는 접선의 방정식을 구한다.
❷ $f(x)$를 구한다.
❸ $f'(3)$의 값을 구한다.

2
주

6 2015 9월 평가원 A형 27번

접선의 기울기 + 점과 직선 사이의 거리

❶ 곡선 $y=\frac{1}{3}x^3+\frac{11}{3}$ $(x>0)$ 위를 움직이는 점 P와 직선 $x-y-10=0$ 사이의 거리를 최소가 되게 하는 곡선 위의 점의 좌표를 (a, b)라 할 때, ❷ $a+b$의 값을 구하시오.

길잡이

❶ 점 P와 주어진 직선 사이의 거리를 최소가 되게 하는 접선의 기울기를 구한다.
❷ a, b의 값을 구한 다음 $a+b$의 값을 구한다.

Week 3

3주에는 무엇을 공부할까? ❶

공부할 내용

❶ 함수의 증가, 감소와 극대, 극소 판정하기
❷ 함수의 그래프의 개형 그리기
❸ 방정식과 부등식에 대한 문제 해결하기
❹ 부정적분의 뜻 알기

3주

배운 내용 다시보기

1 다음 함수를 x에 대하여 미분하시오.

(1) $f(x)=x^2-2x+1$
(2) $f(x)=3x^2-5x+2$
(3) $f(x)=x^3-2x^2+4$
(4) $f(x)=2x^3+4x^2-3x+6$

2 다음 방정식을 푸시오.

(1) $x^2-6x+8=0$
(2) $x^3-3x^2+2x=0$

3 다음 주어진 구간에서 함수의 최댓값과 최솟값을 구하시오.

(1) $y=x^2-2x+3$ $[-1, 2]$
(2) $y=-x^2+4x+1$ $[1, 3]$

답 **1** (1) $f'(x)=2x-2$ (2) $f'(x)=6x-5$ (3) $f'(x)=3x^2-4x$ (4) $f'(x)=6x^2+8x-3$
2 (1) $x=2$ 또는 $x=4$ (2) $x=0$ 또는 $x=1$ 또는 $x=2$ **3** (1) 최댓값 : 6, 최솟값 : 2 (2) 최댓값 : 5, 최솟값 : 4

냄새를 따라가보면
맛집이 나타날거야!
4일
도함수의 활용

3
주

배운 내용 다시보기

4 다음 이차방정식의 실근의 개수를 구하시오.

(1) $x^2+2x-1=0$　　(2) $x^2-4x+4=0$

(3) $3x^2-2x+5=0$　　(4) $2x^2+3x-3=0$

5 다음 부등식이 항상 성립하기 위한 조건을 구하시오. (단, a는 상수이다.)

(1) $x^2-4x-a>0$　　(2) $-3x^2+ax-12\leq 0$

6 다음 함수에 대하여 $x=2$에서의 미분계수를 구하시오.

(1) $f(x)=5x^2+3$　　(2) $f(x)=-2x^3+9x+1$

답 **4** (1) 2 (2) 1 (3) 0 (4) 2　**5** (1) $a<-4$ (2) $-12\leq a\leq 12$　**6** (1) 20 (2) -15

1일 핵심 개념 | 함수의 증가, 감소와 극대, 극소(1)

시간에 따른 매출 그래프에서 매출이 증가하는 시간은 11시부터 13시까지, 16시부터 19시까지이고, 매출이 감소하는 시간은 13시부터 16시까지, 19시부터 21시까지이다. 일반적으로 함수의 증가와 감소는 구간에서 정의되므로 함수의 증가와 감소를 나타낼 때에는 반드시 그 범위를 나타내야 한다.

개념 ① 함수의 증가, 감소

[01~03] 다음 (   ) 안에 주어진 것 중 옳은 것을 고르시오.

01 함수 $f(x)$가 어떤 구간에 속하는 임의의 두 실수 x_1, x_2에 대하여 $x_1<x_2$일 때 $f(x_1)<f(x_2)$이면 $f(x)$는 이 구간에서 (증가, 감소)한다고 하고, $x_1<x_2$일 때 $f(x_1)>f(x_2)$이면 $f(x)$는 이 구간에서 (증가, 감소)한다고 한다.

02 함수 $f(x)$가 어떤 열린구간에서 미분가능하고 이 구간의 모든 x에서 $f'(x)>0$이면 $f(x)$는 이 구간에서 (증가, 감소)하고, $f'(x)<0$이면 $f(x)$는 이 구간에서 (증가, 감소)한다.

03 함수 $f(x)$가 어떤 열린구간에서 미분가능하고 이 구간에서 $f(x)$가 (증가, 감소)하면 이 구간의 모든 x에서 $f'(x)\geq 0$이고, $f(x)$가 (증가, 감소)하면 이 구간의 모든 x에서 $f'(x)\leq 0$이다.

답 **01** 증가, 감소 **02** 증가, 감소 **03** 증가, 감소

개념 확인 | 함수의 증가, 감소와 극대, 극소

정답과 해설 31쪽

함수의 증가, 감소의 판정

함수 $f(x)$가 어떤 열린구간에서 미분가능하고 이 구간의 모든 x에서

❶ $f'(x)>0$이면 $f(x)$는 이 구간에서 증가한다.

❷ $f'(x)<0$이면 $f(x)$는 이 구간에서 감소한다.

참고 일반적으로 위의 역은 성립하지 않는다.

예를 들어 함수 $f(x)=x^3$은 열린구간 $(-\infty, \infty)$에서 증가하지만 $f'(x)=3x^2$에서 $f'(0)=0$이다.

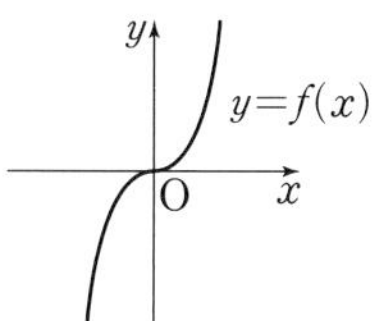

1-1 다음 함수의 증가, 감소를 조사하시오.

(1) $f(x)=x^3-3x^2-9x+2$

(2) $f(x)=1+x+x^2-x^3$

(3) $f(x)=x^3+3x^2+3x+2$

(4) $f(x)=x^4-4x^3+3$

1-2 다음 함수의 증가, 감소를 조사하시오.

(1) $f(x)=x^3-3x^2+4$

(2) $f(x)=-x^3+6x^2-9x-5$

(3) $f(x)=-(x-2)^3$

(4) $f(x)=x^4-2x^2+4$

2-1 다음 함수가 실수 전체의 집합에서 증가하기 위한 실수 a의 값의 범위를 구하시오.

(1) $f(x)=x^3+3ax^2+3ax+1$

(2) $f(x)=x^3+ax^2+ax+1$

2-2 다음 함수가 실수 전체의 집합에서 감소하기 위한 실수 a의 값의 범위를 구하시오.

(1) $f(x)=-x^3+ax$

(2) $f(x)=-x^3-3ax^2-3x+1$

3주

1일

핵심 개념 | 함수의 증가, 감소와 극대, 극소(2)

함수 $f(x)$가 $x=a$에서 연속일 때 $x=a$의 좌우에서 $f(x)$가 증가하다가 감소하면 함수 $f(x)$는 $x=a$에서 극대, $f(x)$가 감소하다가 증가하면 함수 $f(x)$는 $x=a$에서 극소이므로 주어진 심박수의 그래프는 삼겹살에서 극댓값, 브로콜리에서 극솟값을 갖는다.

개념 ② 함수의 극대, 극소

[04~05] 다음 ☐ 안에 알맞은 것을 아래 보기에서 찾아 써넣으시오.

보기
극대, 극소, 극댓값, 극솟값

04 함수 $f(x)$가 실수 a를 포함하는 어떤 열린구간에 속하는 모든 x에서

❶ $f(x)\le f(a)$이면 함수 $f(x)$는 $x=a$에서 ☐ 라 하고, $f(a)$를 극댓값이라 한다.

❷ $f(x)\ge f(a)$이면 함수 $f(x)$는 $x=a$에서 ☐ 라 하고, $f(a)$를 극솟값이라 한다.

극댓값과 극솟값을 통틀어 극값이라 한다.

05 함수 $f(x)$가 미분가능하고 $f'(a)=0$일 때, $x=a$의 좌우에서 $f'(x)$의 부호가

❶ 양($+$)에서 음($-$)으로 바뀌면 $f(x)$는 $x=a$에서 극대이고 ☐ 을 갖는다.

❷ 음($-$)에서 양($+$)으로 바뀌면 $f(x)$는 $x=a$에서 극소이고 ☐ 을 갖는다.

답 04 극대, 극소 05 극댓값, 극솟값

개념 확인 | 함수의 증가, 감소와 극대, 극소

정답과 해설 32쪽

함수의 극대, 극소의 판정

함수 $f(x)$가 미분가능하고 $f'(a)=0$일 때, $x=a$의 좌우에서 $f'(x)$의 부호가

❶ 양(+)에서 음(−)으로 바뀌면 $f(x)$는 $x=a$에서 극대이고 극댓값 $f(a)$를 갖는다.

❷ 음(−)에서 양(+)으로 바뀌면 $f(x)$는 $x=a$에서 극소이고 극솟값 $f(a)$를 갖는다.

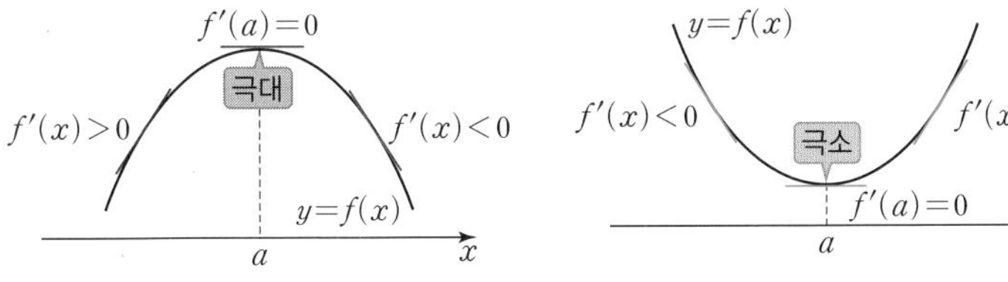

3-1 다음 함수의 극값을 구하시오.

(1) $f(x)=x^3+3x^2-9x$

(2) $f(x)=-x^3+3x$

(3) $f(x)=x^3-6x^2+12x-4$

(4) $f(x)=x^4-4x^3+4x^2$

3-2 다음 함수의 극값을 구하시오.

(1) $f(x)=(x-1)^2(x+2)$

(2) $f(x)=-x^3+12x$

(3) $f(x)=x^4-8x^2-2$

(4) $f(x)=-x^4+4x^3-7$

4-1 다음을 구하시오.

(1) 함수 $f(x)=-x^3+ax^2+bx-1$이 $x=1$에서 극댓값 1을 가질 때, 상수 a, b의 값

(2) 함수 $f(x)=x^3+ax^2+bx-10$이 $x=-3$에서 극댓값을 갖고, $x=1$에서 극솟값을 가질 때, 상수 a, b의 값

4-2 다음을 구하시오.

(1) 함수 $f(x)=-2x^3+ax^2+bx+1$이 $x=2$에서 극댓값 -3을 가질 때, 상수 a, b의 값

(2) 함수 $f(x)=x^3+ax^2+bx+1$이 $x=0$에서 극댓값을 갖고, $x=2$에서 극솟값을 가질 때, 상수 a, b의 값

3주

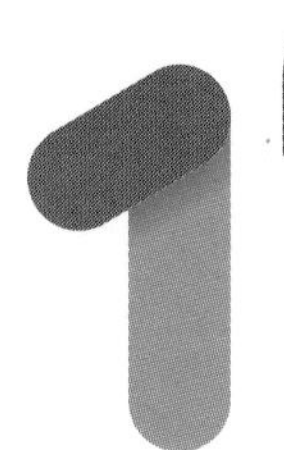

일 기초 유형 | 함수의 증가, 감소와 극대, 극소

2012 6월
평가원 나형 15번

쌍둥이 교과서 문제

1-1

삼차함수 $f(x)=x^3+ax^2+2ax$가 구간 $(-\infty, \infty)$에서 증가하도록 하는 실수 a의 최댓값을 M이라 하고, 최솟값을 m이라 할 때, $M-m$의 값을 구하시오. [4점]

Tip 함수 $f(x)$가 실수 전체의 집합에서 증가하면 모든 실수 x에 대하여 $f'(x)\ge 0$이다.

풀이

함수 $f(x)$가 구간 $(-\infty, \infty)$에서 증가하려면 모든 실수 x에 대하여

$f'(x)=3x^2+2ax+2a\ge 0$

이어야 하므로 이차방정식 $3x^2+2ax+2a=0$의 판별식을 D라 하면

$\frac{D}{4}=a^2-6a\le 0$, $a(a-6)\le 0$ $\therefore 0\le a\le 6$

$M=$ ☐, $m=0$이므로 $M-m=$ ☐ 답 6

1-2

삼차함수 $f(x)=-x^3+ax^2-3x+5$가 $x_1<x_2$인 임의의 두 실수 x_1, x_2에 대하여 항상 $f(x_1)>f(x_2)$를 만족시키도록 하는 실수 a의 값의 범위를 구하시오.

2016 6월
평가원 A형 27번

2-1

함수 $f(x)=\frac{1}{3}x^3-9x+3$이 열린구간 $(-a, a)$에서 감소할 때, 양수 a의 최댓값을 구하시오. [4점]

Tip 함수 $f(x)$가 어떤 열린구간에서 미분가능하고 그 구간에서 감소하면 그 구간의 모든 x에 대하여 $f'(x)\le 0$이다.

풀이

함수 $f(x)$가 열린구간 $(-a, a)$에서 감소하려면 이 구간에서 $f'(x)$ ☐ 0

이때 $f'(x)=x^2-9$이므로

$f'(-a)=f'(a)=a^2-$ ☐ ≤ 0

$(a+3)(a-3)\le 0$ $\therefore -3\le a\le 3$

따라서 양수 a의 최댓값은 3이다. 답 3

2-2

함수 $f(x)=-x^3+x^2+ax-4$가 닫힌구간 $[1, 2]$에서 증가하도록 하는 실수 a의 값의 범위를 구하시오.

2-3

함수 $f(x)=x^3+3x^2+ax-7$이 닫힌구간 $[-2, 1]$에서 감소하도록 하는 실수 a의 값의 범위를 구하시오.

2014
수능 A형 25번

쌍둥이 교과서 문제

3-1

함수 $f(x)=2x^3-12x^2+ax-4$가 $x=1$에서 극댓값 M을 가질 때, $a+M$의 값을 구하시오. [3점]

Tip 함수 $f(x)$가 $x=a$에서 극대이면 $f'(a)=0$이고 이때의 극댓값은 $f(a)$이다.

풀이

$f'(x)=6x^2-24x+a$

함수 $f(x)$가 $x=1$에서 극댓값을 가지므로

$f'(1)=6-24+a=\square$ $\quad\therefore a=\square$

$f(x)=2x^3-12x^2+18x-4$이므로 함수 $f(x)$의 극댓값은

$M=f(1)=2-12+18-4=\square$

$\therefore a+M=18+4=22$

답 22

3-2

함수 $f(x)=-x^3+ax$가 $x=1$에서 극댓값을 가질 때, 극솟값을 구하시오.

3-3

함수 $f(x)=x^3+ax^2+9x+b$가 $x=1$에서 극댓값 0을 가질 때, 극솟값을 구하시오.

2020 7월 실시
고3 교육청 나형 8번

4-1

함수 $f(x)=x^3+6x^2+9x+a$의 극솟값이 -6일 때, 상수 a의 값을 구하시오. [3점]

Tip 함수 $f(x)$가 $x=a$에서 극소이면 $f'(a)=0$이고 이때의 극솟값은 $f(a)$이다.

풀이

$f'(x)=3x^2+12x+9=3(x+3)(x+1)$

$f'(x)=0$에서 $x=-3$ 또는 $x=-1$

함수 $f(x)$의 증가와 감소를 표로 나타내면 다음과 같다.

x	$\cdots$	-3	$\cdots$	-1	$\cdots$
$f'(x)$	$+$	0	$-$	0	$+$
$f(x)$	↗	극대	↘	극소	↗

함수 $f(x)$는 $x=\square$에서 극소이고 극솟값이 -6이므로

$f(-1)=-1+6-9+a=\square$

$\therefore a=\square$

답 -2

4-2

함수 $f(x)=(x-1)^2(x-4)+a$의 극솟값이 3일 때, 실수 a의 값을 구하시오.

4-3

함수 $f(x)=2x^3-6x^2+a$의 모든 극값의 곱이 -12일 때, 상수 a의 값을 구하시오.

3
주

2일 핵심 개념 | 함수의 그래프와 최대, 최소(1)

뇌파는 뇌신경세포의 활동 상태에 대한 정보를 실시간으로 제공하므로 뇌파의 그래프를 분석하면 흥분, 기쁨, 슬픔 등의 감정 상태를 파악할 수 있다. 이처럼 함수의 그래프를 통해 좌표축과의 교점, 함수의 극대, 극소 등 여러 가지 정보를 얻을 수 있다.

개념 ① 함수의 그래프

01 다음 [ ] 안에 알맞은 것을 아래 보기에서 찾아 써넣으시오.

보기

$0,\ 1,\ f(x),\ f'(x)$

미분가능한 함수 $y=f(x)$의 그래프는 다음 순서로 그 개형을 그릴 수 있다.

1 도함수 [ ]를 구한다.

2 $f'(x)=$[ ]인 x의 값을 구한다.

3 함수 $f(x)$의 증가와 감소를 표로 나타내고, 극값을 구한다.

4 함수 $y=f(x)$의 그래프와 x축 또는 y축의 교점의 좌표를 구한다.

5 함수 $y=f(x)$의 그래프의 개형을 그린다.

답 01 $f'(x)$, 0

개념 확인 | 함수의 그래프와 최대, 최소

정답과 해설 34쪽

함수의 그래프의 개형

일반적으로 함수의 그래프의 개형은 함수의 증가와 감소, 극대와 극소, 좌표축과의 교점 등을 이용하여 그릴 수 있다.

함수 $f(x)=x^3-6x^2+9x-2$의 그래프의 개형을 그리시오.

1 $f'(x)=3x^2-12x+9=3(x-1)(x-3)$

2 $f'(x)=0$에서 $x=1$ 또는 $x=3$

3 함수 $f(x)$의 증가와 감소를 표로 나타내면 다음과 같다.

x	$\cdots$	1	$\cdots$	3	$\cdots$
$f'(x)$	$+$	0	$-$	0	$+$
$f(x)$	$\nearrow$	2	$\searrow$	-2	$\nearrow$

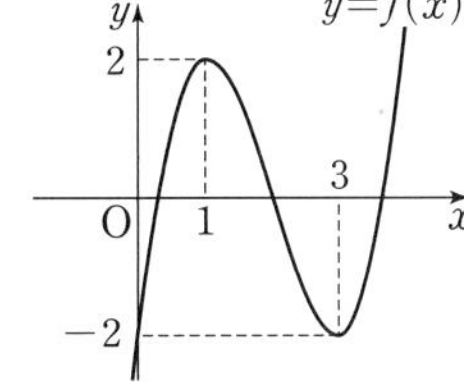

4 함수 $y=f(x)$의 그래프와 y축의 교점의 좌표는 $(0, -2)$

5 주어진 함수의 그래프의 개형은 오른쪽 그림과 같다.

1-1 다음 함수의 그래프의 개형을 그리시오.

(1) $f(x)=x^3-2x^2+x-1$

(2) $f(x)=x^2(2-x)$

(3) $f(x)=x^3-3x^2+3x+1$

1-2 다음 함수의 그래프의 개형을 그리시오.

(1) $f(x)=x^3-3x$

(2) $f(x)=(x+2)(x-2)^2$

(3) $f(x)=-x^3+3x^2-4x+2$

2-1 다음 함수의 그래프의 개형을 그리시오.

(1) $f(x)=x^4-2x^2$

(2) $f(x)=\frac{1}{4}x^4-x^3+4x+1$

2-2 다음 함수의 그래프의 개형을 그리시오.

(1) $f(x)=3x^4-16x^3+18x^2+5$

(2) $f(x)=3x^4-4x^3$

3주

2일 핵심 개념 | 함수의 그래프와 최대, 최소(2)

밑면의 반지름의 길이를 x cm, 높이를 h cm, 용기의 부피를 $f(x)$ cm^{3}이라 하면 $2x+h=12$에서 $h=12-2x$이므로

$f(x)=\pi x^2 h=\pi x^2(12-2x)=\pi(12x^2-2x^3)$

$f'(x)=\pi(24x-6x^2)=6\pi x(4-x)$

$f'(x)=0$에서 $x=4$ ($\because x>0$)

따라서 밑면의 반지름의 길이가 4 cm일 때 용기의 부피는 최대가 된다.

개념 ② 함수의 최대, 최소

02 다음 ☐ 안에 알맞은 것을 아래 보기에서 찾아 써넣으시오.

> 보기
> 극댓값, 극솟값, 최댓값, 최솟값

함수 $f(x)$가 닫힌구간 $[a, b]$에서 연속이면 $f(x)$는 최대·최소 정리에 의하여 이 닫힌구간에서 반드시 최댓값과 최솟값을 갖는다.

이때 함수 $f(x)$가 이 닫힌구간에서 극값을 가지면

$f(x)$의 극값, $f(a)$, $f(b)$

중에서 가장 큰 값이 ☐, 가장 작은 값이 ☐이 된다.

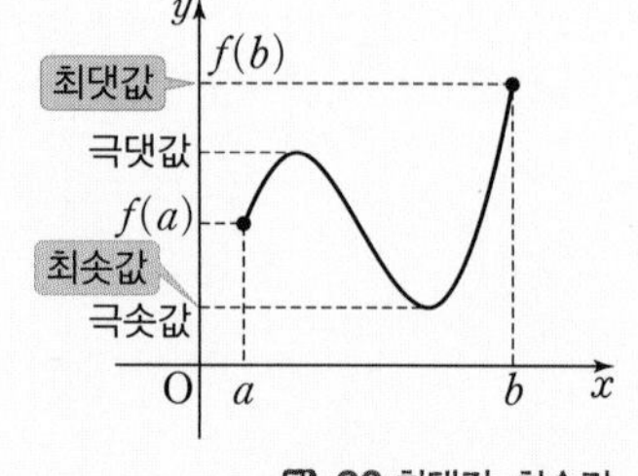

답 02 최댓값, 최솟값

개념 확인 | 함수의 그래프와 최대, 최소

정답과 해설 36쪽

삼차함수가 극값을 가질 조건

삼차함수 $f(x)$가 극값을 갖는다.

$\Longleftrightarrow$ 이차방정식 $f'(x)=0$이 서로 다른 두 실근을 갖는다. 즉, 이차방정식 $f'(x)=0$의 판별식을 D라 하면 $D>0$이다.

참고 삼차함수 $f(x)$가 극값을 갖지 않는다.

$\Longleftrightarrow$ 이차방정식 $f'(x)=0$이 중근 또는 서로 다른 두 허근을 갖는다. 즉, 이차방정식 $f'(x)=0$의 판별식을 D라 하면 $D\le 0$이다.

함수의 최대, 최소

닫힌구간 $[a, b]$에서 연속인 함수 $f(x)$의 최댓값과 최솟값은 다음과 같이 구한다.

1 함수 $f(x)$의 증가와 감소를 표로 나타내고 극값을 구한다.

2 $f(a)$, $f(b)$의 값을 구한다.

3 $f(x)$의 극값, $f(a)$, $f(b)$ 중에서 가장 큰 값과 가장 작은 값을 구한다.

3-1 다음을 구하시오.

(1) 삼차함수 $f(x)=x^3+3ax^2+3(a+2)x+1$이 극값을 갖도록 하는 실수 a의 값의 범위

(2) 삼차함수 $f(x)=x^3+ax^2-3ax+2$가 극값을 갖지 않도록 하는 실수 a의 값의 범위

3-2 다음을 구하시오.

(1) 삼차함수 $f(x)=ax^3+6x^2+3(5-a)x+1$이 극값을 갖도록 하는 실수 a의 값의 범위

(2) 삼차함수 $f(x)=x^3+ax^2+3x+2$가 극값을 갖지 않도록 하는 실수 a의 값의 범위

4-1 주어진 닫힌구간에서 다음 함수의 최댓값과 최솟값을 구하시오.

(1) $f(x)=x^3+2x^2+x-2$ $[-2, 1]$

(2) $f(x)=-x^3+3x^2-2$ $[-1, 1]$

(3) $f(x)=-x^4+2x^2$ $[-2, 0]$

4-2 주어진 닫힌구간에서 다음 함수의 최댓값과 최솟값을 구하시오.

(1) $f(x)=2x^3+3x^2-12x+1$ $[-3, 1]$

(2) $f(x)=x^3-6x^2+9x$ $[0, 2]$

(3) $f(x)=x^4-6x^2-8x+10$ $[1, 3]$

2일 기초 유형 | 함수의 그래프와 최대, 최소

2016 11월 실시
고2 교육청 나형 14번

1-1

닫힌구간 $[0, 5]$에서 정의된 함수
$f(x)=x^3-9x^2+15x+a$의 최솟값이 -15일 때, 최댓값을 구하시오. (단, a는 상수이다.) [4점]

Tip 주어진 구간에서 함수 $f(x)$의 증가와 감소를 표로 나타내어 최댓값과 최솟값을 알아본다.

풀이

$f'(x)=3x^2-18x+15=3(x-1)(x-5)$

$f'(x)=0$에서 $x=1$ 또는 $x=5$

닫힌구간 $[0, 5]$에서 함수 $f(x)$의 증가와 감소를 표로 나타내면 다음과 같다.

x	0	$\cdots$	1	$\cdots$	5
$f'(x)$		$+$	0	$-$	0
$f(x)$	a	↗	$a+7$	↘	$a-25$

함수 $f(x)$는

$x=1$에서 최댓값 $a+7$,

$x=$ ☐ 에서 최솟값 $a-25$

를 갖는다. 이때 최솟값이 -15이므로

$a-$ ☐ $=-15$ $\therefore a=$ ☐

따라서 구하는 최댓값은

$a+7=10+7=17$

답 17

쌍둥이 교과서 문제

1-2

닫힌구간 $[-2, 2]$에서 정의된 함수
$f(x)=-x^3+3x^2+a$의 최솟값이 -4일 때, 최댓값을 구하시오. (단, a는 상수이다.)

1-3

닫힌구간 $[0, 2]$에서 함수 $f(x)=2x^3-3x^2+a$의 최댓값이 2일 때, 최솟값을 구하시오. (단, a는 상수이다.)

1-4

닫힌구간 $[-1, 2]$에서 함수
$f(x)=ax^3-6ax^2+b\,(a>0)$의 최댓값이 3이고 최솟값이 -29일 때, $a+b$의 값을 구하시오.

(단, a, b는 상수이다.)

2011 4월 실시
고3 교육청 가형 28번

2-1

[그림 1]과 같이 가로의 길이가 12 cm, 세로의 길이가 6 cm인 직사각형 모양의 종이가 있다. 네 모퉁이에서 크기가 같은 정사각형 모양의 종이를 잘라 낸 후 남는 부분을 접어서 [그림 2]와 같이 뚜껑이 없는 직육면체 모양의 상자를 만들려고 한다. 이 상자의 부피의 최댓값을 M cm^{3}이라 할 때, $\frac{\sqrt{3}}{3}M$의 값을 구하시오.

(단, 종이의 두께는 무시한다.) [4점]

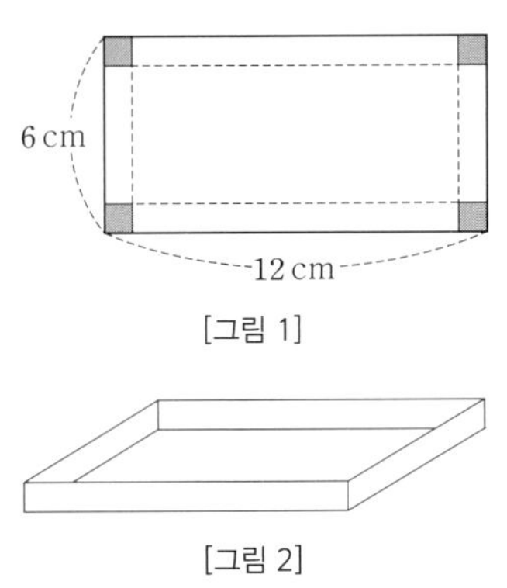

[그림 1]

[그림 2]

Tip 잘라 내는 정사각형의 한 변의 길이를 x cm로 놓고 부피를 x의 함수로 나타낸다.

풀이

잘라 내는 정사각형의 한 변의 길이를 x cm라 하면

$x>0$, $6-2x>0$, $12-2x>0$에서 $0<x<$ □

상자의 부피를 $f(x)$ cm^{3}라 하면

$f(x)=x(6-2x)(12-2x)=4x^3-36x^2+72x$

$f'(x)=12x^2-72x+72=12(x^2-6x+6)$

$f'(x)=0$에서 $x=3-\sqrt{3}$ ($\because 0<x<3$)

열린구간 $(0, 3)$에서 함수 $f(x)$의 증가와 감소를 표로 나타내면 다음과 같다.

x	(0)	$\cdots$	$3-\sqrt{3}$	$\cdots$	(3)
$f'(x)$		$+$	0	$-$	
$f(x)$		↗	$24\sqrt{3}$	↘	

함수 $f(x)$는 $x=3-\sqrt{3}$에서 극대이면서 최대이므로

$M=$ □ $\sqrt{3}$ (cm^3)

$\therefore \frac{\sqrt{3}}{3}M=$ □

답 24

쌍둥이 교과서 문제

2-2

오른쪽 그림과 같이 한 변의 길이가 12 cm인 정사각형 모양의 종이가 있다. 이 종이의 네 모퉁이를 합동인 정사각형 모양으로 각각 잘라 내고, 남은 부분을 접어서 뚜껑이 없는 상자를 만들려고 한다. 이때 만들 수 있는 상자의 부피의 최댓값을 구하시오.

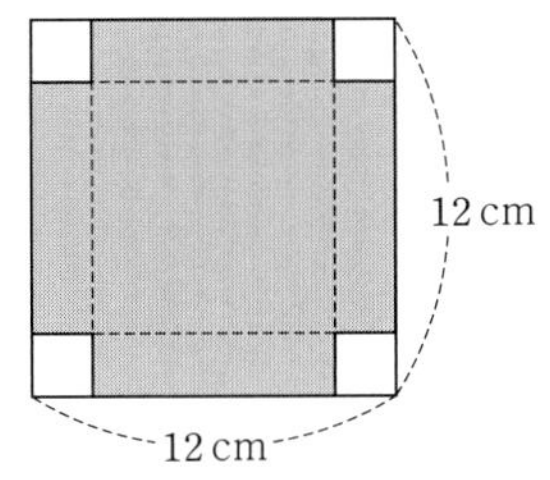

2-3

오른쪽 그림과 같이 꼭짓점 A, D는 곡선 $y=12-x^2$ 위에 있고, 꼭짓점 B, C는 x축 위에 놓인 직사각형 ABCD의 넓이의 최댓값을 구하시오. (단, 점 D는 제1사분면 위의 점이다.)

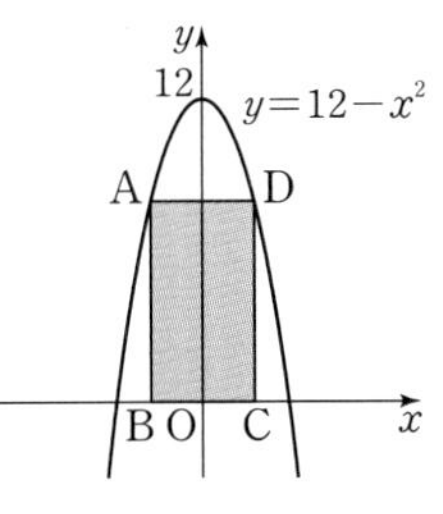

3일

핵심 개념 | 도함수의 활용(1)

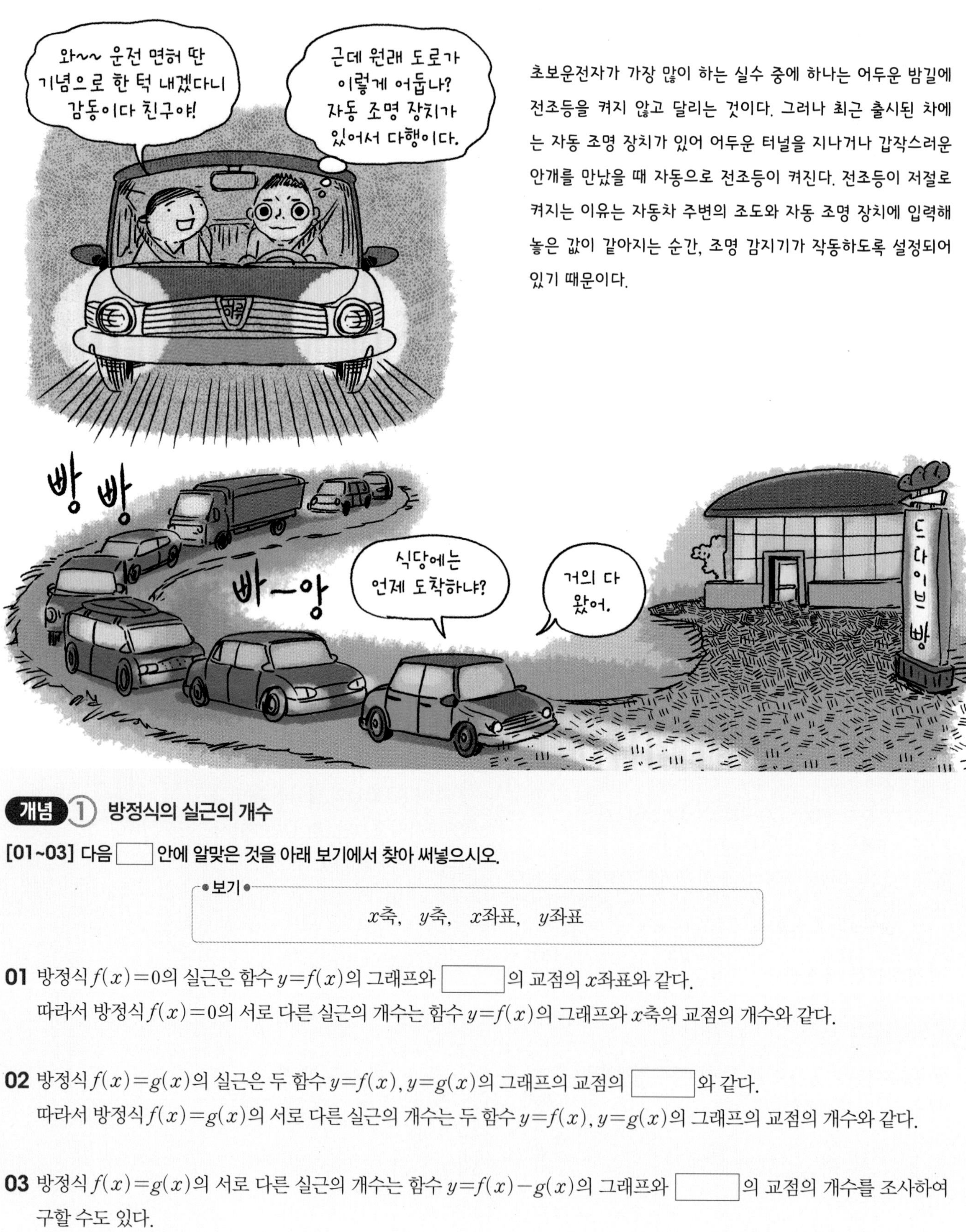

초보운전자가 가장 많이 하는 실수 중에 하나는 어두운 밤길에 전조등을 켜지 않고 달리는 것이다. 그러나 최근 출시된 차에는 자동 조명 장치가 있어 어두운 터널을 지나거나 갑작스러운 안개를 만났을 때 자동으로 전조등이 켜진다. 전조등이 저절로 켜지는 이유는 자동차 주변의 조도와 자동 조명 장치에 입력해 놓은 값이 같아지는 순간, 조명 감지기가 작동하도록 설정되어 있기 때문이다.

개념 ① 방정식의 실근의 개수

[01~03] 다음 ☐ 안에 알맞은 것을 아래 보기에서 찾아 써넣으시오.

• 보기 •

x축, y축, x좌표, y좌표

01 방정식 $f(x)=0$의 실근은 함수 $y=f(x)$의 그래프와 ☐의 교점의 x좌표와 같다.
따라서 방정식 $f(x)=0$의 서로 다른 실근의 개수는 함수 $y=f(x)$의 그래프와 x축의 교점의 개수와 같다.

02 방정식 $f(x)=g(x)$의 실근은 두 함수 $y=f(x)$, $y=g(x)$의 그래프의 교점의 ☐와 같다.
따라서 방정식 $f(x)=g(x)$의 서로 다른 실근의 개수는 두 함수 $y=f(x)$, $y=g(x)$의 그래프의 교점의 개수와 같다.

03 방정식 $f(x)=g(x)$의 서로 다른 실근의 개수는 함수 $y=f(x)-g(x)$의 그래프와 ☐의 교점의 개수를 조사하여 구할 수도 있다.

답 **01** x축 **02** x좌표 **03** x축

개념 확인 | 도함수의 활용

■ 정답과 해설 38쪽

방정식 $f(x)=0$의 실근의 개수

방정식 $f(x)=0$의 실근의 개수는 함수 $y=f(x)$의 그래프와 x축의 교점의 개수와 같다.

함수 $y=f(x)$의 그래프가 오른쪽 그림과 같이 x축과 서로 다른 세 점에서 만날 때, 방정식 $f(x)=0$의 서로 다른 실근의 개수는 3이다.

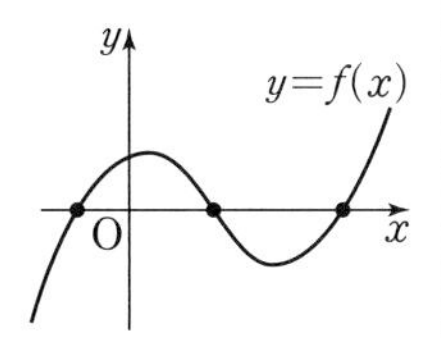

방정식 $f(x)=g(x)$의 실근의 개수

방정식 $f(x)=g(x)$의 실근의 개수는 두 함수 $y=f(x)$, $y=g(x)$의 그래프의 교점의 개수와 같다.

두 함수 $y=f(x)$, $y=g(x)$의 그래프가 오른쪽 그림과 같이 서로 다른 네 점에서 만날 때, 방정식 $f(x)=g(x)$의 서로 다른 실근의 개수는 4이다.

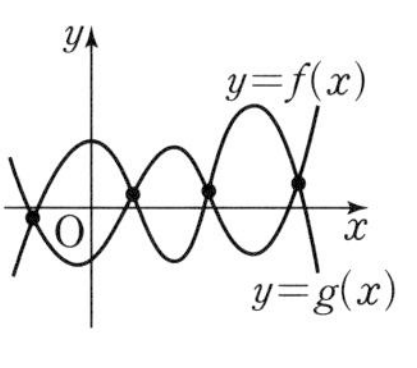

1-1 다음 방정식의 서로 다른 실근의 개수를 구하시오.

(1) $x^3+6x^2-6=0$

(2) $2x^3-3x^2-12x-6=0$

(3) $2x^3-x^2-4x+3=0$

(4) $x^4-2x^2-1=0$

1-2 다음 방정식의 서로 다른 실근의 개수를 구하시오.

(1) $x^3+4x^2+6x-1=0$

(2) $x^3-6x^2+9x-1=0$

(3) $x^3-3x+2=0$

(4) $x^4-4x^2+1=0$

2-1 방정식 $x^3-x^2-x-a=0$의 근이 다음과 같을 때, 실수 a의 값 또는 a의 값의 범위를 구하시오.

(1) 서로 다른 세 실근

(2) 서로 다른 두 실근

(3) 한 실근과 두 허근

2-2 방정식 $x^3-3x-a=0$의 근이 다음과 같을 때, 실수 a의 값 또는 a의 값의 범위를 구하시오.

(1) 서로 다른 세 실근

(2) 서로 다른 두 실근

(3) 한 실근과 두 허근

3주

3일

핵심 개념 | 도함수의 활용(2)

음식점이 눈에 보이지 않는 위치에서도 냄새를 통해 근처에 음식점이 있다는 것을 알 수 있다. 또, 바람개비가 움직이는 모습을 통해 바람이 눈에 보이진 않지만 존재한다는 것을 알 수 있다. 이처럼 방정식도 직접 풀어 보지 않고 실근의 존재 여부를 알 수 있다.

개념 ② 방정식의 실근의 부호

04 다음 ( ) 안에 주어진 것 중 옳은 것을 고르시오.

방정식 $f(x)=k$ (k는 상수)의 실근의 부호는 함수 $y=f(x)$의 그래프와 직선 ($y=k$, $y=kx$)의 교점의 위치에 따라 구할 수 있다.

개념 ③ 삼차방정식의 근의 판별

05 다음 ( ) 안에 주어진 것 중 옳은 것을 고르시오.

삼차함수 $f(x)$가 극값을 가질 때, 삼차방정식 $f(x)=0$의 근을 판별하면

❶ 서로 다른 세 실근을 갖는다. $\iff$ (극댓값)×(극솟값) ($<$, $=$, $>$) 0

❷ 서로 다른 두 실근을 갖는다. $\iff$ (극댓값)×(극솟값) ($<$, $=$, $>$) 0

❸ 한 실근과 두 허근을 갖는다. $\iff$ (극댓값)×(극솟값) ($<$, $=$, $>$) 0

답 **04** $y=k$ **05** $<$, $=$, $>$

개념 확인 | 도함수의 활용

정답과 해설 40쪽

방정식의 실근의 부호

방정식 $f(x)=k$ (k는 상수)의 실근의 부호는 함수 $y=f(x)$의 그래프와 직선 $y=k$의 교점의 위치에 따라 다음과 같이 나눌 수 있다.

직선 $y=k$의 위치	❶	❷	❸	❹	❺	❻
양수인 근의 개수	0	1	2	1	1	1
음수인 근의 개수	1	1	1	2	1	0

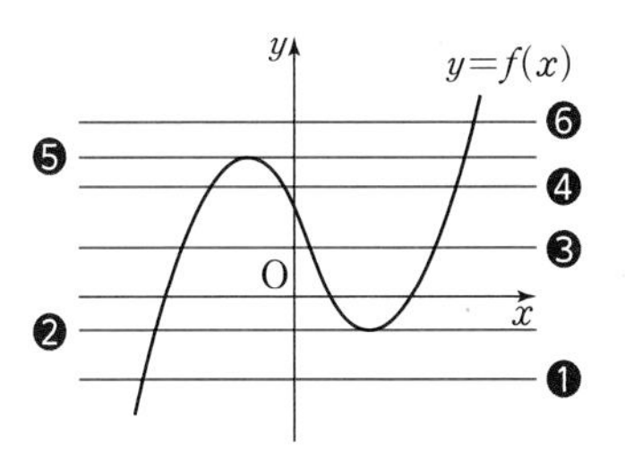

3-1 방정식 $2x^3+3x^2-36x-a-1=0$이 다음과 같은 근을 갖도록 하는 실수 a의 값의 범위를 구하시오.

(1) 서로 다른 두 개의 음의 실근과 한 개의 양의 실근

(2) 한 개의 음의 실근과 두 개의 허근

3-2 방정식 $2x^3-3x^2-a=0$이 다음과 같은 근을 갖도록 하는 실수 a의 값의 범위를 구하시오.

(1) 서로 다른 두 개의 양의 실근과 한 개의 음의 실근

(2) 한 개의 양의 실근과 두 개의 허근

4-1 방정식 $x^3-3x^2-a=0$의 근이 다음과 같을 때, 실수 a의 값 또는 a의 값의 범위를 구하시오.

(1) 서로 다른 세 실근

(2) 서로 다른 두 실근

(3) 한 실근과 두 허근

4-2 방정식 $x^3-3x^2-9x-a=0$의 근이 다음과 같을 때, 실수 a의 값 또는 a의 값의 범위를 구하시오.

(1) 서로 다른 세 실근

(2) 서로 다른 두 실근

(3) 한 실근과 두 허근

3주

일 기초 유형 | 도함수의 활용

2021
수능 나형 25번

쌍둥이 교과서 문제

1-1

곡선 $y=4x^3-12x+7$과 직선 $y=k$가 만나는 점의 개수가 2가 되도록 하는 양수 k의 값을 구하시오. [3점]

Tip 곡선 $y=4x^3-12x+7$의 그래프를 그린 다음 직선 $y=k$와의 교점의 개수를 알아본다.

풀이

$f(x)=4x^3-12x+7$이라 하면

$f'(x)=12x^2-\square=12(x+1)(x-1)$

$f'(x)=0$에서 $x=-1$ 또는 $x=1$

함수 $f(x)$의 증가와 감소를 표로 나타내고 $y=f(x)$의 그래프를 그리면 다음과 같다.

x	$\cdots$	-1	$\cdots$	1	$\cdots$
$f'(x)$	$+$	0	$-$	0	$+$
$f(x)$	↗	15	↘	-1	↗

따라서 주어진 곡선과 직선이 만나는 점의 개수가 2가 되도록 하는 k의 값은

$k=-1$ 또는 $k=15$

이때 $k>0$이므로

$k=\square$

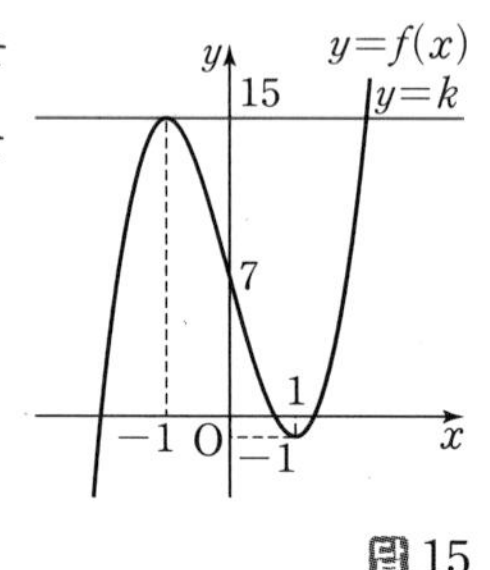

답 15

다른 풀이

삼차방정식 $4x^3-12x+7=k$, 즉 $4x^3-12x+7-k=0$이 서로 다른 두 실근을 가져야 하므로

$f(x)=4x^3-12x+7-k$라 하면

(극댓값)×(극솟값)$=0$에서

$f(-1)f(1)=0$, 즉 $(15-k)(-1-k)=0$

$\therefore k=15$ $(\because k>0)$

1-2

방정식 $2x^3-6x-a=0$의 실근이 오직 하나이기 위한 상수 a의 값의 범위를 구하시오.

1-3

곡선 $y=4x^3-x$와 직선 $y=2x+k$가 서로 다른 세 점에서 만나도록 하는 상수 k의 값의 범위를 구하시오.

1-4

두 곡선 $y=x^3-4x^2+4x$, $y=2x^2-5x+k$가 서로 다른 두 점에서 만나도록 하는 양수 k의 값을 구하시오.

2016 6월
평가원 A형 17번

2-1

두 함수

$f(x)=3x^3-x^2-3x$, $g(x)=x^3-4x^2+9x+a$

에 대하여 방정식 $f(x)=g(x)$가 서로 다른 두 개의 양의 실근과 한 개의 음의 실근을 갖도록 하는 모든 정수 a의 개수를 구하시오. [4점]

Tip $f(x)=g(x)$에서 $y=2x^3+3x^2-12x$의 그래프를 그린 다음 직선 $y=a$와의 교점을 구한다.

풀이

$3x^3-x^2-3x=x^3-4x^2+9x+a$에서 $2x^3+3x^2-12x=a$

방정식 $f(x)=g(x)$의 실근은 함수 $y=2x^3+3x^2-12x$의 그래프와 직선 $y=$ ☐ 의 교점의 x좌표와 같다.

$h(x)=2x^3+3x^2-12x$로 놓으면

$h'(x)=6x^2+6x-12=6(x+2)(x-1)$

$h'(x)=0$에서 $x=$ ☐ 또는 $x=1$

함수 $h(x)$의 증가와 감소를 표로 나타내고 $y=h(x)$의 그래프를 그리면 다음과 같다.

x	$\cdots$	-2	$\cdots$	1	$\cdots$
$h'(x)$	$+$	0	$-$	0	$+$
$h(x)$	↗	20	↘	-7	↗

함수 $y=h(x)$의 그래프와 직선 $y=a$의 교점이 $x>0$에서 두 개이고, $x<0$에서 한 개인 경우이므로

$-7<a<$ ☐

따라서 구하는 정수 a의 개수는 $-6, -5, \cdots, -1$의 6이다.

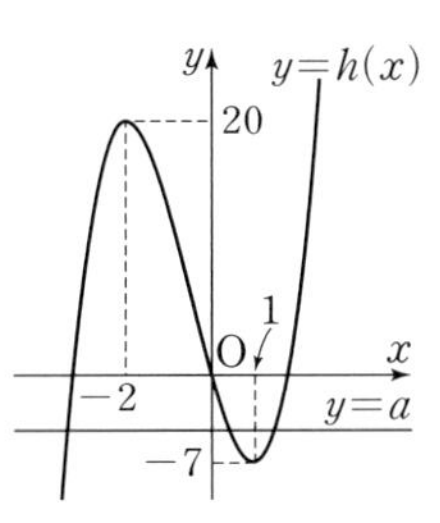

답 6

쌍둥이 교과서 문제

2-2

방정식 $5x^3-2=2x^3+9x+k$가 서로 다른 두 개의 양의 근과 한 개의 음의 근을 갖도록 하는 상수 k의 값의 범위를 구하시오.

2-3

두 함수

$f(x)=4x^3+x^2-3x$, $g(x)=2x^3+4x^2+9x+a$

에 대하여 방정식 $f(x)=g(x)$가 서로 다른 두 개의 음의 실근과 한 개의 양의 실근을 갖도록 하는 모든 정수 a의 개수를 구하시오.

2-4

자연수 k에 대하여 삼차방정식 $x^3-3x+5-2k=0$의 양의 실근의 개수를 $f(k)$라 할 때, $f(1)+f(2)+\cdots+f(10)$의 값을 구하시오.

3주

4일 핵심 개념 | 도함수의 활용(3)

배달 업체가 손해를 보지 않기 위해서는 $2x^3+3x^2+a \ge 180x+4425$가 성립해야 한다. 즉, $f(x)=2x^3+3x^2-180x+a-4425$라 하면 $x \ge 0$일 때 $f(x)$의 최솟값은 $f(5)=a-5000$이므로 이 업체가 손해를 보지 않기 위해서는 $f(5)=a-5000 \ge 0$

따라서 a의 최솟값은 5000이다.

개념 ① 부등식의 증명

[01~02] 다음 ☐ 안에 알맞은 것을 아래 보기에서 찾아 써넣으시오.

> **보기**
> 최댓값, 최솟값, $>$, $<$, $\ge$, $\le$

01 ❶ 어떤 구간에서 부등식 $f(x) \ge 0$이 성립하는 것을 증명할 때는 그 구간에서 (함수 $f(x)$의 ☐)≥ 0임을 보이면 된다.

❷ 어떤 구간에서 부등식 $f(x) \le 0$이 성립하는 것을 증명할 때는 그 구간에서 (함수 $f(x)$의 ☐)≤ 0임을 보이면 된다.

02 ❶ 어떤 구간에서 부등식 $f(x) \ge g(x)$가 성립하는 것을 증명할 때는 $h(x)=f(x)-g(x)$로 놓고 그 구간에서 (함수 $h(x)$의 최솟값) ☐ 0임을 보이면 된다.

❷ 어떤 구간에서 부등식 $f(x) \le g(x)$가 성립하는 것을 증명할 때는 $h(x)=f(x)-g(x)$로 놓고 그 구간에서 (함수 $h(x)$의 최댓값) ☐ 0임을 보이면 된다.

답 **01** 최솟값, 최댓값 **02** $\ge$, $\le$

개념 확인 | 도함수의 활용

정답과 해설 42쪽

부등식 $f(x) \geq 0$의 증명

어떤 구간에서 함수 $f(x)$가 최솟값을 가질 때, 그 구간에서 부등식 $f(x) \geq 0$이 성립하는 것을 증명하려면 그 구간에서

(함수 $f(x)$의 최솟값)≥ 0

임을 보이면 된다.

부등식 $f(x) \geq g(x)$의 증명

어떤 구간에서 부등식 $f(x) \geq g(x)$가 성립하는 것을 증명하려면 $h(x)=f(x)-g(x)$로 놓고 그 구간에서

(함수 $h(x)$의 최솟값)≥ 0

임을 보이면 된다.

참고 두 식 A, B에 대하여 $A \geq B \iff A-B \geq 0$

1-1 다음은 $x \geq 2$일 때, 부등식 $x^3-12x+16 \geq 0$이 성립함을 증명하는 과정이다. ☐ 안에 알맞은 것을 써넣으시오.

$f(x)=x^3-12x+16$이라 하면

$f'(x)=3x^2-12=3(x+2)(x-2)$

$f'(x)=0$에서 $x=-2$ 또는 $x=2$

$x \geq 2$일 때, 함수 $f(x)$의 증가와 감소를 표로 나타내면 다음과 같다.

x	2	$\cdots$
$f'(x)$	0	+
$f(x)$	0	↗

함수 $f(x)$는 $x=$☐ 에서 극소이면서 최소이다.

$x \geq 2$일 때, 함수 $f(x)$의 최솟값은

$f($☐$)=0$

이므로 $f(x)=x^3-12x+16 \geq$ ☐

따라서 $x \geq 2$일 때, $x^3-12x+16 \geq 0$이 성립한다.

1-2 다음은 $x \geq 0$일 때, 부등식 $x^3+1 \geq x^2+x$가 성립함을 증명하는 과정이다. ☐ 안에 알맞은 것을 써넣으시오.

$f(x)=x^3+1-(x^2+x)=x^3-x^2-x+1$

이라 하면

$f'(x)=3x^2-2x-1=(3x+1)(x-1)$

$f'(x)=0$에서 $x=-\frac{1}{3}$ 또는 $x=1$

$x \geq 0$일 때, 함수 $f(x)$의 증가와 감소를 표로 나타내면 다음과 같다.

x	0	$\cdots$	1	$\cdots$
$f'(x)$		$-$	0	+
$f(x)$	1	↘	0	↗

함수 $f(x)$는 $x=$☐ 에서 극소이면서 최소이다.

$x \geq 0$일 때, 함수 $f(x)$의 최솟값은

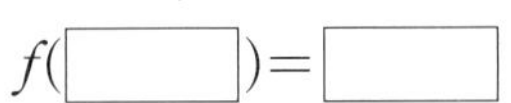

$f($☐$)=$☐

이므로 $f(x)=x^3-x^2-x+1 \geq 0$

따라서 $x \geq 0$일 때, $x^3+1 \geq x^2+x$가 성립한다.

3주

4일 핵심 개념 | 도함수의 활용(4)

제로백이란 정지 상태에서 시속 100 km까지 가속에 걸리는 시간을 뜻하는 말로 영어 단어 Zero와 한자 百의 조합으로 이루어진 단어이다. 정지 상태에서 가속페달을 끝까지 밟아서 측정하며 주로 자동차의 가속 능력을 나타내기 위해 쓰인다.

개념 2 속도와 가속도

[03~05] 수직선 위를 움직이는 점 P의 시각 t에서의 위치 x가 $x=f(t)$일 때, 다음 (　　) 안에 주어진 것 중 옳은 것을 고르시오.

03 시각이 t에서 $t+\Delta t$까지 변할 때, 점 P의 위치는 x에서 $x+\Delta x$까지 변한다고 하자. 이때 점 P의 평균속도는 $\dfrac{\Delta x}{\Delta t}=\dfrac{f(t+\Delta t)-f(t)}{\Delta t}$이고, 이것은 함수 $f(t)$의 (순간변화율, 평균변화율)과 같다.

04 함수 $x=f(t)$의 시각 t에서의 순간변화율 $v=\lim\limits_{\Delta t\to 0}\dfrac{\Delta x}{\Delta t}=\dfrac{dx}{dt}$를 시각 t에서의 점 P의 (속도, 가속도)라 한다.

05 속도 v의 시각 t에서의 순간변화율 $a=\lim\limits_{\Delta t\to 0}\dfrac{\Delta v}{\Delta t}=\dfrac{dv}{dt}$를 시각 t에서의 점 P의 (속도, 가속도)라 한다.

답 **03** 평균변화율 **04** 속도 **05** 가속도

개념 확인 | 도함수의 활용

정답과 해설 42쪽

속도와 가속도

수직선 위를 움직이는 점 P의 시각 t에서의 위치 x가 $x=f(t)$일 때, 시각 t에서 점 P의 속도와 가속도는

❶ 속도 $v=\dfrac{dx}{dt}=f'(t)$

❷ 가속도 $a=\dfrac{dv}{dt}$

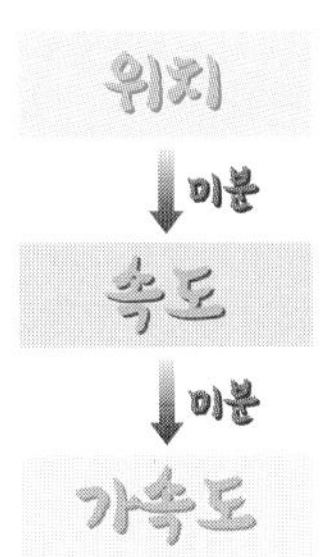

참고 수직선 위를 움직이는 점 P의 운동 방향은 $v>0$일 때 양의 방향이고, $v<0$일 때 음의 방향이다.

2-1 원점을 출발하여 수직선 위를 움직이는 점 P의 시각 t에서의 위치 x가 $x=2t^3-9t^2$일 때, 다음을 구하시오.

(1) $t=1$에서 점 P의 속도와 가속도를 구하시오.

(2) 점 P의 속도가 처음으로 24가 되는 순간의 시각을 구하시오.

(3) 점 P가 운동 방향을 바꾸는 시각을 구하시오.

2-2 원점을 출발하여 수직선 위를 움직이는 점 P의 시각 t에서의 위치 x가 $x=t^3-3t$일 때, 다음을 구하시오.

(1) $t=2$에서 점 P의 속도와 가속도를 구하시오.

(2) 점 P의 속도가 처음으로 45가 되는 순간의 시각을 구하시오.

(3) 점 P가 운동 방향을 바꾸는 시각을 구하시오.

3-1 지면에서 10 m/s의 속도로 지면과 수직하게 위로 던져 올린 공의 t초 후의 높이 x m가 $x=10t-5t^2$일 때, 다음을 구하시오.

(1) 공을 던져 올리고 2초가 지난 후의 속도

(2) 공이 최고 높이에 도달하는 시각과 그때의 높이

(3) 공이 지면에 떨어지는 순간의 속도

3-2 지면에서 20 m/s의 속도로 지면과 수직하게 위로 던져 올린 물체의 t초 후의 높이 x m가 $x=20t-5t^2$일 때, 다음을 구하시오.

(1) 물체를 던져 올리고 1초가 지난 후의 속도

(2) 물체가 최고 높이에 도달하는 시각과 그때의 높이

(3) 물체가 지면에 떨어지는 순간의 속도

4일 기초 유형 | 도함수의 활용

2020 6월 평가원 나형 27번

1-1

두 함수

$f(x)=x^3+3x^2-k$, $g(x)=2x^2+3x-10$

에 대하여 부등식 $f(x)\geq 3g(x)$가 닫힌구간 $[-1, 4]$에서 항상 성립하도록 하는 실수 k의 최댓값을 구하시오. [4점]

Tip $f(x)\geq 3g(x)$이면 주어진 구간에서 함수 $f(x)-3g(x)$의 최솟값이 0 이상이어야 한다.

풀이

$h(x)=f(x)-3g(x)$
$=x^3+3x^2-k-3(2x^2+3x-10)$
$=x^3-3x^2-9x+30-k$

라 하면

$h'(x)=3x^2-6x-9=3(x+1)(x-3)$

$h'(x)=0$에서 $x=-1$ 또는 $x=$ ☐

닫힌구간 $[-1, 4]$에서 함수 $h(x)$의 증가와 감소를 표로 나타내면 다음과 같다.

x	-1	$\cdots$	3	$\cdots$	4
$h'(x)$	0	$-$	0	$+$	
$h(x)$	$35-k$	↘	$3-k$	↗	$10-k$

함수 $h(x)$는 $x=$ ☐ 에서 극소이면서 최소이므로 주어진 부등식이 항상 성립하려면

$h(3)=3-k\geq$ ☐ $\quad\therefore k\leq 3$

따라서 구하는 실수 k의 최댓값은 3이다. 답 3

쌍둥이 교과서 문제

1-2

$x\geq 0$일 때, 부등식 $2x^3-3kx^2+1\geq 0$이 항상 성립하도록 하는 양수 k의 값의 범위를 구하시오.

1-3

두 함수

$f(x)=2x^3-7x+k$, $g(x)=3x^2+5x+1$

이 있다. 열린구간 $(1, 5)$에서 부등식 $f(x)\geq g(x)$가 성립하도록 하는 상수 k의 최솟값을 구하시오.

1-4

두 함수

$f(x)=x^4+x^2-6x$, $g(x)=-2x^2-16x+a$

가 닫힌구간 $[-2, 0]$에서 $f(x)>g(x)$를 만족시킬 때, 실수 a의 값의 범위를 구하시오.

2017 11월 실시
고2 교육청 가형 15번

2-1

모든 실수 x에 대하여 부등식 $x^4-4x-a^2+a+9\geq 0$이 항상 성립하도록 하는 정수 a의 개수를 구하시오. [4점]

Tip 모든 실수 x에 대하여 $f(x)\geq 0$이면 $f(x)$의 최솟값이 0 이상이어야 한다.

풀이

$f(x)=x^4-4x-a^2+a+9$라 하면

$f'(x)=4x^3-4=4(x-1)(x^2+x+1)$

이때 $x^2+x+1=\left(x+\frac{1}{2}\right)^2+\frac{3}{4}>0$이므로

$f'(x)=0$에서 $x=1$

함수 $f(x)$의 증가와 감소를 표로 나타내면 다음과 같다.

x	$\cdots$	1	$\cdots$
$f'(x)$	$-$	0	$+$
$f(x)$	$\searrow$	$-a^2+a+6$	$\nearrow$

함수 $f(x)$는 $x=$ ☐ 에서 극소이면서 최소이므로 주어진 부등식이 성립하려면

$-a^2+a+6\geq 0$에서 $a^2-a-6\leq 0$, $(a+2)(a-3)\leq 0$

$\therefore -2\leq a\leq$ ☐

따라서 구하는 정수 a의 개수는 $-2, -1, 0, 1, 2, 3$의 ☐ 이다.

답 6

쌍둥이 교과서 문제

2-2

모든 실수 x에 대하여 부등식 $x^4-4k^3x+27>0$이 항상 성립하도록 하는 정수 k의 개수를 구하시오.

2-3

두 함수

$f(x)=x^4+3x^3-2x^2-9x$, $g(x)=3x^3+4x^2-x+a$

가 모든 실수 x에 대하여 부등식 $f(x)\geq g(x)$를 만족할 때, 상수 a의 최댓값을 구하시오.

2016 10월 실시
고3 교육청 나형 5번

3-1

수직선 위를 움직이는 점 P의 시각 $t\,(t\geq 0)$에서의 위치 x가 $x=t^3-6t^2+5$이다. 점 P의 가속도가 0일 때, 점 P의 속도를 구하시오. [3점]

Tip 속도와 가속도를 t에 대한 식으로 나타낸다.

풀이

점 P의 시각 t에서의 속도를 v, 가속도를 a라 하면

$v=\frac{dx}{dt}=3t^2-12t$, $a=\frac{dv}{dt}=6t-12$

점 P의 가속도가 0이므로

$6t-12=$ ☐ $\quad\therefore t=$ ☐

따라서 $t=2$일 때의 점 P의 속도는

$3\times 4-12\times 2=$ ☐

답 -12

3-2

원점을 출발하여 수직선 위를 움직이는 점 P의 시각 t에서의 좌표가 $x=2t^3-3t^2-8t$로 주어질 때, 속도가 4인 순간의 점 P의 가속도를 구하시오.

3 주

5일 핵심 개념 | 다항함수의 부정적분(1)

수학에서 잘게 나누어진 양을 합하여 전체의 양을 구하는 방법이 적분의 개념이다. 적분의 원리는 현대인의 생활과 밀접한 문제를 해결하는 과정에서 널리 활용된다. 높이에 따른 기온의 변화율을 알면 적분을 이용하여 산에 오르지 않고도 정상에서의 기온을 알 수 있다.

개념 ① 부정적분

[01~03] 다음 (　　) 안에 주어진 것 중 옳은 것을 고르시오.

01 함수 $f(x)$에 대하여 도함수가 $f(x)$인 함수 $F(x)$, 즉 $F'(x)=f(x)$가 되는 함수 $F(x)$를 함수 $f(x)$의 (부정적분, 정적분)이라 하고, 기호로 $\int f(x)dx$와 같이 나타낸다.

02 세 함수 x^3, x^3+1, x^3-2를 각각 x에 대하여 미분하면

$$(x^3)'=3x^2,\ (x^3+1)'=3x^2,\ (x^3-2)'=3x^2$$

이므로 세 함수 x^3, x^3+1, x^3-2는 모두 함수 $3x^2$의 (미분, 부정적분)이다.

이처럼 함수 $3x^2$의 부정적분은 무수히 많이 있으며 모두 (계수, 상수항)만 다르다.

03 $F'(x)=f(x)$일 때 $\int f(x)dx=F(x)+C$ (C는 상수)이고, 이때 C를 (미분계수, 적분상수)라 한다.

답 01 부정적분　02 부정적분, 상수항　03 적분상수

개념 확인 | 다항함수의 부정적분

정답과 해설 44쪽

부정적분의 뜻

함수 $f(x)$에 대하여 도함수가 $f(x)$인 함수 $F(x)$, 즉 $F'(x)=f(x)$가 되는 함수 $F(x)$를 함수 $f(x)$의 부정적분이라 하고, 기호로

$$\int f(x)dx$$

와 같이 나타낸다.

적분상수

함수 $f(x)$의 한 부정적분을 $F(x)$라 하면 함수 $f(x)$의 임의의 부정적분은

$$\int f(x)dx=F(x)+C \text{ (}C\text{는 상수)}$$

와 같이 나타낼 수 있다. 이때 C를 적분상수라 한다.

참고 위 식에서 $f(x)$를 피적분함수, x를 적분변수라 한다.

1-1 다음 부정적분을 구하시오.

(1) $\int 5dx$

(2) $\int 2xdx$

(3) $\int 3x^2dx$

(4) $\int (6x+1)dx$

1-2 다음 부정적분을 구하시오.

(1) $\int 12dx$

(2) $\int 8xdx$

(3) $\int 5x^4dx$

(4) $\int (4x^3-2x)dx$

3주

2-1 다음 등식을 만족시키는 다항함수 $f(x)$를 구하시오. (단, C는 적분상수)

(1) $\int f(x)dx=x^2-3x+C$

(2) $\int f(x)dx=x^3+2x^2+C$

(3) $\int f(x)dx=-x^4+5x^2+C$

2-2 다음 등식을 만족시키는 다항함수 $f(x)$를 구하시오. (단, C는 적분상수)

(1) $\int f(x)dx=2x^2+7x+C$

(2) $\int f(x)dx=5x^3+6x+C$

(3) $\int f(x)dx=\frac{1}{2}x^4-x^3+C$

5 일

핵심 개념 | 다항함수의 부정적분(2)

t년 후에 측정한 사과 나무의 높이를 h m라 하면

$\frac{dh}{dt}=0.2t+0.5$ $(0<t<5)$가 성립한다고 할 때,

t년 후의 사과 나무의 높이는

$h=\int(0.2t+0.5)dt=0.1t^2+0.5t+C$

$t=0$일 때 $h=0$이므로 $C=0$

따라서 4년 후의 사과 나무의 높이는 $0.1\times16+0.5\times4=3.6$ (m)이다.

개념 ② 부정적분의 계산

[04~06] C는 적분상수일 때, 다음 $\square$ 안에 알맞은 것을 아래 보기에서 찾아 써넣으시오.

보기

$n,\ \ n+1,\ \ x,\ \ x^2,\ \ +,\ \ -$

04 함수 $y=x^n$(n은 양의 정수)의 부정적분은 $\int x^n dx=\frac{1}{\square}x^{n+1}+C$ (단, C는 적분상수)

05 함수 $y=1$의 부정적분은 $\int 1dx=\int dx=\square+C$ (단, C는 적분상수)

06 $\int\{f(x)+g(x)\}dx=\int f(x)dx\square\int g(x)dx$, $\int\{f(x)-g(x)\}dx=\int f(x)dx\square\int g(x)dx$

답 **04** $n+1$ **05** x **06** $+$, $-$

개념 확인 | 다항함수의 부정적분

정답과 해설 45쪽

함수 $y=x^n$과 $y=1$의 부정적분

n이 양의 정수일 때

❶ $\left(\frac{1}{n+1}x^{n+1}\right)'=x^n$이므로

$$\int x^n dx=\frac{1}{n+1}x^{n+1}+C \text{ (}C\text{는 적분상수)}$$

❷ $(x)'=1$이므로

$$\int 1dx=x+C \text{ (}C\text{는 적분상수)}$$

함수의 실수배, 합, 차의 부정적분

두 함수 $f(x)$, $g(x)$에 대하여

❶ $\int kf(x)dx=k\int f(x)dx$ (단, k는 0이 아닌 상수)

❷ $\int \{f(x)+g(x)\}dx=\int f(x)dx+\int g(x)dx$

❸ $\int \{f(x)-g(x)\}dx=\int f(x)dx-\int g(x)dx$

3-1 다음 부정적분을 구하시오.

(1) $\int x^2dx$

(2) $\int x^5dx$

(3) $\int x^8dx$

(4) $\int x^{10}dx$

3-2 다음 부정적분을 구하시오.

(1) $\int x^3dx$

(2) $\int x^7dx$

(3) $\int x^{21}dx$

(4) $\int x^{99}dx$

4-1 다음 부정적분을 구하시오.

(1) $\int (3x-4)dx$

(2) $\int (x^3+5)dx$

(3) $\int (x+1)(x-3)dx$

4-2 다음 부정적분을 구하시오.

(1) $\int (2x^2-x)dx$

(2) $\int (3x^3+2x-2)dx$

(3) $\int (2x+1)^2dx$

3주

5일 기초 유형 | 다항함수의 부정적분

2018 11월 실시
고2 교육청 가형 22번

1-1

함수 $f(x)=\int(2x+1)dx$에 대하여 $f(0)=0$일 때, $f(3)$의 값을 구하시오. [3점]

Tip 함수 $f(x)$의 한 부정적분을 $F(x)$라 하면
$\int f(x)dx=F(x)+C$ (단, C는 적분상수)

풀이

$f(x)=\int(2x+1)dx=x^2+\square+C$

이때 $f(0)=0$이므로 $C=\square$

따라서 $f(x)=x^2+x$이므로

$f(3)=9+3=\square$

답 12

쌍둥이 교과서 문제

1-2

다음을 모두 만족시키는 함수 $f(x)$에 대하여 $f(2)$의 값을 구하시오.

$$f(x)=\int(3x^2+4x)dx,\ f(1)=1$$

2016 9월
평가원 A형 10번

2-1

함수 $f(x)$가

$$f(x)=\int\left(\frac{1}{2}x^3+2x+1\right)dx-\int\left(\frac{1}{2}x^3+x\right)dx$$

이고 $f(0)=1$일 때, $f(4)$의 값을 구하시오. [3점]

Tip 두 함수 $f(x)$, $g(x)$에 대하여
$\int\{f(x)+g(x)\}dx=\int f(x)dx+\int g(x)dx$

풀이

$f(x)=\int\left(\frac{1}{2}x^3+2x+1\right)dx-\int\left(\frac{1}{2}x^3+x\right)dx$

$=\int(x+1)dx=\frac{1}{2}x^2+x+C$

이때 $f(0)=1$이므로 $C=\square$

따라서 $f(x)=\frac{1}{2}x^2+x+\square$이므로

$f(4)=8+4+1=\square$

답 13

2-2

함수 $f(x)$가

$$f(x)=\int(x^4+4x^2+1)dx-\int(x^4+x^2+1)dx$$

를 만족시키고 $f(0)=2$일 때, $f(2)$의 값을 구하시오.

2-3

함수 $f(x)=\int\frac{x^3}{x+1}dx+\int\frac{1}{x+1}dx$에 대하여 $f(0)=1$일 때, $f(1)$의 값을 구하시오.

2021
수능 나형 23번

쌍둥이 교과서 문제

3-1

함수 $f(x)$에 대하여 $f'(x)=3x^2+4x+5$이고 $f(0)=4$일 때, $f(1)$의 값을 구하시오. [3점]

Tip 함수 $f(x)$와 그 도함수 $f'(x)$에 대하여

$f(x)=\int f'(x)dx$

풀이

$f(x)=\int f'(x)dx=\int(3x^2+4x+5)dx$

$=x^3+2x^2+5x+C$

이때 $f(0)=4$이므로 $C=$ □

따라서 $f(x)=x^3+2x^2+5x+4$이므로

$f(1)=1+2+5+$ □ $=$ □

답 12

3-2

함수 $f(x)$가 $f'(x)=4x-3$, $f(1)=2$를 만족시킬 때, $f(2)$의 값을 구하시오.

3-3

함수 $f(x)$가 $f'(x)=3x^2-ax$를 만족시키고 $f(0)=4$, $f(-1)=2$일 때, 상수 a의 값을 구하시오.

3주

2018 11월 실시
고2 교육청 나형 25번

4-1

함수 $f(x)$의 그래프 위의 임의의 점 $(x, f(x))$에서의 접선의 기울기가 $4x-1$이고 $f(0)=1$일 때, $f(2)$의 값을 구하시오. [3점]

Tip 함수 $f(x)$의 그래프 위의 임의의 점 $(x, f(x))$에서의 접선의 기울기는 $f'(x)$이다.

풀이

접선의 기울기가 $4x-1$이므로 $f'(x)=4x-1$

$f(x)=\int f'(x)dx=\int(4x-1)dx=2x^2-x+C$

이때 $f(0)=1$이므로 $C=$ □

따라서 $f(x)=2x^2-x+1$이므로

$f(2)=8-2+1=$ □

답 7

4-2

곡선 $y=f(x)$의 그래프 위의 임의의 점 $(x, f(x))$에서의 접선의 기울기가 $3x^2-2$이고 이 곡선이 점 $(1, 4)$를 지날 때, $f(0)$의 값을 구하시오.

곡선 $y=f(x)$가 점 $(1, 4)$를 지나므로 $f(1)=4$야.

누구나 100점 테스트

1

| 2018 11월 실시 고2 교육청 나형 12번 |

함수 $f(x)=x^3-6x^2+9x+1$이 $x=a$에서 극댓값 M을 가질 때, $a+M$의 값은?

① 4 ② 6 ③ 8
④ 10 ⑤ 12

2

| 2021 6월 평가원 나형 10번 |

함수 $f(x)=-\frac{1}{3}x^3+2x^2+mx+1$이 $x=3$에서 극대일 때, 상수 m의 값은?

① -3 ② -1 ③ 1
④ 3 ⑤ 5

3

| 2018 6월 평가원 나형 10번 |

닫힌구간 $[-1, 3]$에서 함수 $f(x)=x^3-3x+5$의 최솟값은?

① 1 ② 2 ③ 3
④ 4 ⑤ 5

4

| 2013 6월 평가원 나형 13번 |

닫힌구간 $[1, 4]$에서 함수 $f(x)=x^3-3x^2+a$의 최댓값을 M, 최솟값을 m이라 하자. $M+m=20$일 때, 상수 a의 값은?

① 1 ② 2 ③ 3
④ 4 ⑤ 5

5

| 2019 9월 평가원 나형 15번 |

방정식 $x^3-3x^2-9x-k=0$의 서로 다른 실근의 개수가 3이 되도록 하는 정수 k의 최댓값은?

① 2 ② 4 ③ 6
④ 8 ⑤ 10

$y=x^3-3x^2-9x$의 그래프와 직선 $y=k$의 교점의 개수를 구해 봐.

정답과 해설 46쪽

6

| 2020 9월 평가원 나형 27번 |

곡선 $y=x^3-3x^2+2x-3$과 직선 $y=2x+k$가 서로 다른 두 점에서만 만나도록 하는 모든 실수 k의 값의 곱을 구하시오.

7

| 2019 7월 실시 고3 교육청 나형 25번 |

수직선 위를 움직이는 점 P의 시각 $t\,(t\geq0)$에서의 위치 x가

$$x=t^3-3t^2+at \ (a\text{는 상수})$$

이다. 점 P의 시각 $t=3$에서의 속도가 15일 때, a의 값을 구하시오.

8

| 2020 10월 실시 고3 교육청 나형 11번 |

수직선 위를 움직이는 점 P의 시각 $t\,(t\geq0)$에서의 위치 x가

$$x=t^3+kt^2+kt \ (k\text{는 상수})$$

이다. 시각 $t=1$에서 점 P가 운동 방향을 바꿀 때, 시각 $t=2$에서 점 P의 가속도는?

① 4 ② 6 ③ 8
④ 10 ⑤ 12

9

| 2017 11월 실시 고2 교육청 나형 8번 |

함수 $f(x)=\int(3x^2-6x)dx$에 대하여 $f(0)=7$일 때, $f(1)$의 값은?

① 1 ② 2 ③ 3
④ 4 ⑤ 5

3주

10

| 2021 9월 평가원 나형 23번 |

함수 $f(x)$가

$$f'(x)=-x^3+3, f(2)=10$$

을 만족시킬 때, $f(0)$의 값을 구하시오.

$f(x)=\int f'(x)dx$ 임을 이용해 봐!

창의 · 융합 · 코딩

정답과 해설 47쪽

어느 수제 파이 전문점에서는 우리 밀 호두 파이의 단가를 조정하기 위하여 시장 조사를 하였다. 시장 조사의 결과를 토대로 작성한 보고서를 보고 호두 파이의 가격을 1 g당 x원 올렸을 때의 하루 이익이 최대가 되게 하는 호두 파이의 1 g당 가격을 구하시오. (단, 가격과 판매량에 상관없이 하루 생산 비용은 일정하다.)

우리 밀 호두 파이 보고서

1. 현재 상황

가격	하루 판매량	하루 생산 비용
1 g당 18원	48000 g	650000원

2. 가격을 1 g당 x원 올렸을 때 예상 상황

하루 판매량	하루 홍보 비용
$100x^2$ g 감소	20000원 추가

* (하루 이익)
=(호두 파이의 1 g당 가격)×(하루 판매량)−(전체 비용)
이때 전체 비용은 하루 생산 비용과 하루 홍보 비용을 합한 것이다.

3주

1

2012 10월 실시 고3 교육청 나형 29번

함수의 극대, 극소 ⊕ 여러 가지 함수

❶ 최고차항의 계수가 1인 삼차함수 $f(x)$가 다음 조건을 만족시킬 때, ❹ $f(x)$의 극댓값을 구하시오.

> (가) ❷ 모든 실수 x에 대하여 $f'(x)=f'(-x)$이다.
> (나) ❸ 함수 $f(x)$는 $x=1$에서 극솟값 0을 갖는다.

❶ $f(x)=x^3+ax^2+bx+c$ (a, b, c는 상수)로 놓고 $f'(x)$를 구한다.

$f(x)=x^3+ax^2+bx+c$ (a, b, c는 상수)로 놓으면

$f'(x)=3x^2+2ax+b$

❷ $f'(x)$의 그래프가 y축에 대하여 대칭임을 이용하여 a의 값을 구한다.

> **함수의 그래프의 대칭**
> 이차함수 $f(x)=ax^2+bx+c$에 대하여
> ❶ $f(x)=f(-x)$인 함수 $\Longleftrightarrow$ 그래프가 y축에 대하여 대칭인 함수
> 이때 $ax^2+bx+c=ax^2-bx+c$에서 $b=0$
> ❷ $f(x)=-f(-x)$인 함수 $\Longleftrightarrow$ 그래프가 원점에 대하여 대칭인 함수
> 이때 $ax^2+bx+c=-(ax^2-bx+c)$에서 $a=0$, $c=0$

조건 (가)에서 $f'(x)=f'(-x)$이므로 $a=\square$

따라서 $f(x)=x^3+bx+c$이고 $f'(x)=3x^2+b$

❸ $f'(1)=0$, $f(1)=0$임을 이용하여 b, c의 값을 구한다.

> **함수의 극대, 극소**
> ❶ 함수 $f(x)$가 $x=a$에서 극대이면 $f'(a)=0$이고 이때의 극댓값은 $f(a)$이다.
> ❷ 함수 $f(x)$가 $x=a$에서 극소이면 $f'(a)=0$이고 이때의 극솟값은 $f(a)$이다.

조건 (나)에서 함수 $f(x)$는 $x=1$에서 극솟값 0을 가지므로

$f'(1)=3+b=0 \qquad \therefore b=-3$

$f(1)=1+b+c=\square \qquad \therefore c=2$

❹ $f(x)$의 극댓값을 구한다.

$f(x)=x^3-3x+2$이고 $f'(x)=3x^2-3$이므로

$f'(x)=0$에서 $3(x+1)(x-1)=0 \qquad \therefore x=-1$ 또는 $x=1$

따라서 구하는 극댓값은

$f(\square)=-1+3+2=4$

답 4

정답과 해설 48쪽

2 2019 10월 실시 고3 교육청 나형 16번

함수의 극대, 극소 ⊕ 두 점 사이의 거리

삼차함수 $f(x)$에 대하여 ❶ 방정식 $f'(x)=0$의 두 실근 α, β는 다음 조건을 만족시킨다.

(가) ❸ $|\alpha-\beta|=10$

(나) ❷ 두 점 $(\alpha, f(\alpha)), (\beta, f(\beta))$ 사이의 거리는 26이다.

❹ 함수 $f(x)$의 극댓값과 극솟값의 차를 구하시오.

길잡이

❶ 함수 $f(x)$의 극값을 구한다.

❷, ❸ 두 점 사이의 거리 공식을 이용하여 $\{f(\beta)-f(\alpha)\}^2$의 값을 구한다.

❹ 함수 $f(x)$의 극댓값과 극솟값의 차를 구한다.

3 주

3 2020 3월 실시 고3 교육청 가형 17번

함수의 최대, 최소 ⊕ 접선의 방정식

$0<a<6$인 실수 a에 대하여 ❶ 원점에서 곡선 $y=x(x-a)(x-6)$에 그은 두 접선의 ❷ 기울기의 곱의 최솟값을 구하시오.

길잡이

❶ 두 접선의 기울기를 각각 구한다.

❷ 두 접선의 기울기의 곱의 최솟값을 구한다.

2019 10월 실시 고3 교육청 나형 27번

도함수의 활용 ⊕ 함수의 극한

❷ 최고차항의 계수가 1인 삼차함수 $f(x)$가 다음 조건을 만족시킬 때, ❹ $f(4)$의 값을 구하시오.

(가) ❶ $\lim_{x \to 0} \frac{f(x)-3}{x}=0$

(나) ❸ 곡선 $y=f(x)$와 직선 $y=-1$의 교점의 개수는 2이다.

❶ 미분계수를 이용하여 $f(0)$, $f'(0)$의 값을 구한다.

> **함수의 극한의 미정계수의 결정**
>
> 두 함수 $f(x)$, $g(x)$에 대하여 $\lim_{x \to a} \frac{f(x)}{g(x)}=\alpha$ (α는 실수)일 때
>
> $\lim_{x \to a} g(x)=0$이면 $\lim_{x \to a} f(x)=0$

조건 (가)에서 $\lim_{x \to 0} x=0$이므로 $\lim_{x \to 0}\{f(x)-3\}=0$이다. 즉, $f(0)=3$이므로

$\lim_{x \to 0} \frac{f(x)-3}{x}=\lim_{x \to 0} \frac{f(x)-f(0)}{x}=f'(0)$ $\therefore f'(0)=$ □

❷ 극값을 갖는 x의 값을 구한다.

최고차항의 계수가 1이고 $f(0)=3$이므로 $f(x)=x^3+ax^2+bx+3$ (a, b는 상수)으로 놓으면

$f'(x)=3x^2+2ax+b$이고 $f'(0)=0$이므로 $b=$ □

따라서 $f'(x)=3x^2+2ax=x(3x+2a)=0$에서 $x=0$ 또는 $x=-\frac{2}{3}a$

❸ $f(x)$를 구한다.

> **방정식 $f(x)=k$ (k는 상수)의 실근의 개수**
>
> 함수 $y=f(x)$의 그래프와 직선 $y=k$의 교점의 위치에 따라 다음과 같이 나눌 수 있다.
>
> | 직선 $y=k$의 위치 | ❶, ❺ | ❷, ❹ | ❸ |
> |---|---|---|---|
> | 실근의 개수 | 1 | 2 | 3 |
>
> 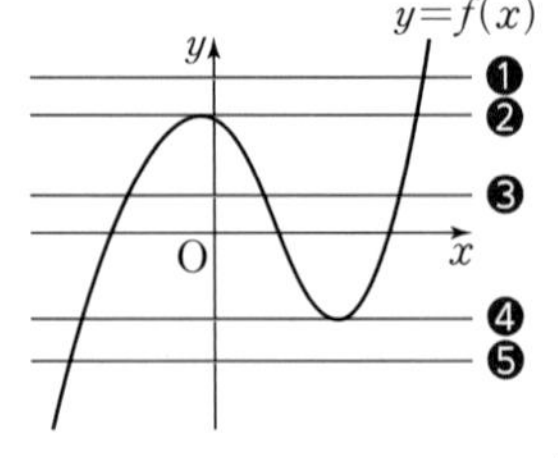
>

함수 $f(x)$는 $x=0$에서 극값 3을 가지므로 $x=-\frac{2}{3}a$에서 극값 -1을 갖는다.

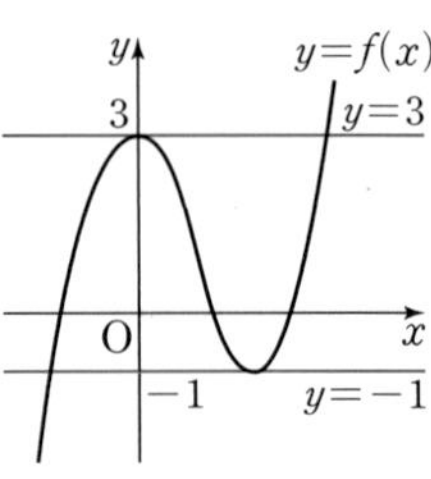

$f(x)=x^3+ax^2+3$이므로

$f\left(-\frac{2}{3}a\right)=\left(-\frac{2}{3}a\right)^3+a\times\left(-\frac{2}{3}a\right)^2+3=$ □, $\frac{4}{27}a^3=-4$ $\therefore a=-3$

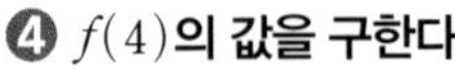

❹ $f(4)$의 값을 구한다.

따라서 $f(x)=x^3-3x^2+3$이므로 $f(4)=64-48+3=19$

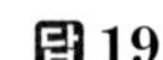

답 19

정답과 해설 48쪽

5 2019 9월 평가원 나형 14번

속도와 가속도 + 이차부등식

수직선 위를 움직이는 점 P의 시각 $t\,(t\geq 0)$에서의 위치 x가

❶ $x=t^3-5t^2+at+5$

이다. ❷ 점 P가 움직이는 방향이 바뀌지 않도록 하는 ❸ 자연수 a의 최솟값을 구하시오.

길잡이

❶ 점 P의 속도를 t의 함수로 나타낸다.
❷ 점 P가 움직이는 방향이 바뀌지 않을 조건을 구한다.
❸ 자연수 a의 최솟값을 구한다.

3주

6 2012 4월 실시 고3 교육청 가형 13번

다항함수의 부정적분 + 삼차함수의 극대, 극소

삼차함수 $y=f(x)$의 도함수 $y=f'(x)$의 그래프가 그림과 같다. ❶ $f'(-1)=f'(1)=0$이고 ❷ 함수 $f(x)$의 극댓값이 4, 극솟값이 0일 때, ❸ $f(3)$의 값을 구하시오.

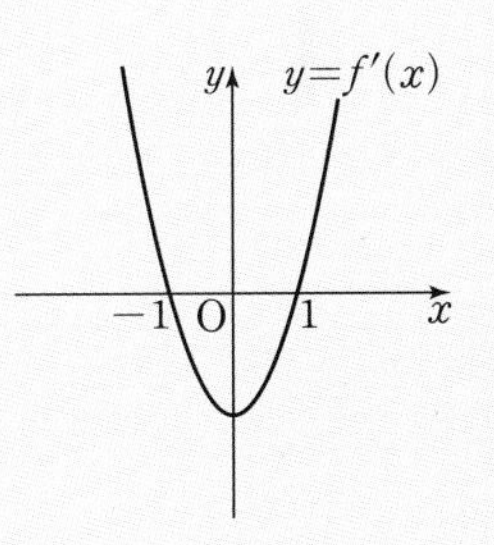

길잡이

❶ $f'(x)$를 식으로 나타낸다.
❷ $f(x)$를 구한다.
❸ $f(3)$의 값을 구한다.

Week 4

4주에는 무엇을 공부할까? ①

공부할 내용

❶ 정적분의 뜻과 성질 이해하기
❷ 여러 가지 함수의 정적분 구하기
❸ 곡선으로 둘러싸인 도형의 넓이 구하기
❹ 속도와 거리에 대한 문제 해결하기

3일

정적분으로 정의된 함수

4
주

배운 내용 다시보기

1 함수 $f(x)=3x^2-2x$에 대하여 다음 값을 구하시오.

(1) $\lim_{h\to 0}\frac{f(1+h)-f(1)}{h}$　　(2) $\lim_{x\to 2}\frac{f(x)-f(2)}{x-2}$

2 다음 부정적분을 구하시오.

(1) $\int(4x^3+2x)dx$　　(2) $\int(6x^5+1)dx$

3 다음 곡선 위의 주어진 점에서의 접선의 기울기를 구하시오.

(1) $y=x^2$　$(1, 1)$　　(2) $y=x^2-2x-1$　$(2, -1)$

(3) $y=x^3+3$　$(-1, 2)$　　(4) $y=2x^3-x+3$　$(0, 3)$

답 **1** (1) 4 (2) 10　**2** (1) x^4+x^2+C (2) x^6+x+C　**3** (1) 2 (2) 2 (3) 3 (4) -1

4주에는 무엇을 공부할까? ❷

4
주

배운 내용 다시보기

4 다음 함수의 극값을 구하시오.

(1) $y=x^3-3x$

(2) $y=\frac{1}{3}x^3-x^2+1$

5 다음 두 함수의 그래프의 교점의 좌표를 구하시오.

(1) $f(x)=x^2$, $g(x)=4x+5$

(2) $f(x)=x^2+2x-5$, $g(x)=x-3$

6 수직선 위를 움직이는 점 P의 시각 t에서의 위치 x가 $x=t^3-4t^2+3t+5$일 때, 다음을 구하시오.

(1) $t=1$에서의 속도

(2) $t=3$에서의 가속도

답 **4** (1) 극댓값 : 2, 극솟값 : -2 (2) 극댓값 : 1, 극솟값 : $-\frac{1}{3}$ **5** (1) $(-1, 1)$, $(5, 25)$ (2) $(-2, -5)$, $(1, -2)$ **6** (1) -2 (2) 10

1일 핵심 개념 | 다항함수의 정적분(1)

안전하고 튼튼한 다리를 만들기 위해서는 교각이 받는 힘을 계산하여 케이블의 굵기와 길이를 결정해야 한다. 이런 계산 과정에 정적분이 필요하다. 또한, 도로의 높이를 계획하고, 운반 거리를 결정하거나 배수 구조물을 설계하는 등 다양한 분야에서 정적분의 개념이 쓰이고 있다.

개념 ① 정적분의 정의

[01~03] 두 실수 a, b를 포함하는 구간에서 연속인 함수 $f(x)$에 대하여 다음 $\square$ 안에 알맞은 것을 아래 보기에서 찾아 써넣으시오.

• 보기 •

$+,\ -,\ 0,\ 1,\ a,\ b$

01 $f(x)$의 한 부정적분을 $F(x)$라 하면 $\int_a^b f(x)dx = F(\square) - F(\square)$ ← 아래끝과 위끝의 대소에 관계없이 성립한다.

02 $\int_a^a f(x)dx = \square$ ← 아래끝과 위끝이 같을 때

03 $\int_a^b f(x)dx = \square \int_b^a f(x)dx$ ← 아래끝과 위끝이 서로 바뀔 때

답 **01** b, a **02** 0 **03** $-$

개념 확인 | 다항함수의 정적분

정적분의 정의

닫힌구간 $[a, b]$에서 연속인 함수 $f(x)$의 한 부정적분을 $F(x)$라 할 때, $F(b)-F(a)$를 함수 $f(x)$의 a에서 b까지의 정적분이라 하고, 기호로 $\int_a^b f(x)dx$와 같이 나타낸다.

$$\int_a^b f(x)dx=\Big[F(x)\Big]_a^b=F(b)-F(a)$$

참고 $\int_a^b f(x)dx$에서 a를 아래끝, b를 위끝이라 한다.
이때 a에서 b까지를 적분 구간이라 한다.

적분과 미분의 관계

함수 $f(t)$가 닫힌구간 $[a, b]$에서 연속일 때

$$\frac{d}{dx}\int_a^x f(t)dt=f(x)\ (\text{단, } a<x<b)$$

참고 $f(t)$의 한 부정적분을 $F(t)$라 하면

$$\frac{d}{dx}\int_a^x f(t)dt=\frac{d}{dx}\{F(x)-F(a)\}=F'(x)-0=f(x)$$

1-1 다음 정적분을 구하시오.

(1) $\int_0^2 2xdx$

정적분의 계산에서 적분상수는 고려하지 않아!

(2) $\int_{-1}^2 (3x^2-1)dx$

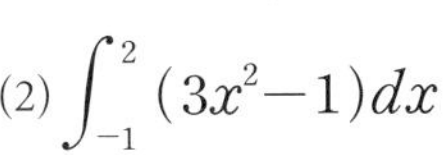

(3) $\int_3^3 (x^3-2x)dx$

1-2 다음 정적분을 구하시오.

(1) $\int_2^3 6x^2dx$

(2) $\int_0^1 (4x^3-x)dx$

(3) $\int_1^{-1} x^2(3x-2)dx$

2-1 다음 함수를 x에 대하여 미분하시오.

(1) $\int_2^x (5t^2-2)dt$

(2) $\int_{-1}^x (t^3+3t^2-4)dt$

(3) $\int_1^x (t-2)(2t+1)dt$

2-2 다음 함수를 x에 대하여 미분하시오.

(1) $\int_0^x (t^2-4t)dt$

(2) $\int_3^x (2t^3-5t-1)dt$

(3) $\int_{-2}^x (t^2+1)(t^2-1)dt$

4주

1일

핵심 개념 | 다항함수의 정적분(2)

정적분의 성질에 의하여

$\int_0^3 5x^4dx+\int_0^3 2dx=\int_0^3 (5x^4+2)dx$,

$\int_0^1 (5x^4+2)dx+\int_1^3 (5x^4+2)dx=\int_0^3 (5x^4+2)dx$이다.

따라서 $\int_0^3 (5x^4+2)dx=\Big[x^5+2x\Big]_0^3=249$이므로

모든 통조림 캔의 칼로리는 249로 같다.

개념 ② 정적분의 성질

[04~07] 두 함수 $f(x)$, $g(x)$가 임의의 세 실수 a, b, c를 포함하는 닫힌구간에서 연속일 때, 다음 $\square$ 안에 알맞은 것을 아래 보기에서 찾아 써넣으시오.

> **보기**
>
> a, b, c, k, $+$, $-$

04 $\int_a^b kf(x)dx=\square\int_a^b f(x)dx$ (단, k는 상수)

05 $\int_a^b \{f(x)+g(x)\}dx=\int_a^b f(x)dx\,\square\int_a^b g(x)dx$

06 $\int_a^b \{f(x)-g(x)\}dx=\int_a^b f(x)dx\,\square\int_a^b g(x)dx$

07 $\int_a^c f(x)dx+\int_c^b f(x)dx=\int_a^{\square} f(x)dx$

답 04 k 05 $+$ 06 $-$ 07 b

개념 확인 | 다항함수의 정적분

정답과 해설 49쪽

정적분의 성질

두 함수 $f(x)$, $g(x)$가 임의의 세 실수 a, b, c를 포함하는 닫힌구간 $[a, b]$에서 연속일 때

❶ $\int_a^b kf(x)dx=k\int_a^b f(x)dx$ (단, k는 상수)

❷ $\int_a^b \{f(x)+g(x)\}dx=\int_a^b f(x)dx+\int_a^b g(x)dx$

❸ $\int_a^b \{f(x)-g(x)\}dx=\int_a^b f(x)dx-\int_a^b g(x)dx$

❹ $\int_a^c f(x)dx+\int_c^b f(x)dx=\int_a^b f(x)dx$

❶ $\int_1^2 2x^5dx=2\int_1^2 x^5dx$

❷ $\int_1^2 (x+1)dx+\int_1^2 (x-1)dx$
$=\int_1^2 \{(x+1)+(x-1)\}dx=\int_1^2 2xdx$

❸ $\int_1^2 (x+1)dx-\int_1^2 (x-1)dx$
$=\int_1^2 \{(x+1)-(x-1)\}dx=\int_1^2 2dx$

❹ $\int_0^1 3x^2dx+\int_1^2 3x^2dx=\int_0^2 3x^2dx$

3-1 다음 정적분을 구하시오.

(1) $\int_1^2 (x^2-6x+7)dx$

(2) $\int_{-1}^0 (x^3+x^2-3)dx+\int_{-1}^0 (x^3-2x^2+5)dx$

(3) $\int_0^2 (x+1)(x+4)dx-\int_0^2 (x^2+2)dx$

3-2 다음 정적분을 구하시오.

(1) $\int_0^1 (3x^2-x-1)dx$

(2) $\int_{-2}^1 (x^3+4x^2+1)dx-\int_{-2}^1 (4x^2+2x-5)dx$

(3) $\int_{-1}^2 \frac{x^3}{x-1}dx+\int_2^{-1} \frac{1}{x-1}dx$

4-1 다음 정적분을 구하시오.

(1) $\int_0^1 (2x-6)dx+\int_1^2 (2x-6)dx$

(2) $\int_{-2}^1 (x^2-2x+5)dx+\int_1^2 (x^2-2x+5)dx$

(3) $\int_{-1}^1 (-x^3+2x+1)dx-\int_2^1 (-x^3+2x+1)dx$

4-2 다음 정적분을 구하시오.

(1) $\int_{-1}^0 (x^2-4x)dx+\int_0^1 (x^2-4x)dx$

(2) $\int_1^2 (2x^3-3x^2)dx+\int_2^3 (2x^3-3x^2)dx$

(3) $\int_0^1 (4x^3-6x^2+1)dx-\int_0^{-2} (4x^3-6x^2+1)dx$

4 주

1일 기초 유형 | 다항함수의 정적분

2017 9월
평가원 나형 23번

쌍둥이 교과서 문제

1-1

$\int_0^3 (x^2-4x+11)dx$의 값을 구하시오. [3점]

Tip 함수 $f(x)$의 한 부정적분을 $F(x)$라 할 때
$\int_a^b f(x)dx=F(b)-F(a)$

풀이

$$\int_0^3 (x^2-4x+11)dx=\left[\frac{1}{3}x^3-2x^2+11x\right]_0^3$$
$$=9-18+\square$$
$$=\square$$

답 24

1-2

$\int_0^1 (x-1)(x^2+x+1)dx$의 값을 구하시오.

2018
수능 나형 9번

2-1

$\int_0^a (3x^2-4)dx=0$을 만족시키는 양수 a의 값을 구하시오. [3점]

Tip 정적분의 값을 a에 대한 식으로 나타낸다.

풀이

$\int_0^a (3x^2-4)dx=\left[x^3-4x\right]_0^a=a^3-4a$

따라서 $a^3-4a=\square$이므로

$a(a+2)(a-2)=0$

$\therefore a=-2$ 또는 $a=0$ 또는 $a=\square$

이때 a는 양수이므로 $a=\square$

답 2

2-2

$\int_1^a (3x^2-6x-4)dx=0$일 때, 상수 a의 값을 구하시오. (단, $a>1$)

2-3

자연수 n에 대하여

$$\int_0^1 (1+2x+3x^2+\cdots+nx^{n-1})dx=2018$$

일 때, n의 값을 구하시오.

정답과 해설 50쪽

2015 10월 실시
고3 교육청 A형 23번

쌍둥이 교과서 문제

3-1

$\int_{0}^{10}(x+1)^2dx-\int_{0}^{10}(x-1)^2dx$의 값을 구하시오. [3점]

Tip $\int_{a}^{b}\{f(x)+g(x)\}dx=\int_{a}^{b}f(x)dx+\int_{a}^{b}g(x)dx$

풀이

$\int_{0}^{10}(x+1)^2dx-\int_{0}^{10}(x-1)^2dx$

$=\int_{0}^{10}\{(x+1)^2-(x-1)^2\}dx$

$=\int_{0}^{10}\{(x^2+2x+1)-(x^2-2x+1)\}dx$

$=\int_{0}^{10}\boxed{}dx=\left[2x^2\right]_{0}^{10}$

$=\boxed{}$

답 200

3-2

$\int_{1}^{2}\frac{x^2}{x+1}dx-\int_{1}^{2}\frac{1}{t+1}dt$의 값을 구하시오.

정적분에서 변수 x 대신 t를 사용해도 그 결과는 같아!

2020 3월 실시
고3 교육청 나형 5번

4-1

$\int_{5}^{2}2t\,dt-\int_{5}^{0}2t\,dt$의 값을 구하시오. [3점]

Tip $\int_{a}^{c}f(x)dx+\int_{c}^{b}f(x)=\int_{a}^{b}f(x)dx$

풀이

$\int_{5}^{2}2t\,dt-\int_{5}^{0}2t\,dt$

$=\int_{5}^{2}2t\,dt\boxed{}\int_{0}^{5}2t\,dt$

$=\int_{0}^{5}2t\,dt+\int_{5}^{2}2t\,dt$

$=\int_{0}^{2}2t\,dt=\left[t^2\right]_{0}^{2}$

$=\boxed{}$

답 4

4-2

$\int_{0}^{1}(x^3+3x^2+2)dx-\int_{0}^{-1}(t^3+3t^2+2)dt$의 값을 구하시오.

4-3

함수 $f(x)=-3x^2+7$에서

$$\int_{1}^{3}f(x)dx-\int_{0}^{-2}f(x)dx+\int_{0}^{1}f(x)dx$$

의 값을 구하시오.

4 주

2일 핵심 개념 | 여러 가지 함수의 정적분

함수 $f(x)$가 닫힌구간 $[-a, a]$에서 연속일 때

$f(-x)=f(x)$이면 $\int_{-a}^{a} f(x)dx=2\int_{0}^{a} f(x)dx$

$f(-x)=-f(x)$이면 $\int_{-a}^{a} f(x)dx=0$

이므로

$$\int_{-10}^{10}\left(x^5+\frac{5}{2}x^4+2x^3+6x^2+\frac{2}{3}x\right)dx=2\int_{0}^{10}\left(\frac{5}{2}x^4+6x^2\right)dx$$

개념 ① 정적분 $\int_{-a}^{a} x^n dx$의 계산

[01~03] 양수 a에 대하여 정적분 $\int_{-a}^{a} x^n dx$의 값을 구할 때, 다음 ☐ 안에 알맞은 것을 아래 보기에서 찾아 써넣으시오.

보기

$0,\ 1,\ 2,\ x,\ 2x$

01 n이 짝수일 때, $\int_{-a}^{a} x^n dx=$ ☐ $\int_{0}^{a} x^n dx$

02 n이 홀수일 때, $\int_{-a}^{a} x^n dx=$ ☐

03 $n=0$일 때, $\int_{-a}^{a} 1dx=\Big[x\Big]_{-a}^{a}=a-(-a)=2(a-0)=2\Big[x\Big]_{0}^{a}=2\int_{0}^{a}$ ☐ dx

답 **01** 2 **02** 0 **03** 1

개념 확인 | 여러 가지 함수의 정적분

정답과 해설 51쪽

절댓값 기호를 포함한 함수의 정적분

절댓값 기호를 포함한 함수 $y=|f(x)|$의 정적분은 절댓값 기호 안의 식의 값이 0이 되는 x의 값을 경계로 적분 구간을 나누어 구한다.

참고 $y=|f(x)|$의 그래프가 오른쪽 그림과 같을 때

$\int_a^b |f(x)|dx$

$=\int_a^c f(x)dx+\int_c^b \{-f(x)\}dx$

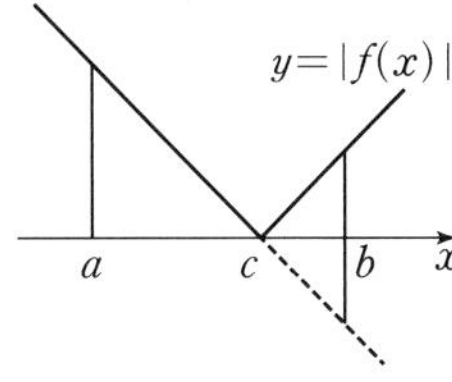

우함수와 기함수의 정적분

함수 $f(x)$가 닫힌구간 $[-a, a]$에서 연속일 때

❶ $f(-x)=f(x)$이면 함수 $f(x)$를 우함수라 한다.

⇨ $\int_{-a}^a f(x)dx=2\int_0^a f(x)dx$

❷ $f(-x)=-f(x)$이면 함수 $f(x)$를 기함수라 한다.

⇨ $\int_{-a}^a f(x)dx=0$

참고 짝수 차수의 항 또는 상수항으로만 이루어진 다항함수는 우함수, 홀수 차수의 항으로만 이루어진 다항함수는 기함수이다.

1-1 다음 정적분을 구하시오.

(1) $\int_0^2 |x-1|dx$

(2) $\int_{-2}^1 |2x+1|dx$

(3) $\int_{-1}^2 |x^2-1|dx$

1-2 다음 정적분을 구하시오.

(1) $\int_1^3 |2-x|dx$

(2) $\int_{-1}^1 (|x|+1)dx$

(3) $\int_1^3 |x^2-2x|dx$

2-1 다음 정적분을 구하시오.

(1) $\int_{-1}^1 (6x^2-x+2)dx$

(2) $\int_{-2}^2 (5x^4+x^3-3x^2+2x)dx$

(3) $\int_{-3}^3 x(x+5)dx$

2-2 다음 정적분을 구하시오.

(1) $\int_{-1}^1 (x^7+2x^2+3)dx$

(2) $\int_{-2}^2 (6x^5+x^4+3x+4)dx$

(3) $\int_{-3}^3 (x+1)(x+2)dx$

4주

2일 핵심 개념 | 정적분으로 정의된 함수(1)

$f(x)=3x^2+1+\int_0^2 f(t)dt$에서

$\int_0^2 f(t)dt=k$(k는 상수)로 놓으면 $f(x)=3x^2+1+k$

$\int_0^2 f(t)dt=\int_0^2 (3t^2+1+k)dt=\Big[t^3+t+kt\Big]_0^2=10+2k$

$10+2k=k$에서 $k=-10$ $\quad\therefore f(x)=3x^2-9$

개념 ② 정적분으로 정의된 함수

[04~05] 다음 ☐ 안에 알맞은 것을 아래 보기에서 찾아 써넣으시오.

• 보기 •

$t,\ \ x,\ \ f(t),\ \ f(x),\ \ f(x+a)-f(x)$

04 $\int_1^x f(t)dt$, $\int_1^{x+1} f(t)dt$, $\int_1^x (x-t)f(t)dt$와 같이 정적분의 위끝, 아래끝 또는 피적분함수에 적분변수 t가 아닌 다른 변수 x가 있으면 이 정적분의 값은 변수 x의 값에 따라 결정되므로 ☐에 대한 함수가 된다.

05 함수 $f(x)$의 한 부정적분을 $F(x)$라 할 때

❶ $\dfrac{d}{dx}\int_a^x f(t)dt=\dfrac{d}{dx}\{F(x)-F(a)\}=$ ☐ (단, a는 상수)

❷ $\dfrac{d}{dx}\int_x^{x+a} f(t)dt=\dfrac{d}{dx}\{F(x+a)-F(x)\}=$ ☐ (단, a는 상수)

답 **04** x **05** $f(x)$, $f(x+a)-f(x)$

개념 확인 | 정적분으로 정의된 함수

정답과 해설 52쪽

적분 구간이 상수인 정적분을 포함한 등식

$f(x)=g(x)+\int_a^b f(t)dt$ (a, b는 상수) 꼴 ⇨ $\int_a^b f(t)dt=k$ (k는 상수)로 놓고 $f(x)=g(x)+k$로 나타낸 다음 $\int_a^b f(t)dt=k$에 $f(t)$를 대입하여 k의 값을 구한다.

참고 a, b가 상수이고 $F'(x)=f(x)$일 때, $\int_a^b f(x)dx=\Big[F(x)\Big]_a^b=F(b)-F(a)$이므로 정적분 $\int_a^b f(x)dx$는 상수이다.

3-1 다음 등식을 만족시키는 함수 $f(x)$를 구하시오.

(1) $f(x)=x+\int_0^2 f(t)dt$

(2) $f(x)=3x^2-4x-\int_0^1 f(t)dt$

(3) $f(x)=2x^2+\int_{-1}^2 tf(t)dt$

3-2 다음 등식을 만족시키는 함수 $f(x)$를 구하시오.

(1) $f(x)=x^2+\int_1^3 f(t)dt$

(2) $f(x)=6x^2+x+\int_0^2 f(t)dt$

(3) $f(x)=-3x^2-2x+\int_0^1 tf'(t)dt$

4-1 다음 등식을 만족시키는 함수 $f(x)$를 구하시오.

(1) $f(x)=x^2+4x\int_0^1 f(t)dt$

(2) $f(x)=3x^2+\int_0^2 xf(t)dt$

(3) $f(x)=6x^2-\int_{-1}^1 (2x-3)f(t)dt$

4-2 다음 등식을 만족시키는 함수 $f(x)$를 구하시오.

(1) $f(x)=x^3-2x\int_1^2 f(t)dt$

(2) $f(x)=-2x^2+\int_0^1 xf(t)dt$

(3) $f(x)=9x^2+\int_{-1}^0 (x+1)f(t)dt$

4 주

2일 기초 유형 | 여러 가지 함수의 정적분

2019
수능 나형 25번

쌍둥이 교과서 문제

1-1

$\int_{1}^{4}(x+|x-3|)dx$의 값을 구하시오. [3점]

Tip 절댓값 기호 안의 식의 값이 0이 되는 x의 값을 경계로 적분 구간을 나누어 구한다.

풀이

$\int_{1}^{4}(x+|x-3|)dx$

$=\int_{1}^{3}\{x-(x-3)\}dx+\int_{3}^{4}\{x+(x-3)\}dx$

$=\int_{1}^{3}\boxed{}dx+\int_{3}^{4}(2x-3)dx$

$=\Big[\boxed{}\Big]_{1}^{3}+\Big[x^2-3x\Big]_{3}^{4}$

$=(9-3)+\{(16-12)-(9-9)\}$

$=6+4=\boxed{}$

답 10

1-2

$\int_{1}^{3}(x^2+|2x-4|)dx$의 값을 구하시오.

1-3

$\int_{-1}^{1}|x|(x-1)dx$의 값을 구하시오.

2018 11월 실시
고2 교육청 가형 7번

2-1

$\int_{-1}^{1}\left(4x^3+x^2-\frac{1}{2}x+a\right)dx=2$일 때, 상수 a의 값을 구하시오. [3점]

Tip 정적분의 위끝과 아래끝의 절댓값이 같을 때는 우함수와 기함수의 정적분을 이용한다.

풀이

$\int_{-1}^{1}\left(4x^3+x^2-\frac{1}{2}x+a\right)dx$

$=\int_{-1}^{1}(x^2+a)dx=\boxed{}\int_{0}^{1}(x^2+a)dx$

$=2\Big[\frac{1}{3}x^3+ax\Big]_{0}^{1}=2\left(\frac{1}{3}+a\right)=\frac{2}{3}+\boxed{}$

즉, $\frac{2}{3}+2a=\boxed{}$이므로 $a=\frac{2}{3}$

답 $\frac{2}{3}$

2-2

$\int_{-a}^{a}(6x^2-2x)dx=32$일 때, 실수 a의 값을 구하시오.

2012 7월 실시
고3 교육청 가형 25번

3-1

$f(x)=3x^2+x+\int_0^2 f(t)dt$를 만족시키는 함수 $f(x)$에 대하여 $f(2)$의 값을 구하시오. [3점]

Tip $\int_0^2 f(t)dt=k$ (k는 상수)로 놓고 $f(x)=3x^2+x+k$임을 이용한다.

풀이

$\int_0^2 f(t)dt=k$ (k는 상수) ……㉠

로 놓으면 $f(x)=3x^2+x+k$

$f(t)=3t^2+t+k$를 ㉠의 좌변에 대입하면

$\int_0^2 f(t)dt=\int_0^2 (3t^2+t+k)dt=\left[t^3+\frac{1}{2}t^2+kt\right]_0^2$

$=10+2k$

즉, $10+2k=k$이므로 $k=$ ☐

따라서 $f(x)=3x^2+x-$ ☐ 이므로

$f(2)=12+2-$ ☐ $=4$ 답 4

쌍둥이 교과서 문제

3-2

다항함수 $f(x)$가 등식 $f(x)=x^2+\int_0^2 f(t)dt$를 만족시킬 때, $f(2)$의 값을 구하시오.

3-3

다항함수 $f(x)$가 등식 $f(x)=3x^2+2\int_0^1 f(t)dt$를 만족시킬 때, $f(3)$의 값을 구하시오.

2021 6월
평가원 나형 17번

4-1

함수 $f(x)$가 모든 실수 x에 대하여

$$f(x)=4x^3+x\int_0^1 f(t)dt$$

를 만족시킬 때, $f(1)$의 값을 구하시오. [4점]

Tip $\int_0^1 f(t)dt=k$ (k는 상수)로 놓고 $f(x)=4x^3+kx$임을 이용한다.

풀이

$\int_0^1 f(t)dt=k$ (k는 상수) ……㉠

로 놓으면 $f(x)=4x^3+kx$

$f(t)=4t^3+kt$를 ㉠의 좌변에 대입하면

$\int_0^1 f(t)dt=\int_0^1 (4t^3+kt)dt=\left[t^4+\frac{k}{2}t^2\right]_0^1=1+\frac{k}{2}$

즉, $1+\frac{k}{2}=k$이므로 $k=$ ☐

따라서 $f(x)=4x^3+2x$이므로

$f(1)=4+$ ☐ $=$ ☐ 답 6

4-2

함수 $f(x)$가 등식

$$f(x)=x^2+x\int_0^1 f(t)dt+2$$

를 만족시킬 때, $f(3)$의 값을 구하시오.

4주

3일 핵심 개념 | 정적분으로 정의된 함수(2)

개념 ① **적분 구간에 변수가 있는 정적분을 포함한 등식**

[01~02] 다음 ( ) 안에 주어진 것 중 옳은 것을 고르시오.

01 $\int_a^x f(t)dt=g(x)$ (a는 상수) 꼴의 등식은

1 양변을 x에 대하여 미분하면 $\frac{d}{dx}\int_a^x f(t)dt=g'(x)$이므로 $f(x)=g'(x)$임을 이용한다.

2 양변에 $x=a$를 대입하면 $\int_a^a f(t)dt=g(a)$이므로 $g(a)=(0, 1)$임을 이용한다.

02 $\int_a^x (x-t)f(t)dt=g(x)$ (a는 상수) 꼴의 등식은

1 $\int_a^x (x-t)f(t)dt=x\int_a^x f(t)dt-\int_a^x tf(t)dt$로 변형한다.

2 양변을 (x, t)에 대하여 미분한다.

답 **01** 0 **02** x

개념 확인 | 정적분으로 정의된 함수

정답과 해설 55쪽

적분 구간에 변수가 있는 정적분을 포함한 등식

❶ $\int_a^x f(t)dt=g(x)$ (a는 상수) 꼴 ⇨ 양변을 x에 대하여 미분하면 $f(x)=g'(x)$임을 이용한다. 또 양변에 $x=a$를 대입하면 $\int_a^a f(t)dt=g(a)=0$임을 이용한다.

❷ $\int_a^x (x-t)f(t)dt=g(x)$ (a는 상수) 꼴 ⇨ $\int_a^x (x-t)f(t)dt=x\int_a^x f(t)dt-\int_a^x tf(t)dt$로 변형한 후 양변을 x에 대하여 미분한다. 이때 $x\int_a^x f(t)dt$의 미분은 곱의 미분법을 이용한다.

1-1 모든 실수 x에 대하여 다음 등식이 성립할 때, 다항함수 $f(x)$와 상수 a의 값을 구하시오.

(1) $\int_a^x f(t)dt=x^2+2x+1$

(2) $\int_{-2}^x f(t)dt=3x^2+5x+a$

1-2 모든 실수 x에 대하여 다음 등식이 성립할 때, 다항함수 $f(x)$와 상수 a의 값을 구하시오.

(1) $\int_a^x f(t)dt=x^3-1$

(2) $\int_1^x f(t)dt=x^2+ax+2$

4주

2-1 다항함수 $f(x)$가 모든 실수 x에 대하여

$$xf(x)=x^3+2x^2+\int_1^x f(t)dt$$

를 만족시킬 때, 함수 $f(x)$를 구하시오.

2-2 다항함수 $f(x)$가 모든 실수 x에 대하여

$$x^2f(x)=2x^6-x^3+2\int_1^x tf(t)dt$$

를 만족시킬 때, 함수 $f(x)$를 구하시오.

3-1 다항함수 $f(x)$가 모든 실수 x에 대하여

$$\int_1^x (x-t)f(t)dt=2x^3-3x^2+1$$

을 만족시킬 때, 함수 $f(x)$를 구하시오.

3-2 다항함수 $f(x)$가 모든 실수 x에 대하여

$$\int_1^x (x-t)f(t)dt=2x^4-3x^2-2x+3$$

을 만족시킬 때, 함수 $f(x)$를 구하시오.

3일 핵심 개념 | 정적분으로 정의된 함수(3)

$f(t)=50t^3+24t+2$로 놓고, $f(t)$의 한 부정적분을 $F(t)$라 하면

$$\lim_{x\to 2}\frac{1}{x-2}\int_2^x f(t)dt=\lim_{x\to 2}\frac{F(x)-F(2)}{x-2}=F'(2)=f(2)$$

이므로 최고급 한우 세트를 받기 위해 나와야 하는 점수는

$f(2)=50\times 8+24\times 2+2=450$(점)이다.

개념 ② 정적분으로 정의된 함수의 극한

[03~04] 함수 $f(t)$의 한 부정적분을 $F(t)$라 할 때, 다음 ☐ 안에 알맞은 것을 아래 보기에서 찾아 써넣으시오.

> **보기**
> $F(a)$, $F'(a)$, $f(a)$, $f'(a)$

03 $\int_a^x f(t)dt=\Big[F(t)\Big]_a^x=F(x)-F(a)$이므로 미분계수의 정의를 이용하면

$$\lim_{x\to a}\frac{1}{x-a}\int_a^x f(t)dt=\lim_{x\to a}\frac{F(x)-F(a)}{x-a}=F'(a)=\boxed{}$$

04 $\int_a^{x+a} f(t)dt=\Big[F(t)\Big]_a^{x+a}=F(x+a)-F(a)$이므로 미분계수의 정의를 이용하면

$$\lim_{x\to 0}\frac{1}{x}\int_a^{x+a} f(t)dt=\lim_{x\to 0}\frac{F(x+a)-F(a)}{x}=\boxed{}=f(a)$$

답 **03** $f(a)$ **04** $F'(a)$

개념 확인 | 정적분으로 정의된 함수

정답과 해설 55쪽

정적분으로 정의된 함수의 극한

❶ $\lim_{x \to a} \frac{1}{x-a} \int_a^x f(t)dt = f(a)$

❷ $\lim_{x \to 0} \frac{1}{x} \int_a^{x+a} f(t)dt = f(a)$

참고 $F'(a) = \lim_{x \to a} \frac{F(x)-F(a)}{x-a} = \lim_{h \to 0} \frac{F(a+h)-F(a)}{h}$이므로 미분계수의 정의를 이용하여 정적분으로 정의된 함수의 극한을 구한다.

4-1 다음 극한값을 구하시오.

(1) $\lim_{x \to 1} \frac{1}{x-1} \int_1^x (2t+6)dt$

(2) $\lim_{x \to 2} \frac{1}{x-2} \int_2^x (3t^2-t+1)dt$

4-2 다음 극한값을 구하시오.

(1) $\lim_{x \to 3} \frac{1}{x-3} \int_3^x (t^2+3t)dt$

(2) $\lim_{x \to 1} \frac{1}{x-1} \int_1^x (5t^2-2t+3)^2 dt$

5-1 다음 극한값을 구하시오.

(1) $\lim_{x \to 0} \frac{1}{x} \int_0^x (3t-1)dt$

(2) $\lim_{h \to 0} \frac{1}{h} \int_3^{3+h} (3x^2-4x+2)dx$

5-2 다음 극한값을 구하시오.

(1) $\lim_{x \to 0} \frac{1}{x} \int_2^{2+x} (t^2-2t)dt$

(2) $\lim_{h \to 0} \frac{1}{h} \int_1^{1+h} (2x^3+5x-3)dx$

6-1 $f(x)=6x^2-4$일 때, 극한값 $\lim_{x \to 1} \frac{1}{x^2-1} \int_1^x f(t)dt$를 구하시오.

6-2 $f(x)=4x^2-2x$일 때, 극한값 $\lim_{x \to 2} \frac{1}{x^3-8} \int_2^x f(t)dt$를 구하시오.

4주

3일 기초 유형 | 정적분으로 정의된 함수

2017 10월 실시
고3 교육청 나형 9번

1-1

다항함수 $f(x)$가 모든 실수 x에 대하여

$$\int_1^x f(t)dt=x^3+ax^2-3x+1$$

을 만족시킬 때, $f(a)$의 값을 구하시오.

(단, a는 상수이다.) [3점]

Tip 양변에 $x=1$을 대입하면 $\int_1^1 f(t)dt=0$임을 이용한다.

풀이

주어진 등식의 양변에 $x=1$을 대입하면

$0=1+a-3+1 \quad \therefore a=\square$

따라서 $\int_1^x f(t)dt=x^3+x^2-3x+1$이므로 양변을 x에 대하여 미분하면 $f(x)=3x^2+\square x-3$

$\therefore f(a)=f(1)=3+\square-3=2$

답 2

쌍둥이 교과서 문제

1-2

다항함수 $f(x)$가 모든 실수 x에 대하여

$$\int_1^x f(t)dt=x^3-2ax^2+a$$

를 만족시킬 때, $f(2)$의 값을 구하시오.

(단, a는 상수이다.)

2020 4월 실시
고3 교육청 나형 16번

2-1

다항함수 $f(x)$가 모든 실수 x에 대하여

$$3xf(x)=9\int_1^x f(t)dt+2x$$

를 만족시킬 때, $f'(1)$의 값을 구하시오. [4점]

Tip 곱의 미분법 $\{xf(x)\}'=f(x)+xf'(x)$를 이용하여 주어진 등식의 양변을 x에 대하여 미분한다.

풀이

주어진 등식의 양변에 $x=1$을 대입하면

$3f(1)=\square$

또 주어진 등식의 양변을 x에 대하여 미분하면

$3f(x)+3xf'(x)=9f(x)+2$

위 식에 $x=1$을 대입하면

$3f(1)+3f'(1)=9f(1)+2$, $\square+3f'(1)=3\times2+2$

$\therefore f'(1)=\square$

답 2

2-2

다항함수 $f(x)$가 모든 실수 x에 대하여

$$\int_1^x f(t)dt=xf(x)-3x^4+x^2+1$$

을 만족시킬 때, $f(x)$를 구하시오.

2-3

다항함수 $f(x)$가 모든 실수 x에 대하여

$$\int_1^x (x-t)f(t)dt=x^3+x^2-5x+3$$

일 때, $f(2)$의 값을 구하시오.

2017 7월 실시
고3 교육청 나형 25번

쌍둥이 교과서 문제

3-1

함수 $f(x)=\int_0^x (3t^2+5)dt$에 대하여

$\lim_{x\to 2}\frac{f(x)-f(2)}{x-2}$의 값을 구하시오. [3점]

Tip $f'(x)$를 구한 후 미분계수의 정의를 이용한다.

풀이

$f(x)=\int_0^x (3t^2+5)dt$의 양변을 x에 대하여 미분하면

$f'(x)=3x^2+\square$ 이므로

$\lim_{x\to 2}\frac{f(x)-f(2)}{x-2}=f'(\square)$

$=12+\square=17$

답 17

3-2

함수 $f(x)=\int_0^x (2t^3-3t^2+4)dt$일 때,

$\lim_{x\to 1}\frac{f(x^2)-f(1)}{x-1}$의 값을 구하시오.

2012 10월 실시
고3 교육청 나형 26번

4-1

$\lim_{x\to 2}\frac{1}{x^2-4}\int_2^x (t^2+3t-2)dt$의 값을 구하시오. [3점]

Tip 주어진 식을 변형하여 미분계수의 정의를 이용한다.

풀이

$f(t)=t^2+3t-2$로 놓고 $f(t)$의 한 부정적분을 $F(t)$라 하면

$\lim_{x\to 2}\frac{1}{x^2-4}\int_2^x (t^2+3t-2)dt$

$=\lim_{x\to 2}\frac{1}{x^2-4}\int_2^x f(t)dt$

$=\lim_{x\to 2}\frac{\left[F(t)\right]_2^x}{x^2-4}$

$=\lim_{x\to 2}\frac{F(x)-F(2)}{x^2-4}$

$=\lim_{x\to 2}\left\{\frac{F(x)-F(2)}{x-2}\times\frac{1}{\square}\right\}$

$=\frac{1}{\square}F'(2)=\frac{1}{4}f(2)$

$=\frac{1}{4}(4+6-2)=\square$

답 2

4-2

함수 $f(x)=x^3+2x-4$에 대하여

$\lim_{x\to 2}\frac{1}{x-2}\int_2^x f(t)dt$의 값을 구하시오.

4-3

$\lim_{x\to 1}\frac{1}{x^3-1}\int_1^x (t^3+2t^2+3t)dt$의 값을 구하시오.

4주

4일 핵심 개념 | 정적분과 넓이(1)

정적분을 이용하면 곡선이 포함된 찌그러진 피자의 넓이를 구할 수 있다. 적분은 곡선이나 곡면으로 둘러싸인 도형의 넓이나 부피를 구하는 문제로부터 시작되었다. 고대 그리스 시대에 도형의 넓이나 부피를 구할 때 사용했던 아이디어는 17세기 뉴턴과 라이프니츠 시대에 와서 적분으로 체계화되었다.

개념 ① 곡선과 x축 사이의 넓이

01 함수 $f(x)$가 닫힌구간 $[a, b]$에서 연속일 때, 곡선 $y=f(x)$와 x축 및 두 직선 $x=a$, $x=b$로 둘러싸인 도형의 넓이 S를 나타낸 것이다. 다음 ( ) 안에 주어진 것 중 옳은 것을 고르시오.

$f(x)$(≤, ≥)0인 경우	$f(x)$(≤, ≥)0인 경우	$f(x)\geq 0$, $f(x)\leq 0$이 모두 있는 경우
y, $y=f(x)$, S, O, a, b, x	y, $y=f(x)$, a, b, O, S, x	y, $y=f(x)$, S, b, O, a, c, S, x
$S=\int_a^b f(x)dx$ $=\int_a^b \lvert f(x)\rvert dx$	$S=\int_a^b \{-f(x)\}dx$ $=\int_a^b \lvert f(x)\rvert dx$	$S=\int_a^c f(x)dx+\int_c^b \{-f(x)\}dx$ $=\int_a^c \lvert f(x)\rvert dx+\int_c^b \lvert f(x)\rvert dx=\int_a^b \lvert f(x)\rvert dx$

답 01 ≥, ≤

개념 확인 | 정적분과 넓이

정답과 해설 58쪽

정적분과 넓이의 관계

함수 $f(x)$가 닫힌구간 $[a, b]$에서 연속이고 $f(x) \geq 0$일 때, 곡선 $y=f(x)$와 x축 및 두 직선 $x=a$, $x=b$로 둘러싸인 도형의 넓이 S는

$$S=\int_a^b f(x)dx$$

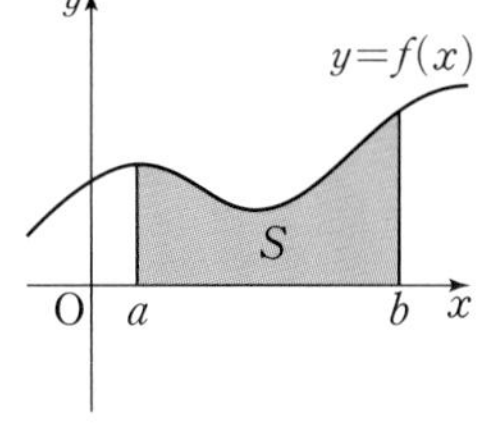

곡선과 x축 사이의 넓이

함수 $f(x)$가 닫힌구간 $[a, b]$에서 연속일 때, 곡선 $y=f(x)$와 x축 및 두 직선 $x=a$, $x=b$로 둘러싸인 도형의 넓이 S는

❶ x축 위에 있을 때 ⇨ $S=\int_a^b f(x)dx$

❷ x축 아래에 있을 때 ⇨ $S=-\int_a^b f(x)dx$

1-1 다음 곡선과 x축으로 둘러싸인 도형의 넓이를 구하시오.

(1) $y=x^2-3x$

(2) $y=x^2-x-2$

(3) $y=3x^2(1-x)$

1-2 다음 곡선과 x축으로 둘러싸인 도형의 넓이를 구하시오.

(1) $y=4x-x^2$

(2) $y=x^2-6x+5$

(3) $y=x^3-x$

2-1 다음 곡선과 두 직선 및 x축으로 둘러싸인 도형의 넓이를 구하시오.

(1) $y=x^2$, $x=1$, $x=2$

(2) $y=x^2+x-6$, $x=0$, $x=1$

(3) $y=x^2+2x$, $x=-1$, $x=1$

2-2 다음 곡선과 두 직선 및 x축으로 둘러싸인 도형의 넓이를 구하시오.

(1) $y=x^2-2x+1$, $x=2$, $x=3$

(2) $y=x^2-1$, $x=-2$, $x=0$

(3) $y=-x^2+4x-3$, $x=0$, $x=2$

일 핵심 개념 | 정적분과 넓이(2)

핫!도그

소스 발라 드릴까요?

네~

슥슥~

너랑 나랑 소스를 다른 모양으로 발라 줬어.

같은 양을 발라 주셨다고 했는데?

두 평면도형을 어떤 직선에 평행한 직선으로 나누었을 때, 도형 내부의 선분의 길이가 항상 같으면 이 두 도형의 넓이도 같다. 따라서 붓의 각도를 일정하게 유지하면 직선이나 곡선이나 같은 양의 소스로 그릴 수 있으므로 핫도그 소스가 발라진 부분의 넓이는 서로 같다.

개념 ② 두 곡선 사이의 넓이

02 두 함수 $f(x)$, $g(x)$가 닫힌구간 $[a, b]$에서 연속일 때, 두 곡선 $y=f(x)$, $y=g(x)$와 두 직선 $x=a$, $x=b$로 둘러싸인 도형의 넓이를 나타낸 것이다. 다음 □ 안에 알맞은 것을 아래 보기에서 찾아 써넣으시오.

보기

$$\int_b^a f(x)dx,\quad \int_a^b g(x)dx,\quad \int_b^a g(x)dx$$

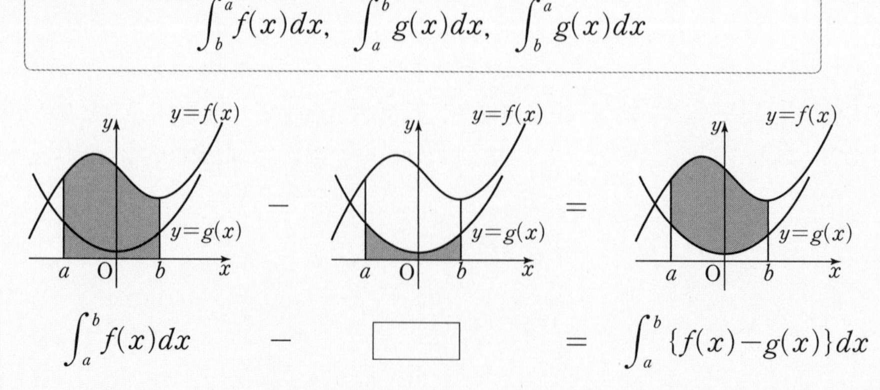

$$\int_a^b f(x)dx \quad - \quad \square \quad = \quad \int_a^b \{f(x)-g(x)\}dx$$

답 02 $\int_a^b g(x)dx$

개념 확인 | 정적분과 넓이

정답과 해설 59쪽

두 곡선 사이의 넓이

두 함수 $f(x)$, $g(x)$가 닫힌구간 $[a, b]$에서 연속일 때, 두 곡선 $y=f(x)$, $y=g(x)$와 두 직선 $x=a$, $x=b$로 둘러싸인 도형의 넓이 S는

$$\int_a^b |f(x)-g(x)|dx$$

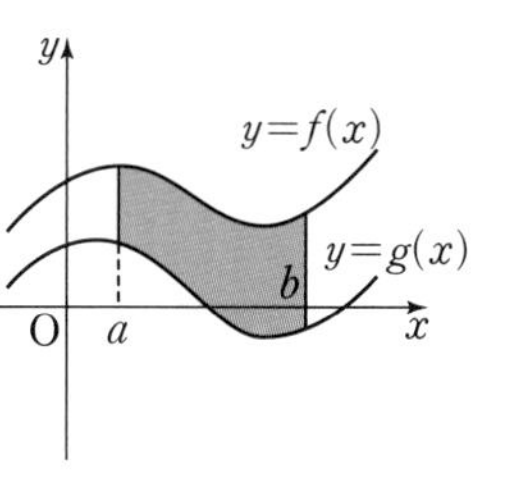

참고 두 곡선 $y=f(x)$, $y=g(x)$로 둘러싸인 도형의 넓이를 $\int_a^b$ {(위쪽 그래프의 식)−(아래쪽 그래프의 식)}으로 생각하면 편리하다. 이때 a, b는 두 곡선의 교점의 x좌표이다.

3-1 다음 곡선과 직선으로 둘러싸인 도형의 넓이를 구하시오.

(1) $y=x^2+1$, $y=-2x+4$

(2) $y=-x^2-x+3$, $y=x+3$

3-2 다음 곡선과 직선으로 둘러싸인 도형의 넓이를 구하시오.

(1) $y=x^2+2x$, $y=x+2$

(2) $y=2x^3+4x^2-2$, $y=2x+2$

4-1 다음 두 곡선으로 둘러싸인 도형의 넓이를 구하시오.

(1) $y=x^2+x$, $y=-x^2+3x$

(2) $y=2x^2-x$, $y=-x^2+2x+6$

4-2 다음 두 곡선으로 둘러싸인 도형의 넓이를 구하시오.

(1) $y=x^2-3$, $y=-2x^2$

(2) $y=x^3-2x$, $y=x^2$

5-1 곡선 $y=x^3$과 이 곡선 위의 점 $(1, 1)$에서의 접선으로 둘러싸인 도형의 넓이를 구하시오.

5-2 곡선 $y=x^3+x^2$과 이 곡선 위의 점 $(-1, 0)$에서의 접선으로 둘러싸인 도형의 넓이를 구하시오.

4일 기초 유형 | 정적분과 넓이

2018 9월 평가원 나형 26번

쌍둥이 교과서 문제

1-1

곡선 $y=6x^2-12x$와 x축으로 둘러싸인 부분의 넓이를 구하시오. [4점]

Tip 주어진 곡선과 x축의 교점의 x좌표를 구한다.

풀이

주어진 곡선과 x축의 교점의 x좌표는

$6x^2-12x=0$에서 $6x(x-2)=0$

$\therefore x=$ ☐ 또는 $x=2$

닫힌구간 $[0, 2]$에서 $6x^2-12x\leq0$

따라서 구하는 넓이는

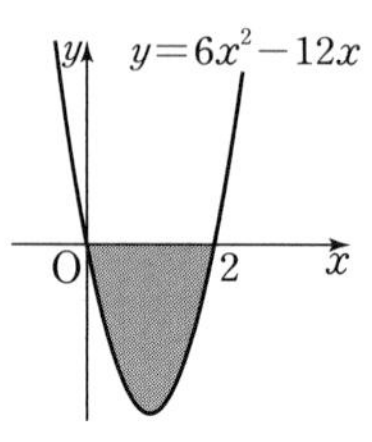

$\int_0^2|6x^2-12x|dx=\int_0^2(-6x^2+12x)dx$

$=\left[-2x^3+6x^2\right]_0^2=$ ☐

답 8

1-2

곡선 $y=-2x^2+ax$와 x축으로 둘러싸인 도형의 넓이가 9일 때, 양수 a의 값을 구하시오.

1-3

곡선 $y=2x^3$과 x축 및 두 직선 $x=-2$, $x=a$로 둘러싸인 도형의 넓이가 $\frac{17}{2}$일 때, 양수 a의 값을 구하시오.

2012 9월 평가원 나형 10번

2-1

곡선 $y=x^2-x+2$와 직선 $y=2$로 둘러싸인 부분의 넓이를 구하시오. [3점]

Tip 주어진 곡선과 직선의 교점의 x좌표를 구한다.

풀이

주어진 곡선과 직선의 교점의 x좌표는

$x^2-x+2=2$에서 $x^2-x=0$

$x(x-1)=0$ $\quad\therefore x=0$ 또는 $x=1$

닫힌구간 $[0, 1]$에서 2 ☐ x^2-x+2

따라서 구하는 넓이는

$\int_0^1\{2-(x^2-x+2)\}dx$

$=\int_0^1(-x^2+x)dx=\left[-\frac{1}{3}x^3+\frac{1}{☐}x^2\right]_0^1=\frac{1}{6}$

답 $\frac{1}{6}$

2-2

곡선 $y=x^2-4x+2$와 직선 $y=2$로 둘러싸인 도형의 넓이를 구하시오.

2014 9월
평가원 A형 13번

쌍둥이 교과서 문제

3-1

그림은 두 곡선 $y=x^2$, $y=\frac{1}{4}x^2$과 꼭짓점의 좌표가 O(0, 0), A(n, 0), B(n, n^2), C(0, n^2) (n은 자연수)인 직사각형 OABC를 나타낸 것이다. $n=4$일 때, 두 곡선 $y=x^2$, $y=\frac{1}{4}x^2$과 직선 AB로 둘러싸인 도형의 넓이를 구하시오. [3점]

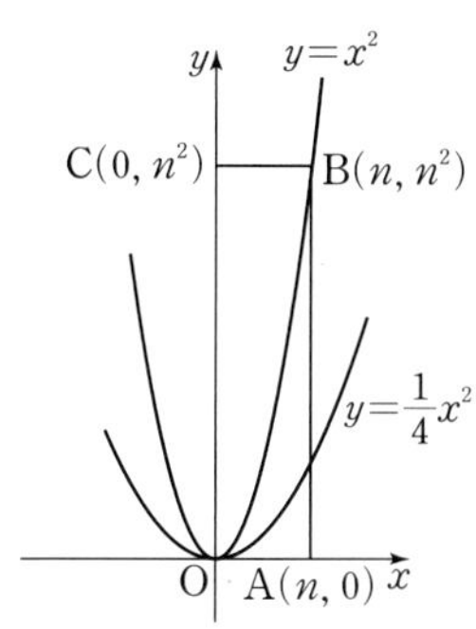

Tip 주어진 두 곡선과 직선의 교점의 x좌표를 각각 구하고 위치 관계를 파악한다.

풀이

$n=4$이므로 직선 AB의 방정식은 $x=$ ☐

따라서 두 곡선 $y=x^2$, $y=\frac{1}{4}x^2$과 직선 $x=$ ☐ 로 둘러싸인 부분의 넓이는

$$\int_0^4 \left(x^2-\frac{1}{4}x^2\right)dx=\int_0^4 \frac{3}{4}x^2dx$$

$$=\left[\frac{1}{4}x^3\right]_0^4= \square$$

답 16

3-2

곡선 $y=-x^2+5x$와 직선 $y=ax$로 둘러싸인 도형의 넓이가 $\frac{32}{3}$일 때, 상수 a의 값을 구하시오. (단, $0<a<5$)

3-3

두 곡선 $y=-x^2-x+a$, $y=x^2+bx$가 모두 점 (1, 4)를 지날 때, 이 두 곡선으로 둘러싸인 도형의 넓이를 구하시오.

3-4

두 곡선 $y=x^2$, $y=4x^2$과 직선 $y=4$로 둘러싸인 도형의 넓이를 구하시오.

4주

5일 핵심 개념 | 속도와 거리 (1)

레스토랑이 회전하기 시작한 지 t분 후의 속도를 $v(t)$라 하면 움직이기 시작한 후 x분 동안의 위치의 변화량은 $\int_0^x v(t)dt$이다. 이때 1시간 40분 동안 360도를 회전하는 레스토랑이므로 1시간 40분 후에는 원래 있던 위치로 돌아오게 된다.

따라서 $\int_0^{100} v(t)dt=0$이므로 위치의 변화량은 0이다.

개념 ① 위치와 위치의 변화량

[01~02] 수직선 위를 움직이는 점 P의 시각 t에서의 위치를 $f(t)$, 속도를 $v(t)$, 시각 $t=a$에서의 위치를 x_0이라 할 때, 다음 ☐ 안에 알맞은 것을 아래 보기에서 찾아 써넣으시오.

> **보기**
>
> $\int_a^t v(t)dt$, $\int_0^t v(t)dt$, $\int_a^b v(t)dt$

01 $v(t)=\dfrac{dx}{dt}=f'(t)$에서 $f(t)$는 $v(t)$의 한 부정적분이므로 $\int_a^t v(t)dt=f(t)-f(a)$이고, $f(a)=x_0$이므로 시각 t에서의 점 P의 위치 x는 $x=f(t)=f(a)+\int_a^t v(t)dt=x_0+$ ☐

02 시각 $t=a$에서 $t=b$까지 점 P의 위치의 변화량은 $f(b)-f(a)=$ ☐

답 01 $\int_a^t v(t)dt$ 02 $\int_a^b v(t)dt$

개념 확인 | 속도와 거리

정답과 해설 62쪽

위치와 위치의 변화량

수직선 위를 움직이는 점 P의 시각 t에서의 속도를 $v(t)$, 시각 $t=a$에서의 위치를 x_0이라 할 때

❶ 시각 t에서 점 P의 위치 x는 $x=x_0+\int_a^t v(t)dt$

❷ 시각 $t=a$에서 $t=b$까지 점 P의 위치의 변화량은 $\int_a^b v(t)dt$

참고 원점에서 출발하는 경우 점 P의 시각 t에서의 위치 x는 $x=\int_0^t v(t)dt$

1-1 원점을 출발하여 수직선 위를 움직이는 점 P의 시각 t에서의 속도가 $v(t)=t-2$일 때, 다음을 구하시오. (단, $t\geq 0$)

(1) $t=1$에서 점 P의 위치

(2) $t=2$에서 $t=3$까지 점 P의 위치의 변화량

2-1 좌표가 2인 점에서 출발하여 수직선 위를 움직이는 점 P의 시각 t에서의 속도가 $v(t)=t^2-1$일 때, 다음을 구하시오. (단, $t\geq 0$)

(1) $t=2$에서 점 P의 위치

(2) $t=1$에서 $t=3$까지 점 P의 위치의 변화량

3-1 원점을 출발하여 수직선 위를 움직이는 점 P의 t초 후의 속도가 $2t-6$일 때, 점 P가 원점으로 돌아오는 데 걸리는 시간을 구하시오. (단, $t\geq 0$)

1-2 원점을 출발하여 수직선 위를 움직이는 점 P의 시각 t에서의 속도가 $v(t)=5-2t$일 때, 다음을 구하시오. (단, $t\geq 0$)

(1) $t=2$에서 점 P의 위치

(2) $t=1$에서 $t=4$까지 점 P의 위치의 변화량

2-2 좌표가 5인 점에서 출발하여 수직선 위를 움직이는 점 P의 시각 t에서의 속도가 $v(t)=2t^2-4t$일 때, 다음을 구하시오. (단, $t\geq 0$)

(1) $t=3$에서 점 P의 위치

(2) $t=2$에서 $t=5$까지 점 P의 위치의 변화량

3-2 원점을 출발하여 수직선 위를 움직이는 점 P의 t초 후의 속도가 $9-3t^2$일 때, 점 P가 원점으로 돌아오는 데 걸리는 시간을 구하시오. (단, $t\geq 0$)

4주

5일 핵심 개념 | 속도와 거리 (2)

운전자가 브레이크를 밟은 후 자동차는 속력이 일정하게 감소하면서 멈추는데, 이때 이동한 거리를 제동 거리라 한다. 제동 거리가 길수록 사고 발생의 위험이 높아지므로 운전자는 앞차와 충분한 거리를 두고 운전해야 만일의 사고를 예방할 수 있다.

개념 ② 움직인 거리

03 수직선 위를 움직이는 점 P의 시각 t에서의 위치를 $f(t)$, 속도를 $v(t)$, 시각 $t=a$에서 $t=b$까지 점 P가 움직인 거리를 s라 할 때, 다음 ( ) 안에 주어진 것 중 옳은 것을 고르시오.

$v(t)$(≤, ≥)0인 경우	$v(t)$(≤, ≥)0인 경우	$v(t)\ge0$, $v(t)\le0$이 모두 있는 경우
$t=a$, $t=b$ / P / $f(a)$, $f(b)$	$t=b$, $t=a$ / P / $f(b)$, $f(a)$	$t=a$, $t=b$, $t=c$ / P / $f(a)$, $f(b)$, $f(c)$
$s=f(b)-f(a)=\int_a^b v(t)dt$ $=\int_a^b \lvert v(t)\rvert dt$	$s=f(a)-f(b)=\int_b^a v(t)dt$ $=\int_a^b \{-v(t)\}dt$ $=\int_a^b \lvert v(t)\rvert dt$	$s=\int_a^c v(t)dt+\int_c^b \{-v(t)\}dt$ $=\int_a^c \lvert v(t)\rvert dt+\int_c^b \lvert v(t)\rvert dt$ $=\int_a^b \lvert v(t)\rvert dt$

답 **03** ≥, ≤

개념 확인 | 속도와 거리

정답과 해설 63쪽

움직인 거리

수직선 위를 움직이는 점 P의 시각 t에서의 속도가 $v(t)$일 때, 시각 $t=a$에서 $t=b$까지 점 P가 움직인 거리 s는

$$s=\int_a^b |v(t)|dt$$

참고 위치의 변화량은 단순히 처음 위치에서 마지막 위치로 변화한 양을 나타내지만 움직인 거리는 양의 방향이든 음의 방향이든 움직인 거리의 총합을 의미한다.

4-1 원점을 출발하여 수직선 위를 움직이는 점 P의 시각 t에서의 속도와 주어진 시각 t의 범위가 다음과 같을 때, 점 P가 움직인 거리를 구하시오. (단, $t\geq 0$)

(1) $v(t)=1-t$, $t=0$에서 $t=3$까지

(2) $v(t)=t^2-2t-3$, $t=2$에서 $t=4$까지

4-2 원점을 출발하여 수직선 위를 움직이는 점 P의 시각 t에서의 속도와 주어진 시각 t의 범위가 다음과 같을 때, 점 P가 움직인 거리를 구하시오. (단, $t\geq 0$)

(1) $v(t)=t^2-4$, $t=1$에서 $t=3$까지

(2) $v(t)=2t-2t^2$, $t=0$에서 $t=2$까지

5-1 지면으로부터 3 m의 높이에서 30 m/s의 속도로 지면과 수직으로 던져 올린 물체의 t초 후의 속도가 $v(t)=30-10t$ (m/s)이다. 다음을 구하시오. (단, $0\leq t\leq 6$)

(1) 물체가 최고 높이에 도달하는 시각

(2) 물체가 최고 높이에 도달하였을 때 지면으로부터의 높이

(3) 물체를 던진 후 4초 동안 물체가 움직인 거리

5-2 지면으로부터 15 m의 높이에서 50 m/s의 속도로 지면과 수직으로 던져 올린 물체의 t초 후의 속도가 $v(t)=50-10t$ (m/s)이다. 다음을 구하시오. (단, $0\leq t\leq 10$)

(1) 물체가 최고 높이에 도달하는 시각

(2) 물체가 최고 높이에 도달하였을 때 지면으로부터의 높이

(3) 물체를 던진 후 7초 동안 물체가 움직인 거리

5일 기초 유형 | 속도와 거리

2021 6월
평가원 나형 15번

쌍둥이 교과서 문제

1-1

수직선 위를 움직이는 점 P의 시각 $t\,(t\ge 0)$에서의 속도 $v(t)$가 $v(t)=-4t+5$이다. 시각 $t=3$에서 점 P의 위치가 11일 때, 시각 $t=0$에서 점 P의 위치를 구하시오. [4점]

Tip 위치의 변화량을 이용하여 $t=0$에서 점 P의 위치를 구한다.

풀이

$t=0$에서의 위치를 x라 하면 $t=3$에서 점 P의 위치는

$$x+\int_0^3(-4t+5)dt=x+\Big[-2t^2+5t\Big]_0^3=x-\boxed{}$$

이때 $x-\boxed{}=11$이므로 $x=\boxed{}$

따라서 $t=0$에서 점 P의 위치는 14이다. 답 14

1-2

좌표가 2인 점에서 출발하여 수직선 위를 움직이는 점 P의 시각 $t\,(t\ge 0)$에서의 속도가 $v(t)=10-2t$일 때, 점 P가 움직이는 방향이 바뀔 때의 점 P의 위치를 구하시오.

움직이는 방향이 바뀔 때의 속도는 0이야.

2021 9월
평가원 나형 13번

2-1

수직선 위를 움직이는 점 P의 시각 $t\,(t\ge 0)$에서의 속도 $v(t)$가 $v(t)=t^2-at\,(a>0)$이다. 점 P가 시각 $t=0$일 때부터 움직이는 방향이 바뀔 때까지 움직인 거리가 $\frac{9}{2}$이다. 상수 a의 값을 구하시오. [3점]

Tip 속도가 0이 되는 시각을 구하여 움직인 거리를 구한다.

풀이

$v(t)=0$일 때 점 P가 움직이는 방향이 바뀌므로

$t^2-at=t(t-a)=0$에서 $t=0$ 또는 $t=a$

$0\le t\le a$일 때 $v(t)\le 0$

따라서 $t=0$에서 $t=a$까지 점 P가 움직인 거리는

$$\int_0^a|t^2-at|dt=\int_0^a(-t^2+at)dt=\Big[-\frac{1}{3}t^3+\frac{1}{2}at^2\Big]_0^a$$

$$=\frac{1}{\boxed{}}a^3$$

이때 $\frac{1}{\boxed{}}a^3=\frac{9}{2}$이므로 $a^3=\boxed{}$ $\quad\therefore a=3$ 답 3

2-2

직선 철로를 24 m/s의 속도로 달리는 열차에 제동을 걸었을 때, t초 후의 속도 $v(t)$ m/s가 $v(t)=24-2t$라 한다. 열차에 제동을 건 후 열차가 정지할 때까지 움직인 거리를 구하시오. (단, $0\le t\le 12$)

2-3

원점을 출발하여 수직선 위를 움직이는 점 P의 시각 $t\,(t\ge 0)$에서의 속도가 $v(t)=9-3t$일 때, 출발 후 처음으로 움직이는 방향이 바뀌어 다시 원점에 올 때까지 점 P가 움직인 거리를 구하시오.

2020 3월 실시
고3 교육청 가형 15번

3-1

원점을 출발하여 수직선 위를 움직이는 점 P의 시각 $t\ (t\geq 0)$에서의 속도 $v(t)$의 그래프가 그림과 같다.

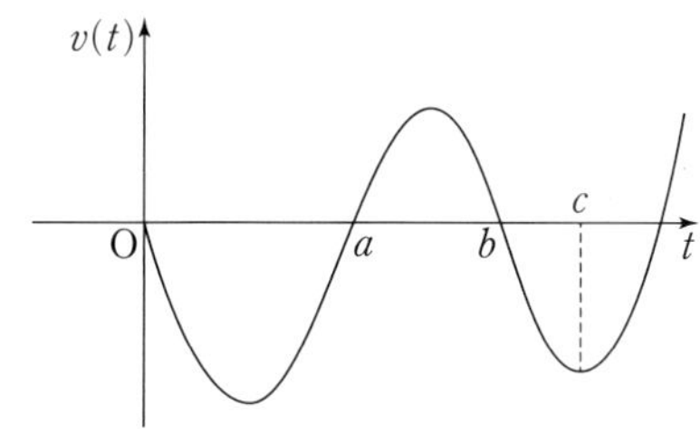

점 P가 출발한 후 처음으로 운동 방향을 바꿀 때의 위치는 -8이고 시각 $t=c$에서 점 P의 위치는 -6이다.
$\int_0^b v(t)dt=\int_b^c v(t)dt$일 때, 점 P가 $t=a$부터 $t=b$까지 움직인 거리를 구하시오. [4점]

Tip 움직인 거리는 속도 $v(t)$의 그래프와 t축으로 둘러싸인 도형의 넓이와 같다.

풀이

$\int_0^a |v(t)|dt=S_1$, $\int_a^b |v(t)|dt=S_2$, $\int_b^c |v(t)|dt=S_3$이라 하자.

점 P는 출발한 후 $t=a$에서 처음으로 운동 방향을 바꾸므로

$\int_0^a v(t)dt=-S_1=-8$에서 $S_1=$ ☐

또 $t=c$에서 점 P의 위치가 -6이므로

$\int_0^c v(t)dt=-8+S_2-S_3=-6$에서

$S_2-S_3=$ ☐ ……㉠

이때 $\int_0^b v(t)dt=\int_b^c v(t)dt$이므로

$-8+S_2=-S_3$, 즉 $S_2+S_3=8$ ……㉡

㉠, ㉡을 연립하여 풀면 $S_2=5$, $S_3=3$

따라서 점 P가 $t=a$부터 $t=b$까지 움직인 거리는

$\int_a^b |v(t)|dt=S_2=$ ☐

답 5

쌍둥이 교과서 문제

3-2

원점을 출발하여 수직선 위를 움직이는 점 P의 시각 $t\ (t\geq 0)$에서의 속도를 $v(t)$라 하면 $y=v(t)$의 그래프는 다음 그림과 같다. 시각 $t=0$에서 $t=4$까지 점 P가 움직인 거리를 구하시오.

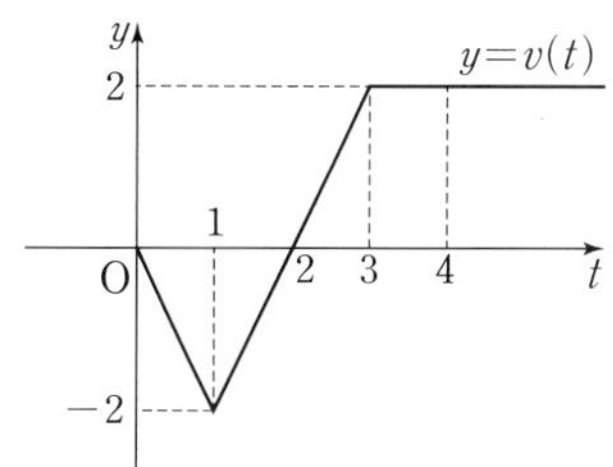

3-3

원점을 출발하여 수직선 위를 움직이는 점 P의 시각 t에서의 속도 $v(t)$를 나타내는 그래프가 다음 그림과 같다.

(단, $0\leq t\leq 5$)

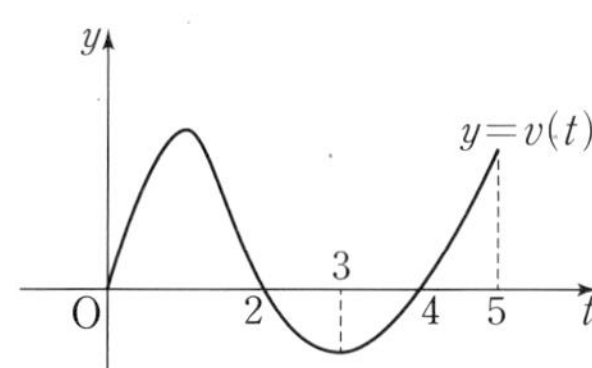

$\int_0^2 v(t)dt=\int_2^5 |v(t)|dt=4$이고 점 P의 시각 $t=3$에서의 위치가 3일 때, 시각 $t=3$에서 $t=5$까지 점 P가 움직인 거리를 구하시오.

4 주

누구나 100점 테스트

1

| 2017 수능 나형 9번 |

$\int_0^2 (6x^2-x)dx$의 값은?

① 15　② 14　③ 13　④ 12　⑤ 11

2

| 2016 11월 실시 고2 교육청 가형 25번 |

함수 $f(x)$가

$$f(x)=\frac{d}{dx}\int_1^x (t^3+2t+5)dt$$

일 때, $f'(2)$의 값을 구하시오.

3

| 2020 3월 실시 고3 교육청 가형 24번 |

$\int_1^3 (4x^3-6x+4)dx+\int_1^3 (6x-1)dx$의 값을 구하시오.

4

| 2016 11월 실시 고2 교육청 가형 11번 |

$\int_0^1 (4x-3)dx+\int_1^k (4x-3)dx=0$일 때, 양수 k의 값은?

① $\frac{3}{2}$　② 2　③ $\frac{5}{2}$　④ 3　⑤ $\frac{7}{2}$

a, b, c의 대소에 관계없이
$\int_a^b f(x)dx+\int_b^c f(x)dx$
$=\int_a^c f(x)dx$
임을 이용해 봐!

5

| 2019 10월 실시 고3 교육청 나형 6번 |

$\int_{-3}^3 (x^3+4x^2)dx+\int_3^{-3} (x^3+x^2)dx$의 값은?

① 36　② 42　③ 48　④ 54　⑤ 60

6

| 2013 7월 실시 고3 교육청 A형 12번 |

함수 $f(x)$가

$$f(x)=x^2-2x+\int_0^1 tf(t)dt$$

를 만족시킬 때, $f(3)$의 값은?

① $\frac{13}{6}$ ② $\frac{5}{2}$ ③ $\frac{17}{6}$

④ $\frac{19}{6}$ ⑤ $\frac{7}{2}$

7

| 2017 11월 실시 고2 교육청 가형 23번 |

다항함수 $f(x)$가 모든 실수 x에 대하여

$$\int_2^x f(t)dt=x^3+x-10$$

을 만족시킬 때, $f(10)$의 값을 구하시오.

8

| 2015 7월 실시 고3 평가원 A형 10번 |

함수 $f(x)=x^3-9x$의 그래프와 x축으로 둘러싸인 도형의 넓이는?

① $\frac{77}{2}$ ② 39 ③ $\frac{79}{2}$

④ 40 ⑤ $\frac{81}{2}$

9

| 2020 10월 실시 고3 교육청 나형 10번 |

양수 a에 대하여 곡선 $y=x^2$과 직선 $y=ax$로 둘러싸인 도형의 넓이는?

① $\frac{a^3}{12}$ ② $\frac{a^3}{8}$ ③ $\frac{a^3}{6}$

④ $\frac{a^3}{4}$ ⑤ $\frac{a^3}{3}$

10

| 2021 수능 나형 14번 |

수직선 위를 움직이는 점 P의 시각 $t\ (t\geq 0)$에서의 속도 $v(t)$가

$$v(t)=2t-6$$

이다. 점 P가 시각 $t=3$에서 $t=k\ (k>3)$까지 움직인 거리가 25일 때, 상수 k의 값은?

① 6 ② 7 ③ 8

④ 9 ⑤ 10

창의 • 융합 • 코딩

정답과 해설 66쪽

어느 공원에서 한 변의 길이가 $8\ \mathrm{m}$인 정사각형 모양의 땅에 다음 그림과 같은 모양으로 튤립과 잔디를 심어 정원을 꾸미려고 한다. 튤립을 심을 부분과 잔디를 심을 부분의 경계가 포물선의 일부일 때, 잔디를 심을 부분의 넓이를 구하시오.

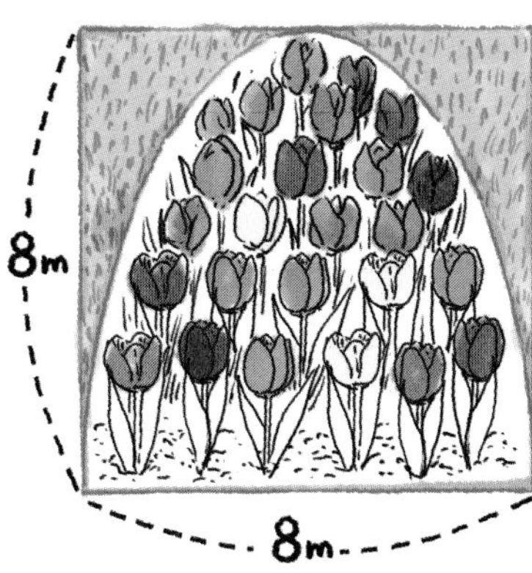

4
주

특강 창의·융합·코딩

1

2012 10월 실시 고3 교육청 나형 10번

다항함수의 정적분 ⊕ 삼차함수의 그래프

그림과 같이 삼차함수 $y=f(x)$가

❶ $f(-1)=f(1)=f(2)=0$, ❷ $f(0)=2$

를 만족시킬 때, ❸ $\int_0^2 f'(x)dx$의 값을 구하시오.

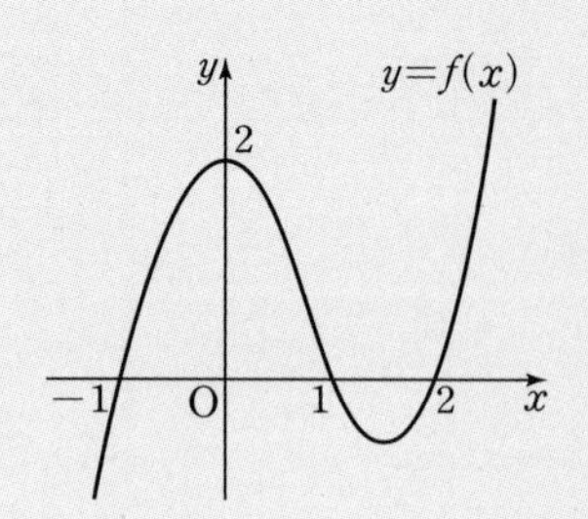

❶ **방정식 $f(x)=0$의 세 근이 $-1, 1, 2$임을 이용하여 식을 세운다.**

> **삼차함수의 그래프**
> 세 근 α, β, γ를 근으로 하고 x^3의 계수가 a (a는 상수)인 삼차방정식 $f(x)=0$에서
> $f(x)=a(x-\alpha)(x-\beta)(x-\gamma)$

삼차함수 $y=f(x)$가 $f(-1)=f(1)=f(2)=0$을 만족시키므로

$f(x)=a(x+1)(x-1)(x-2)$ $(a>0)$

❷ **주어진 조건을 이용하여 함수 $f(x)$를 구한다.**

이때 $f(0)=2$이므로

$2a=$ ☐ $\therefore a=$ ☐

$\therefore f(x)=(x+1)(x-1)(x-2)$

❸ **$\int_0^2 f'(x)dx$의 값을 구한다.**

$$\int_0^2 f'(x)dx=\Big[f(x)\Big]_0^2=\Big[(x+1)(x-1)(x-2)\Big]_0^2$$

$=0-2=$ ☐

답 -2

다른 풀이

$f(0)=2, f(2)=0$이므로

$$\int_0^2 f'(x)dx=\Big[f(x)\Big]_0^2=f(2)-f(0)=0-2=-2$$

정답과 해설 66쪽

2 2016 10월 실시 고3 교육청 나형 24번

다항함수의 정적분 + 평행이동

❶ 함수 $y=4x^3-12x^2$의 그래프를 y축의 방향으로 k만큼 평행이동한 그래프를 나타내는 함수를 $y=f(x)$라 하자.

❷ $\int_0^3 f(x)dx=0$을 만족시키는 상수 k의 값을 구하시오.

길잡이

❶ 그래프의 평행이동을 이용하여 함수 $f(x)$를 구한다.

❷ 주어진 등식을 만족시키는 상수 k의 값을 구한다.

3 2020 7월 실시 고3 교육청 나형 14번

여러 가지 함수의 정적분 + 함수의 극한

다항함수 $f(x)$가 다음 조건을 만족시킨다.

❶ (가) $\lim_{x \to \infty} \frac{f(x)+f(-x)}{x^2}=3$ (나) $f(0)=-1$

❷ $\int_{-3}^3 f(x)dx$의 값을 구하시오.

길잡이

❶ 주어진 조건을 이용하여 $f(x)+f(-x)$의 식을 구한다.

❷ $\int_{-3}^3 f(x)dx$의 값을 구한다.

4주

4 2015 10월 실시 고3 교육청 A형 14번

정적분으로 정의된 함수 + 함수의 극대, 극소

함수 $f(x)=x(x+2)(x+4)$에 대하여 ❶ 함수 $g(x)=\int_{2}^{x} f(t)dt$는 ❷ $x=\alpha$에서 극댓값을 갖는다. ❸ $g(\alpha)$의 값을 구하시오.

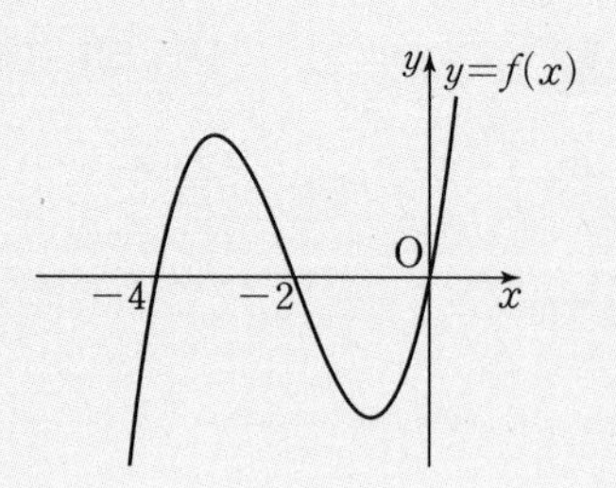

❶ **정적분으로 정의된 함수의 미분을 이용하여 $g'(x)$의 식을 구한다.**

> **정적분으로 정의된 함수의 미분**
> 닫힌구간 $[a, b]$에서 연속인 함수 $f(x)$에 대하여
> $\frac{d}{dx}\int_{a}^{x} f(t)dt=f(x)$, $\frac{d}{dx}\int_{x}^{x+a} f(t)dt=f(x+a)-f(x)$

$g(x)=\int_{2}^{x} f(t)dt$의 양변을 x에 대하여 미분하면 $g'(x)=f(x)$

$\therefore g'(x)=x(x+2)(x+4)$

❷ **함수 $y=g(x)$가 극댓값을 갖게 하는 α의 값을 구한다.**

> **함수의 극대, 극소**
> 함수 $f(x)$가 미분가능하고 $f'(a)=0$일 때, $x=a$의 좌우에서 $f'(x)$의 부호가
> ❶ 양(+)에서 음(−)으로 바뀌면 $f(x)$는 $x=a$에서 극대이고 극댓값 $f(a)$를 갖는다.
> ❷ 음(−)에서 양(+)으로 바뀌면 $f(x)$는 $x=a$에서 극소이고 극솟값 $f(a)$를 갖는다.

$g'(x)=0$, 즉 $x(x+2)(x+4)=0$에서

$x=-4$ 또는 $x=$ ☐ 또는 $x=0$

$g'(x)$의 부호를 조사하여 함수 $g(x)$의 증가와 감소를 표로 나타내면 오른쪽과 같다.

x	$\cdots$	-4	$\cdots$	-2	$\cdots$	0	$\cdots$
$g'(x)$	$-$	0	$+$	0	$-$	0	$+$
$g(x)$	↘	극소	↗	극대	↘	극소	↗

따라서 함수 $g(x)$는 $x=-2$에서 극댓값을 가지므로 $\alpha=$ ☐

❸ **$g(\alpha)$의 값을 구한다.**

$$\therefore g(-2)=\int_{2}^{-2} f(t)dt=-\int_{-2}^{2} t(t+2)(t+4)dt$$

$$=-\int_{-2}^{2} (t^3+6t^2+8t)dt=-2\int_{0}^{2} 6t^2dt$$

$$=-2\Big[2t^3\Big]_0^2=-2\times \square=-32$$

답 -32

정답과 해설 67쪽

5 2016 9월 평가원 A형 14번

정적분과 넓이 + 부정적분

❶ 함수 $f(x)$의 도함수 $f'(x)$가 $f'(x)=x^2-1$이다. ❷ $f(0)=0$일 때, ❸ 곡선 $y=f(x)$와 x축으로 둘러싸인 도형의 넓이를 구하시오.

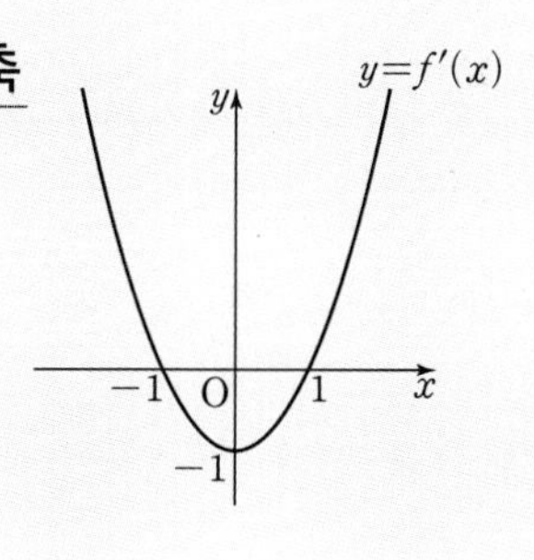

길잡이

❶ 부정적분을 이용하여 $f(x)$의 식을 적분상수 C로 나타낸다.
❷ $f(x)$의 식을 구하여 곡선 $y=f(x)$와 x축의 교점의 x좌표를 구한다.
❸ 곡선 $y=f(x)$와 x축으로 둘러싸인 도형의 넓이를 구한다.

4주

6 2020 3월 실시 고3 교육청 가형 10번

정적분과 넓이 + 이차방정식의 판별식

그림과 같이 ❶, ❷ 두 함수 $y=ax^2+2$와 $y=2|x|$의 그래프가 두 점 A, B에서 각각 접한다.
❸ 두 함수 $y=ax^2+2$와 $y=2|x|$의 그래프로 둘러싸인 도형의 넓이를 구하시오.
(단, a는 상수이다.)

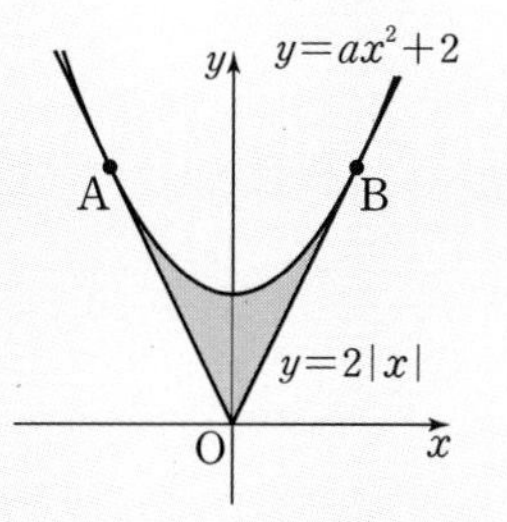

길잡이

❶ 이차방정식의 판별식을 이용하여 a의 값을 구한다.
❷ 두 함수의 그래프가 접하는 점의 x좌표를 구한다.
❸ 두 함수의 그래프로 둘러싸인 도형의 넓이를 구한다.

memo

memo

memo

시작은

하루 수능

정답과 해설

천재교육

정답과 해설
포인트 3가지

- 혼자서도 이해할 수 있는 친절한 문제 풀이
- 다양한 풀이 방법을 제시한 다른 풀이
- 깊이 있는 설명이 필요한 부분에는 참고로!

정답과 해설

1주 1일 함수의 극한

개념 확인

| 본문 11, 13쪽 |

1-1

(1) $\lim_{x\to 0-} f(x)=\mathbf{0}$

(2) $\lim_{x\to 0+} f(x)=\mathbf{1}$

(3) $\lim_{x\to 0-} f(x)\neq \lim_{x\to 0+} f(x)$이므로 극한 $\lim_{x\to 0} f(x)$는 **존재하지 않는다.**

(4) $\lim_{x\to 1-} f(x)=\mathbf{2}$

(5) $\lim_{x\to 1+} f(x)=\mathbf{2}$

(6) $\lim_{x\to 1-} f(x)=\lim_{x\to 1+} f(x)=2$이므로 $\lim_{x\to 1} f(x)=\mathbf{2}$

참고

$f(x)=\begin{cases} -x & (x<1) \\ x+1 & (x\geq 1) \end{cases}$일 때, 함수 $y=f(x)$의 그래프가 오른쪽 그림과 같으므로

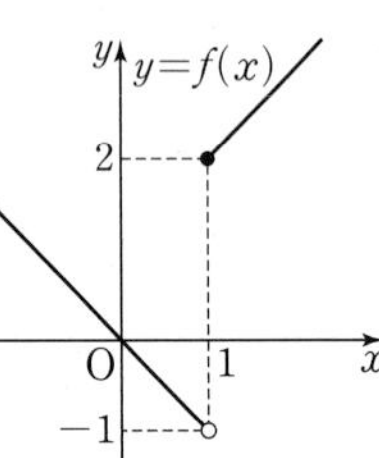

(1) $\lim_{x\to 1-} f(x)=-1$

(2) $\lim_{x\to 1+} f(x)=2$

1-2

(1) $\lim_{x\to -1-} f(x)=\mathbf{1}$

(2) $\lim_{x\to -1+} f(x)=\mathbf{2}$

(3) $\lim_{x\to -1-} f(x)\neq \lim_{x\to -1+} f(x)$이므로 극한 $\lim_{x\to -1} f(x)$는 **존재하지 않는다.**

(4) $\lim_{x\to 1-} f(x)=\mathbf{0}$

(5) $\lim_{x\to 1+} f(x)=\mathbf{0}$

(6) $\lim_{x\to 1-} f(x)=\lim_{x\to 1+} f(x)=0$이므로 $\lim_{x\to 1} f(x)=\mathbf{0}$

2-1

함수 $y=f(x)$의 그래프는 오른쪽 그림과 같으므로

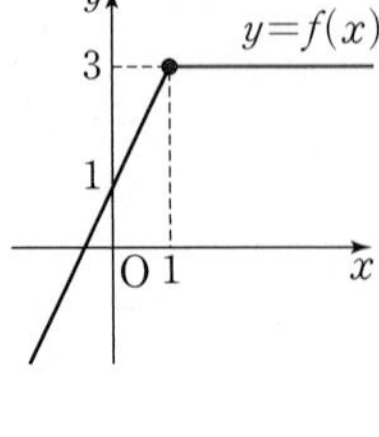

$\lim_{x\to 1-} f(x)=3$

$\lim_{x\to 1+} f(x)=k$

$\lim_{x\to 1} f(x)$의 값이 존재하려면

$\lim_{x\to 1-} f(x)=\lim_{x\to 1+} f(x)$이어야 하므로

$k=\mathbf{3}$

2-2

함수 $y=f(x)$의 그래프는 오른쪽 그림과 같으므로

$\lim_{x\to 0-} f(x)=k$

$\lim_{x\to 0+} f(x)=1$

$\lim_{x\to 0} f(x)$의 값이 존재하려면

$\lim_{x\to 0-} f(x)=\lim_{x\to 0+} f(x)$이어야 하므로

$k=\mathbf{1}$

3-1

(1) $\lim_{x\to 1}\{3f(x)+4g(x)\}=3\lim_{x\to 1} f(x)+4\lim_{x\to 1} g(x)$
$=3\times 4+4\times 3=\mathbf{24}$

(2) $\lim_{x\to 1}\dfrac{\{f(x)\}^2-2}{g(x)+4}=\dfrac{\lim_{x\to 1} f(x)\lim_{x\to 1} f(x)-\lim_{x\to 1} 2}{\lim_{x\to 1} g(x)+\lim_{x\to 1} 4}$
$=\dfrac{4\times 4-2}{3+4}=\mathbf{2}$

3-2

(1) $\lim_{x\to 0}\{2f(x)-3g(x)\}=2\lim_{x\to 0} f(x)-3\lim_{x\to 0} g(x)$
$=2\times 2-3\times(-1)=\mathbf{7}$

(2) $\lim_{x\to 0}\dfrac{3f(x)g(x)}{f(x)+g(x)}=\dfrac{3\lim_{x\to 0} f(x)\lim_{x\to 0} g(x)}{\lim_{x\to 0} f(x)+\lim_{x\to 0} g(x)}$
$=\dfrac{3\times 2\times(-1)}{2+(-1)}=\mathbf{-6}$

4-1

(1) $\lim_{x\to 1}(4x+5)=4\lim_{x\to 1} x+\lim_{x\to 1} 5=4\times 1+5=\mathbf{9}$

(2) $\lim_{x\to -3}(x+1)(2x-1)$
$=(\lim_{x\to -3} x+\lim_{x\to -3} 1)(2\lim_{x\to -3} x-\lim_{x\to -3} 1)$
$=(-3+1)\{2\times(-3)-1\}=\mathbf{14}$

(3) $\lim_{x\to 3}\dfrac{x+1}{2x-3}=\dfrac{\lim_{x\to 3} x+\lim_{x\to 3} 1}{2\lim_{x\to 3} x-\lim_{x\to 3} 3}$
$=\dfrac{3+1}{2\times 3-3}=\mathbf{\dfrac{4}{3}}$

(4) $\lim_{x\to 2}\dfrac{\sqrt{2+x}-\sqrt{2-x}}{x}=\dfrac{\lim_{x\to 2}\sqrt{2+x}-\lim_{x\to 2}\sqrt{2-x}}{\lim_{x\to 2} x}$
$=\dfrac{2-0}{2}=\mathbf{1}$

4-2

(1) $\lim_{x\to -1}(x^2-5x+4)$
$=\lim_{x\to -1} x\lim_{x\to -1} x-5\lim_{x\to -1} x+\lim_{x\to -1} 4$
$=(-1)\times(-1)-5\times(-1)+4=\mathbf{10}$

(2) $\lim_{x\to2}(x+2)(x^2-3)$

$=(\lim_{x\to2}x+\lim_{x\to2}2)(\lim_{x\to2}x\lim_{x\to2}x-\lim_{x\to2}3)$

$=(2+2)(2\times2-3)=\mathbf{4}$

(3) $\lim_{x\to-2}\frac{x^2+x}{x-1}=\frac{\lim_{x\to-2}x\lim_{x\to-2}x+\lim_{x\to-2}x}{\lim_{x\to-2}x-\lim_{x\to-2}1}$

$=\frac{-2\times(-2)+(-2)}{(-2)-1}=-\mathbf{\frac{2}{3}}$

(4) $\lim_{x\to0}\frac{\sqrt{x+5}}{x^2+2}=\frac{\lim_{x\to0}\sqrt{x+5}}{\lim_{x\to0}x\lim_{x\to0}x+\lim_{x\to0}2}$

$=\frac{\sqrt{5}}{0+2}=\mathbf{\frac{\sqrt{5}}{2}}$

기초 유형

| 본문 14, 15쪽 |

1-1 **0, 2, −2**

1-2

$\lim_{x\to0+}f(x)=0,\ \lim_{x\to1-}f(x)=1,\ f(1)=2$이므로

$\lim_{x\to0+}f(x)+\lim_{x\to1-}f(x)+f(1)=\mathbf{3}$

1-3

$f(x)=\frac{x^2-1}{|x+1|}=\frac{(x+1)(x-1)}{|x+1|}$

$=\begin{cases}-x+1 & (x<-1)\\ x-1 & (x>-1)\end{cases}$

이고 함수 $y=f(x)$의 그래프는 오른쪽 그림과 같으므로

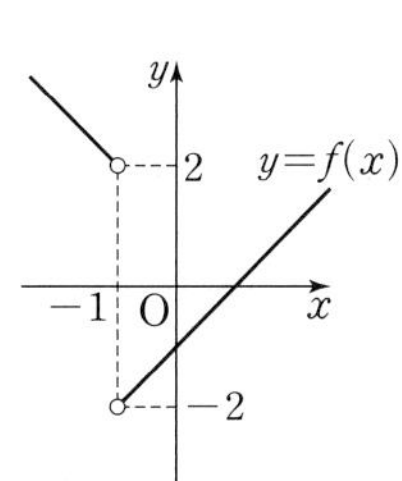

$\lim_{x\to-1-}f(x)=2$

$\lim_{x\to-1+}f(x)=-2$

따라서 $a=2,\ b=-2$이므로 $a-b=\mathbf{4}$

2-1 **1, 1, 5**

2-2

$\lim_{x\to0}(2x^2-1)(x+5)$

$=(2\lim_{x\to0}x\lim_{x\to0}x-\lim_{x\to0}1)(\lim_{x\to0}x+\lim_{x\to0}5)$

$=(2\times0\times0-1)(0+5)$

$=\mathbf{-5}$

3-1 **3, 3, 3, 30**

3-2

$\lim_{x\to0}\frac{f(x)+x}{f(x)-x}=\lim_{x\to0}\frac{\frac{f(x)}{x}+1}{\frac{f(x)}{x}-1}$

$=\frac{\lim_{x\to0}\frac{f(x)}{x}+\lim_{x\to0}1}{\lim_{x\to0}\frac{f(x)}{x}-\lim_{x\to0}1}$

$=\frac{2+1}{2-1}=\mathbf{3}$

4-1 **8, 8, 6**

4-2

$2f(x)-5g(x)=h(x)$라 하면 $\lim_{x\to1}h(x)=17$이고

$g(x)=\frac{2f(x)-h(x)}{5}$

$\therefore\ \lim_{x\to1}g(x)=\lim_{x\to1}\frac{2f(x)-h(x)}{5}$

$=\frac{1}{5}\{2\lim_{x\to1}f(x)-\lim_{x\to1}h(x)\}$

$=\frac{1}{5}(2\times6-17)=\mathbf{-1}$

4-3

$2f(x)-g(x)=h(x)$라 하면 $\lim_{x\to\infty}h(x)=3$이고

$g(x)=2f(x)-h(x)$

$\therefore\ \lim_{x\to\infty}\frac{3f(x)+g(x)}{f(x)-2g(x)}=\lim_{x\to\infty}\frac{3f(x)+2f(x)-h(x)}{f(x)-2\{2f(x)-h(x)\}}$

$=\lim_{x\to\infty}\frac{5f(x)-h(x)}{-3f(x)+2h(x)}$

$=\lim_{x\to\infty}\frac{5-\frac{h(x)}{f(x)}}{-3+2\times\frac{h(x)}{f(x)}}$

$=-\mathbf{\frac{5}{3}}\left(\because\ \lim_{x\to\infty}\frac{h(x)}{f(x)}=0\right)$

다른 풀이

$\lim_{x\to\infty}f(x)=\infty,\ \lim_{x\to\infty}\{2f(x)-g(x)\}=3$이므로

$\lim_{x\to\infty}\frac{2f(x)-g(x)}{f(x)}=0$

즉, $\lim_{x\to\infty}\left\{2-\frac{g(x)}{f(x)}\right\}=0$이므로 $\lim_{x\to\infty}\frac{g(x)}{f(x)}=2$

$\therefore\ \lim_{x\to\infty}\frac{3f(x)+g(x)}{f(x)-2g(x)}=\lim_{x\to\infty}\frac{3+\frac{g(x)}{f(x)}}{1-2\times\frac{g(x)}{f(x)}}$

$=\frac{3+2}{1-2\times2}=-\frac{5}{3}$

1주 2일 함수의 극한값의 계산

개념 확인

| 본문 17, 19쪽 |

1-1

(1) $\lim_{x \to 3} \frac{(x+1)(x-3)}{x-3} = \lim_{x \to 3}(x+1) = \mathbf{4}$

(2) $\lim_{x \to 2} \frac{x^2+x-6}{x-2} = \lim_{x \to 2} \frac{(x+3)(x-2)}{x-2}$

$= \lim_{x \to 2}(x+3) = \mathbf{5}$

(3) $\lim_{x \to -1} \frac{x+1}{x^3+1} = \lim_{x \to -1} \frac{x+1}{(x+1)(x^2-x+1)}$

$= \lim_{x \to -1} \frac{1}{x^2-x+1} = \mathbf{\frac{1}{3}}$

1-2

(1) $\lim_{x \to 0} \frac{x^3+3x}{x} = \lim_{x \to 0} \frac{x(x^2+3)}{x}$

$= \lim_{x \to 0}(x^2+3) = \mathbf{3}$

(2) $\lim_{x \to -3} \frac{x^2+4x+3}{x^2+5x+6} = \lim_{x \to -3} \frac{(x+1)(x+3)}{(x+2)(x+3)}$

$= \lim_{x \to -3} \frac{x+1}{x+2} = \mathbf{2}$

(3) $\lim_{x \to 1} \frac{x^3+x-2}{x^2-1} = \lim_{x \to 1} \frac{(x-1)(x^2+x+2)}{(x+1)(x-1)}$

$= \lim_{x \to 1} \frac{x^2+x+2}{x+1} = \mathbf{2}$

2-1

(1) $\lim_{x \to 0} \frac{3-\sqrt{9-x}}{x} = \lim_{x \to 0} \frac{(3-\sqrt{9-x})(3+\sqrt{9-x})}{x(3+\sqrt{9-x})}$

$= \lim_{x \to 0} \frac{9-(9-x)}{x(3+\sqrt{9-x})}$

$= \lim_{x \to 0} \frac{x}{x(3+\sqrt{9-x})}$

$= \lim_{x \to 0} \frac{1}{3+\sqrt{9-x}}$

$= \frac{1}{3+3} = \mathbf{\frac{1}{6}}$

(2) $\lim_{x \to 2} \frac{\sqrt{x+7}-3}{x^2-4} = \lim_{x \to 2} \frac{(\sqrt{x+7}-3)(\sqrt{x+7}+3)}{(x+2)(x-2)(\sqrt{x+7}+3)}$

$= \lim_{x \to 2} \frac{x-2}{(x+2)(x-2)(\sqrt{x+7}+3)}$

$= \lim_{x \to 2} \frac{1}{(x+2)(\sqrt{x+7}+3)}$

$= \frac{1}{4(3+3)} = \mathbf{\frac{1}{24}}$

(3) $\lim_{x \to 0} \frac{x}{\sqrt{4+x}-\sqrt{4-x}}$

$= \lim_{x \to 0} \frac{x(\sqrt{4+x}+\sqrt{4-x})}{(\sqrt{4+x}-\sqrt{4-x})(\sqrt{4+x}+\sqrt{4-x})}$

$= \lim_{x \to 0} \frac{x(\sqrt{4+x}+\sqrt{4-x})}{2x}$

$= \lim_{x \to 0} \frac{\sqrt{4+x}+\sqrt{4-x}}{2}$

$= \frac{2+2}{2} = \mathbf{2}$

2-2

(1) $\lim_{x \to 1} \frac{\sqrt{x+3}-2}{x-1} = \lim_{x \to 1} \frac{(\sqrt{x+3}-2)(\sqrt{x+3}+2)}{(x-1)(\sqrt{x+3}+2)}$

$= \lim_{x \to 1} \frac{x-1}{(x-1)(\sqrt{x+3}+2)}$

$= \lim_{x \to 1} \frac{1}{\sqrt{x+3}+2}$

$= \frac{1}{2+2} = \mathbf{\frac{1}{4}}$

(2) $\lim_{x \to -1} \frac{\sqrt{x^2+3}-2}{x+1} = \lim_{x \to -1} \frac{(\sqrt{x^2+3}-2)(\sqrt{x^2+3}+2)}{(x+1)(\sqrt{x^2+3}+2)}$

$= \lim_{x \to -1} \frac{x^2-1}{(x+1)(\sqrt{x^2+3}+2)}$

$= \lim_{x \to -1} \frac{(x+1)(x-1)}{(x+1)(\sqrt{x^2+3}+2)}$

$= \lim_{x \to -1} \frac{x-1}{\sqrt{x^2+3}+2}$

$= \frac{-2}{2+2} = \mathbf{-\frac{1}{2}}$

(3) $\lim_{x \to 3} \frac{x-\sqrt{2x+3}}{\sqrt{x+1}-2}$

$= \lim_{x \to 3} \frac{(x-\sqrt{2x+3})(x+\sqrt{2x+3})(\sqrt{x+1}+2)}{(\sqrt{x+1}-2)(\sqrt{x+1}+2)(x+\sqrt{2x+3})}$

$= \lim_{x \to 3} \frac{(x^2-2x-3)(\sqrt{x+1}+2)}{(x-3)(x+\sqrt{2x+3})}$

$= \lim_{x \to 3} \frac{(x+1)(x-3)(\sqrt{x+1}+2)}{(x-3)(x+\sqrt{2x+3})}$

$= \lim_{x \to 3} \frac{(x+1)(\sqrt{x+1}+2)}{x+\sqrt{2x+3}}$

$= \frac{4(2+2)}{3+3} = \mathbf{\frac{8}{3}}$

3-1

(1) $\lim_{x \to \infty} \frac{x^2-4}{x^3+2x^2+1} = \lim_{x \to \infty} \frac{\frac{1}{x}-\frac{4}{x^3}}{1+\frac{2}{x}+\frac{1}{x^3}} = \mathbf{0}$

(2) $\lim_{x \to \infty} \frac{4x-1}{3x+5} = \lim_{x \to \infty} \frac{4-\frac{1}{x}}{3+\frac{5}{x}} = \mathbf{\frac{4}{3}}$

(3) $\lim_{x\to\infty}\frac{\sqrt{x^2+3}}{2x}=\lim_{x\to\infty}\frac{\sqrt{1+\frac{3}{x^2}}}{2}=\mathbf{\frac{1}{2}}$

(4) $\lim_{x\to\infty}(x-\sqrt{x^2-1})$

$=\lim_{x\to\infty}\frac{(x-\sqrt{x^2-1})(x+\sqrt{x^2-1})}{x+\sqrt{x^2-1}}$

$=\lim_{x\to\infty}\frac{1}{x+\sqrt{x^2-1}}$

$=\lim_{x\to\infty}\frac{\frac{1}{x}}{1+\sqrt{1-\frac{1}{x^2}}}$

$=\mathbf{0}$

3-2

(1) $\lim_{x\to\infty}\frac{\sqrt{x+3}}{x-3}=\lim_{x\to\infty}\frac{\sqrt{\frac{1}{x}+\frac{3}{x^2}}}{1-\frac{3}{x}}=\mathbf{0}$

(2) $\lim_{x\to\infty}\frac{x(2x+7)}{x^2+1}=\lim_{x\to\infty}\frac{2x^2+7x}{x^2+1}=\lim_{x\to\infty}\frac{2+\frac{7}{x}}{1+\frac{1}{x^2}}=\mathbf{2}$

(3) $\lim_{x\to\infty}\frac{3x}{\sqrt{x^2+4}-5}=\lim_{x\to\infty}\frac{3}{\sqrt{1+\frac{4}{x^2}}-\frac{5}{x}}=\mathbf{3}$

(4) $\lim_{x\to\infty}(\sqrt{x^2+5x}-\sqrt{x^2-5x})$

$=\lim_{x\to\infty}\frac{(\sqrt{x^2+5x}-\sqrt{x^2-5x})(\sqrt{x^2+5x}+\sqrt{x^2-5x})}{\sqrt{x^2+5x}+\sqrt{x^2-5x}}$

$=\lim_{x\to\infty}\frac{10x}{\sqrt{x^2+5x}+\sqrt{x^2-5x}}$

$=\lim_{x\to\infty}\frac{10}{\sqrt{1+\frac{5}{x}}+\sqrt{1-\frac{5}{x}}}$

$=\mathbf{5}$

4-1

$\lim_{x\to0}\frac{1}{x}\left(\frac{1}{x+3}-\frac{1}{3}\right)=\lim_{x\to0}\left\{\frac{1}{x}\times\frac{-x}{3(x+3)}\right\}$

$=\lim_{x\to0}\frac{-1}{3(x+3)}$

$=\mathbf{-\frac{1}{9}}$

4-2

$\lim_{x\to2}\frac{1}{x-2}\left(\frac{1}{x+4}-\frac{1}{6}\right)=\lim_{x\to2}\left\{\frac{1}{x-2}\times\frac{2-x}{6(x+4)}\right\}$

$=\lim_{x\to2}\frac{-1}{6(x+4)}$

$=\mathbf{-\frac{1}{36}}$

기초 유형

| 본문 20, 21쪽 |

1-1 **4, 6**

1-2

$\lim_{x\to3}\frac{2x^2-3x-9}{x^2-9}=\lim_{x\to3}\frac{(2x+3)(x-3)}{(x+3)(x-3)}$

$=\lim_{x\to3}\frac{2x+3}{x+3}$

$=\mathbf{\frac{3}{2}}$

2-1 **2, 2, 4, 20**

2-2

$\lim_{x\to-1}\frac{1-\sqrt{x+2}}{x+1}=\lim_{x\to-1}\frac{(1-\sqrt{x+2})(1+\sqrt{x+2})}{(x+1)(1+\sqrt{x+2})}$

$=\lim_{x\to-1}\frac{-(x+1)}{(x+1)(1+\sqrt{x+2})}$

$=\lim_{x\to-1}\frac{-1}{1+\sqrt{x+2}}$

$=\mathbf{-\frac{1}{2}}$

2-3

$\lim_{x\to-8}\frac{x+8}{\sqrt[3]{x}+2}=\lim_{x\to-8}\frac{(x+8)(\sqrt[3]{x^2}-2\sqrt[3]{x}+4)}{(\sqrt[3]{x}+2)(\sqrt[3]{x^2}-2\sqrt[3]{x}+4)}$

$=\lim_{x\to-8}\frac{(x+8)(\sqrt[3]{x^2}-2\sqrt[3]{x}+4)}{x+8}$

$=\lim_{x\to-8}(\sqrt[3]{x^2}-2\sqrt[3]{x}+4)$

$=4-2\times(-2)+4$

$=\mathbf{12}$

다른 풀이

$\lim_{x\to-8}\frac{x+8}{\sqrt[3]{x}+2}=\lim_{x\to-8}\frac{(\sqrt[3]{x}+2)(\sqrt[3]{x^2}-2\sqrt[3]{x}+4)}{\sqrt[3]{x}+2}$

$=\lim_{x\to-8}(\sqrt[3]{x^2}-2\sqrt[3]{x}+4)$

$=4-2\times(-2)+4=12$

3-1 **1, 2**

3-2

$-x=t$로 치환하면 $x\to-\infty$일 때 $t\to\infty$이므로

$\lim_{x\to-\infty}\frac{\sqrt{x^2+x}-3}{x-2}=\lim_{t\to\infty}\frac{\sqrt{t^2-t}-3}{-t-2}$

$=\lim_{t\to\infty}\frac{\sqrt{1-\frac{1}{t}}-\frac{3}{t}}{-1-\frac{2}{t}}$

$=\mathbf{-1}$

4-1 **2, 1**

4-2

$$\lim_{x\to\infty}\frac{2ax}{\sqrt{x^2+ax}+\sqrt{x^2-ax}}=\lim_{x\to\infty}\frac{2a}{\sqrt{1+\frac{a}{x}}+\sqrt{1-\frac{a}{x}}}=a$$

이므로 $a=\mathbf{5}$

4-3

$$\lim_{x\to a}\frac{x^3-a^3}{x^2-a^2}=\lim_{x\to a}\frac{(x-a)(x^2+ax+a^2)}{(x+a)(x-a)}$$

$$=\lim_{x\to a}\frac{x^2+ax+a^2}{x+a}=\frac{3}{2}a$$

이므로 $\frac{3}{2}a=6 \quad \therefore a=4$

$$\lim_{x\to\infty}(\sqrt{x^2+ax}-\sqrt{x^2+bx})$$

$$=\lim_{x\to\infty}(\sqrt{x^2+4x}-\sqrt{x^2+bx})$$

$$=\lim_{x\to\infty}\frac{(\sqrt{x^2+4x}-\sqrt{x^2+bx})(\sqrt{x^2+4x}+\sqrt{x^2+bx})}{\sqrt{x^2+4x}+\sqrt{x^2+bx}}$$

$$=\lim_{x\to\infty}\frac{(4-b)x}{\sqrt{x^2+4x}+\sqrt{x^2+bx}}$$

$$=\lim_{x\to\infty}\frac{4-b}{\sqrt{1+\frac{4}{x}}+\sqrt{1+\frac{b}{x}}}$$

$$=\frac{4-b}{2}$$

이므로 $\frac{4-b}{2}=5 \quad \therefore b=-6$

$\therefore a+b=\mathbf{-2}$

1주 3일 함수의 극한의 활용

개념 확인

| 본문 23, 25쪽 |

1-1

(1) $\lim_{x\to1}\frac{x^2+ax+b}{x-1}=6$이고 $\lim_{x\to1}(x-1)=0$이므로

$\lim_{x\to1}(x^2+ax+b)=0$

즉, $1+a+b=0$이므로 $\mathbf{b=-a-1}$

(2) $b=-a-1$을 주어진 식의 좌변에 대입하면

$$\lim_{x\to1}\frac{x^2+ax-a-1}{x-1}=\lim_{x\to1}\frac{(x-1)(x+a+1)}{x-1}$$

$$=\lim_{x\to1}(x+a+1)$$

$$=\mathbf{a+2}$$

(3) $a+2=6$이므로 $\mathbf{a=4}$

$a=4$를 $b=-a-1$에 대입하면

$\mathbf{b}=-4-1=\mathbf{-5}$

1-2

(1) $\lim_{x\to2}\frac{\sqrt{x+a}+b}{x-2}=\frac{1}{4}$이고 $\lim_{x\to2}(x-2)=0$이므로

$\lim_{x\to2}(\sqrt{x+a}+b)=0$

즉, $\sqrt{2+a}+b=0$이므로 $\mathbf{b=-\sqrt{2+a}}$

(2) $b=-\sqrt{2+a}$를 주어진 식의 좌변에 대입하면

$$\lim_{x\to2}\frac{\sqrt{x+a}-\sqrt{2+a}}{x-2}$$

$$=\lim_{x\to2}\frac{(\sqrt{x+a}-\sqrt{2+a})(\sqrt{x+a}+\sqrt{2+a})}{(x-2)(\sqrt{x+a}+\sqrt{2+a})}$$

$$=\lim_{x\to2}\frac{x-2}{(x-2)(\sqrt{x+a}+\sqrt{2+a})}$$

$$=\lim_{x\to2}\frac{1}{\sqrt{x+a}+\sqrt{2+a}}$$

$$=\mathbf{\frac{1}{2\sqrt{2+a}}}$$

(3) $\frac{1}{2\sqrt{2+a}}=\frac{1}{4}$이므로

$\sqrt{2+a}=2,\ 2+a=4 \quad \therefore \mathbf{a=2}$

$a=2$를 $b=-\sqrt{2+a}$에 대입하면

$\mathbf{b}=-\sqrt{2+2}=\mathbf{-2}$

2-1

(1) $\lim_{x\to-2}\frac{x^2+ax-6}{x+2}=b$이고 $\lim_{x\to-2}(x+2)=0$이므로

$\lim_{x\to-2}(x^2+ax-6)=0$

즉, $4-2a-6=0$이므로 $\mathbf{a=-1}$

$a=-1$을 주어진 식의 좌변에 대입하면

$$\lim_{x\to-2}\frac{x^2-x-6}{x+2}=\lim_{x\to-2}\frac{(x+2)(x-3)}{x+2}$$

$$=\lim_{x\to-2}(x-3)=b$$

$\therefore \mathbf{b=-5}$

(2) $\lim_{x\to3}\frac{ax+b}{x-3}=5$이고 $\lim_{x\to3}(x-3)=0$이므로

$\lim_{x\to3}(ax+b)=0$

즉, $3a+b=0$이므로 $b=-3a$

$b=-3a$를 주어진 식의 좌변에 대입하면

$\lim_{x\to3}\frac{ax-3a}{x-3}=\lim_{x\to3}\frac{a(x-3)}{x-3}=a \quad \therefore \mathbf{a=5}$

$a=5$를 $b=-3a$에 대입하면 $\mathbf{b=-15}$

(3) $\lim_{x\to1}\frac{2x^2+ax+b}{x-1}=2$이고 $\lim_{x\to1}(x-1)=0$이므로

$\lim_{x\to1}(2x^2+ax+b)=0$

즉, $2+a+b=0$이므로 $b=-a-2$

$b=-a-2$를 주어진 식의 좌변에 대입하면

$$\lim_{x\to1}\frac{2x^2+ax-a-2}{x-1}=\lim_{x\to1}\frac{(x-1)(2x+a+2)}{x-1}$$
$$=\lim_{x\to1}(2x+a+2)$$
$$=a+4$$

이때 $a+4=2$이므로 $\boldsymbol{a=-2}$

$a=-2$를 $b=-a-2$에 대입하면 $\boldsymbol{b=0}$

2-2

(1) $\lim_{x\to1}\frac{\sqrt{x+8}-a}{x-1}=\frac{1}{b}$이고 $\lim_{x\to1}(x-1)=0$이므로

$\lim_{x\to1}(\sqrt{x+8}-a)=0$

즉, $3-a=0$이므로 $\boldsymbol{a=3}$

$a=3$을 주어진 식의 좌변에 대입하면

$$\lim_{x\to1}\frac{\sqrt{x+8}-3}{x-1}=\lim_{x\to1}\frac{(\sqrt{x+8}-3)(\sqrt{x+8}+3)}{(x-1)(\sqrt{x+8}+3)}$$
$$=\lim_{x\to1}\frac{x-1}{(x-1)(\sqrt{x+8}+3)}$$
$$=\lim_{x\to1}\frac{1}{\sqrt{x+8}+3}=\frac{1}{3+3}=\frac{1}{6}$$

이때 $\frac{1}{b}=\frac{1}{6}$이므로 $\boldsymbol{b=6}$

(2) $\lim_{x\to1}\frac{a\sqrt{x+1}-b}{x-1}=\sqrt{2}$이고 $\lim_{x\to1}(x-1)=0$이므로

$\lim_{x\to1}(a\sqrt{x+1}-b)=0$

즉, $\sqrt{2}a-b=0$이므로 $b=\sqrt{2}a$

$b=\sqrt{2}a$를 주어진 식의 좌변에 대입하면

$$\lim_{x\to1}\frac{a\sqrt{x+1}-\sqrt{2}a}{x-1}=\lim_{x\to1}\frac{a(\sqrt{x+1}-\sqrt{2})(\sqrt{x+1}+\sqrt{2})}{(x-1)(\sqrt{x+1}+\sqrt{2})}$$
$$=\lim_{x\to1}\frac{a(x-1)}{(x-1)(\sqrt{x+1}+\sqrt{2})}$$
$$=\lim_{x\to1}\frac{a}{\sqrt{x+1}+\sqrt{2}}=\frac{a}{2\sqrt{2}}$$

이때 $\frac{a}{2\sqrt{2}}=\sqrt{2}$이므로 $\boldsymbol{a=4}$

$a=4$를 $b=\sqrt{2}a$에 대입하면 $\boldsymbol{b=4\sqrt{2}}$

(3) $\lim_{x\to-1}\frac{ax+b}{\sqrt{x+2}-1}=2$이고 $\lim_{x\to-1}(\sqrt{x+2}-1)=0$이므로

$\lim_{x\to-1}(ax+b)=0$

즉, $-a+b=0$이므로 $b=a$

$b=a$를 주어진 식의 좌변에 대입하면

$$\lim_{x\to-1}\frac{ax+a}{\sqrt{x+2}-1}=\lim_{x\to-1}\frac{a(x+1)(\sqrt{x+2}+1)}{(\sqrt{x+2}-1)(\sqrt{x+2}+1)}$$
$$=\lim_{x\to-1}\frac{a(x+1)(\sqrt{x+2}+1)}{x+1}$$
$$=\lim_{x\to-1}a(\sqrt{x+2}+1)$$
$$=2a$$

이때 $2a=2$이므로 $\boldsymbol{a=1}$

$a=1$을 $b=a$에 대입하면 $\boldsymbol{b=1}$

3-1

(1) $\lim_{x\to0}(-x^2+1)=\mathbf{1}$

(2) $\lim_{x\to0}(3x^2+1)=\mathbf{1}$

(3) 함수의 극한의 대소 관계에 의하여

$\lim_{x\to0}f(x)=\mathbf{1}$

3-2

(1) $\lim_{x\to\infty}\frac{x^2+x+1}{2x^2}=\lim_{x\to\infty}\frac{1+\frac{1}{x}+\frac{1}{x^2}}{2}=\mathbf{\frac{1}{2}}$

(2) $\lim_{x\to\infty}\frac{x^2+2x+3}{2x^2}=\lim_{x\to\infty}\frac{1+\frac{2}{x}+\frac{3}{x^2}}{2}=\mathbf{\frac{1}{2}}$

(3) 함수의 극한의 대소 관계에 의하여

$\lim_{x\to\infty}f(x)=\mathbf{\frac{1}{2}}$

4-1

$\lim_{x\to1}2x=2$, $\lim_{x\to1}(x^2+1)=2$이므로

함수의 극한의 대소 관계에 의하여

$\lim_{x\to1}f(x)=\mathbf{2}$

4-2

$\lim_{x\to\infty}\left(1-\frac{1}{x}\right)=1$, $\lim_{x\to\infty}\left(1+\frac{1}{x}\right)=1$이므로

함수의 극한의 대소 관계에 의하여

$\lim_{x\to\infty}f(x)=\mathbf{1}$

5-1

주어진 식의 각 변을 x로 나누면 $x>0$이므로

$5+\frac{2}{x}<\frac{f(x)}{x}<5+\frac{3}{x}$

이때 $\lim_{x\to\infty}\left(5+\frac{2}{x}\right)=5$, $\lim_{x\to\infty}\left(5+\frac{3}{x}\right)=5$이므로

함수의 극한의 대소 관계에 의하여

$\lim_{x\to\infty}\frac{f(x)}{x}=\mathbf{5}$

5-2

주어진 식의 각 변을 x^2으로 나누면 $x>0$이므로

$2-\frac{1}{x}-\frac{1}{x^2}<\frac{f(x)}{x^2}<2+\frac{4}{x}+\frac{1}{x^2}$

이때 $\lim_{x\to\infty}\left(2-\frac{1}{x}-\frac{1}{x^2}\right)=2$, $\lim_{x\to\infty}\left(2+\frac{4}{x}+\frac{1}{x^2}\right)=2$이므로

함수의 극한의 대소 관계에 의하여

$\lim_{x\to\infty}\frac{f(x)}{x^2}=\mathbf{2}$

기초 유형

| 본문 26, 27쪽 |

1-1 **2, 4, 4, 4**

1-2

$\lim_{x\to 2}\frac{x^2-x+a}{x-2}=b$이고 $\lim_{x\to 2}(x-2)=0$이므로

$\lim_{x\to 2}(x^2-x+a)=0$

즉, $2+a=0$이므로 $a=-2$

$a=-2$를 주어진 식의 좌변에 대입하면

$$\lim_{x\to 2}\frac{x^2-x-2}{x-2}=\lim_{x\to 2}\frac{(x+1)(x-2)}{x-2}=\lim_{x\to 2}(x+1)=3$$

이므로 $b=3$

$\therefore a+b=\mathbf{1}$

1-3

$\lim_{x\to 1}\frac{ax^2-3x+b}{x^2+2x-3}=\frac{7}{4}$이고 $\lim_{x\to 1}(x^2+2x-3)=0$이므로

$\lim_{x\to 1}(ax^2-3x+b)=0$

즉, $a-3+b=0$이므로 $b=-a+3$

$b=-a+3$을 주어진 식의 좌변에 대입하면

$$\lim_{x\to 1}\frac{ax^2-3x-a+3}{x^2+2x-3}=\lim_{x\to 1}\frac{(x-1)(ax+a-3)}{(x-1)(x+3)}=\lim_{x\to 1}\frac{ax+a-3}{x+3}=\frac{2a-3}{4}$$

이때 $\frac{2a-3}{4}=\frac{7}{4}$이므로

$2a-3=7$, $2a=10$ $\quad\therefore a=5$

$a=5$를 $b=-a+3$에 대입하면 $b=-2$

$\therefore ab=\mathbf{-10}$

1-4

$\lim_{x\to 2}\frac{\sqrt{x^2+a}+b}{x-2}=\frac{2}{5}$이고 $\lim_{x\to 2}(x-2)=0$이므로

$\lim_{x\to 2}(\sqrt{x^2+a}+b)=0$

즉, $\sqrt{4+a}+b=0$이므로 $b=-\sqrt{4+a}$

$b=-\sqrt{4+a}$를 주어진 식의 좌변에 대입하면

$$\lim_{x\to 2}\frac{\sqrt{x^2+a}-\sqrt{4+a}}{x-2}$$

$$=\lim_{x\to 2}\frac{(\sqrt{x^2+a}-\sqrt{4+a})(\sqrt{x^2+a}+\sqrt{4+a})}{(x-2)(\sqrt{x^2+a}+\sqrt{4+a})}$$

$$=\lim_{x\to 2}\frac{x^2-4}{(x-2)(\sqrt{x^2+a}+\sqrt{4+a})}$$

$$=\lim_{x\to 2}\frac{x+2}{\sqrt{x^2+a}+\sqrt{4+a}}=\frac{2}{\sqrt{4+a}}$$

이때 $\frac{2}{\sqrt{4+a}}=\frac{2}{5}$이므로

$\sqrt{4+a}=5$, $a+4=25$ $\quad\therefore a=21$

$a=21$을 $b=-\sqrt{4+a}$에 대입하면 $b=-5$

$\therefore a+b=\mathbf{16}$

2-1 **3, 4, 4, −24**

2-2

조건 (가)에서 $f(x)$는 이차항의 계수가 3인 이차식임을 알 수 있다.

조건 (나)에서 $\lim_{x\to 2}\frac{f(x)}{x-2}=9$이고 $\lim_{x\to 2}(x-2)=0$이므로

$\lim_{x\to 2}f(x)=0$ $\quad\therefore f(2)=0$

즉, $f(x)=3(x-2)(x+a)$ (a는 상수)로 놓을 수 있으므로

$$\lim_{x\to 2}\frac{f(x)}{x-2}=\lim_{x\to 2}\frac{3(x-2)(x+a)}{x-2}=\lim_{x\to 2}3(x+a)=3(2+a)$$

이때 $3(2+a)=9$이므로 $a+2=3$ $\quad\therefore a=1$

$\therefore \boldsymbol{f(x)=3(x-2)(x+1)}$

참고

$x\to\infty$인 극한값에 대한 조건과 $x\to a$인 극한값에 대한 조건이 함께 주어졌을 때, 다항식의 차수를 결정하는 것은 $x\to\infty$인 극한값에 대한 조건이다.

2-3

$\lim_{x\to\infty}\frac{f(x)-2x^3}{x^2}=2$에서 $f(x)-2x^3$은 이차항의 계수가 2인 이차식임을 알 수 있다.

$\lim_{x\to 0}\frac{f(x)}{x}=-3$이고 $\lim_{x\to 0}x=0$이므로

$\lim_{x\to 0}f(x)=0$ $\quad\therefore f(0)=0$

즉, $f(x)-2x^3=2x^2+ax$ (a는 상수)로 놓을 수 있으므로

$f(x)=2x^3+2x^2+ax$

$$\lim_{x\to 0}\frac{f(x)}{x}=\lim_{x\to 0}\frac{2x^3+2x^2+ax}{x}=\lim_{x\to 0}\frac{x(2x^2+2x+a)}{x}=\lim_{x\to 0}(2x^2+2x+a)=a$$

$\therefore a=-3$

따라서 $f(x)=2x^3+2x^2-3x$이므로

$f(2)=16+8-6=\mathbf{18}$

다른 풀이 $f(x)=2x^3+2x^2+ax$이고

$\lim_{x\to 0}\frac{f(x)}{x}=-3$에서 $f'(0)=-3$

$f'(x)=6x^2+4x+a$ $\quad\therefore f'(0)=a=-3$

따라서 $f(x)=2x^3+2x^2-3x$이므로 $f(2)=18$

1주 4일 함수의 연속

개념 확인

| 본문 29, 31쪽 |

1-1

(1) $x=2$에서 함수 $f(x)$가 정의되어 있지 않으므로 불연속이다.

(2) $\lim_{x\to 2-} f(x)=1$, $\lim_{x\to 2+} f(x)=2$이므로

$\lim_{x\to 2-} f(x) \neq \lim_{x\to 2+} f(x)$

따라서 극한값 $\lim_{x\to 2} f(x)$가 존재하지 않으므로 불연속이다.

1-2

(1) $\lim_{x\to 2-} f(x)=1$, $\lim_{x\to 2+} f(x)=2$이므로

$\lim_{x\to 2-} f(x) \neq \lim_{x\to 2+} f(x)$

따라서 극한값 $\lim_{x\to 2} f(x)$가 존재하지 않으므로 불연속이다.

(2) $\lim_{x\to 2} f(x)=1$, $f(2)=2$이므로

$\lim_{x\to 2} f(x) \neq f(2)$

따라서 함수 $f(x)$는 $x=2$에서 불연속이다.

2-1

(1) $\lim_{x\to 1} f(x)=4$, $f(1)=4$이므로

$\lim_{x\to 1} f(x)=f(1)$

따라서 함수 $f(x)$는 $x=1$에서 **연속**이다.

(2) $\lim_{x\to 1-} f(x)=\lim_{x\to 1-} x=1$,

$\lim_{x\to 1+} f(x)=\lim_{x\to 1+} \sqrt{x-1}=0$

이므로 $\lim_{x\to 1-} f(x) \neq \lim_{x\to 1+} f(x)$

따라서 극한값 $\lim_{x\to 1} f(x)$가 존재하지 않으므로 함수 $f(x)$는 $x=1$에서 **불연속**이다.

2-2

(1) 함수 $f(x)$는 $x=2$에서 정의되지 않으므로 $f(x)$는 $x=2$에서 **불연속**이다.

(2) $\lim_{x\to 2} f(x)=\lim_{x\to 2}\frac{x^2-x-2}{x-2}=\lim_{x\to 2}\frac{(x+1)(x-2)}{x-2}$

$=\lim_{x\to 2}(x+1)=3$

$f(2)=3$이므로 $\lim_{x\to 2} f(x)=f(2)$

따라서 함수 $f(x)$는 $x=2$에서 **연속**이다.

3-1

(1) $\mathbf{[-2,\ 5]}$　　(2) $\mathbf{[-5,\ 4)}$

3-2

(1) $\mathbf{(1,\ 3)}$　　(2) $\mathbf{(-\infty,\ 3)}$

4-1

(1) 주어진 함수의 정의역은 실수 전체의 집합이므로 구간의 기호로 나타내면 $\mathbf{(-\infty,\ \infty)}$

(2) $x-3\geq 0$, 즉 $x\geq 3$에서 주어진 함수의 정의역은 $\{x|x\geq 3\}$이므로 구간의 기호로 나타내면 $\mathbf{[3,\ \infty)}$

4-2

(1) $x-1\neq 0$, 즉 $x\neq 1$에서 주어진 함수의 정의역은 $\{x|x\neq 1$인 실수$\}$이므로 구간의 기호로 나타내면 $\mathbf{(-\infty,\ 1),\ (1,\ \infty)}$

(2) $9-x^2\geq 0$, $x^2-9\leq 0$, $(x+3)(x-3)\leq 0$

$\therefore -3\leq x\leq 3$

따라서 주어진 함수의 정의역은 $\{x|-3\leq x\leq 3\}$이므로 구간의 기호로 나타내면 $\mathbf{[-3,\ 3]}$

5-1

(1) 함수 $f(x)=x^2-2x+1$은 열린구간 $\mathbf{(-\infty,\ \infty)}$에서 연속이다.

(2) 함수 $f(x)=\frac{2}{x-3}$는 열린구간 $\mathbf{(-\infty,\ 3),\ (3,\ \infty)}$에서 연속이다.

5-2

(1) 함수 $f(x)=\sqrt{x+5}$는 열린구간 $(-5,\ \infty)$에서 연속이고 $\lim_{x\to -5+} f(x)=f(-5)$이므로 함수 $f(x)$는 반닫힌 구간 $\mathbf{[-5,\ \infty)}$에서 연속이다.

(2) 함수 $f(x)=\frac{x+1}{x-4}$은 열린구간 $\mathbf{(-\infty,\ 4),\ (4,\ \infty)}$에서 연속이다.

기초 유형

| 본문 32, 33쪽 |

1-1 **3, 3, 2**

1-2

함수 $f(x)$가 $x=1$에서 연속이므로

$\lim_{x\to 1} f(x)=f(1)$

$\lim_{x\to 1} f(x)=\lim_{x\to 1}(x^2+2a)=2a+1$이므로

$2a+1=a$　　$\therefore a=\mathbf{-1}$

2-1 **3, 4, 4**

2-2

함수 $f(x)$가 모든 실수 x에서 연속이려면 $x=2$에서 연속이어야 한다. 즉 $\lim_{x\to2}f(x)=f(2)$

$$\lim_{x\to2}f(x)=\lim_{x\to2}\frac{2x^3-4x^2-x+2}{x-2}$$
$$=\lim_{x\to2}\frac{(x-2)(2x^2-1)}{x-2}$$
$$=\lim_{x\to2}(2x^2-1)=7$$

이므로 $a=\mathbf{7}$

참고 $2x^3-4x^2-x+2$는 $x-2$를 인수로 가지므로 조립제법에 의하여 인수분해하면 다음과 같다.

2	2	−4	−1	2
		4	0	−2
	2	0	−1	0

$\therefore 2x^3-4x^2-x+2=(x-2)(2x^2-1)$

3-1 **12, 12, 6**

3-2

함수 $f(x)$가 $x=1$에서 연속이므로

$\lim_{x\to1-}f(x)=\lim_{x\to1+}f(x)=f(1)$

$\lim_{x\to1-}f(x)=\lim_{x\to1-}(x^2-2x+3)=2,$

$\lim_{x\to1+}f(x)=\lim_{x\to1+}(3x+a)=3+a,$

$f(1)=3+a$이므로 $3+a=2$ $\qquad\therefore a=\mathbf{-1}$

4-1 **0, 6, 1**

4-2

함수 $f(x)$가 $x=1$에서 연속이므로

$\lim_{x\to1}f(x)=f(1)$

$\lim_{x\to1}\frac{\sqrt{x+a}-2}{x-1}=b$에서 $\lim_{x\to1}(x-1)=0$이므로

$\lim_{x\to1}(\sqrt{x+a}-2)=0$

즉, $\sqrt{1+a}-2=0$이므로

$\sqrt{1+a}=2,\ 1+a=4$ $\qquad\therefore \boldsymbol{a=3}$

$$\lim_{x\to1}\frac{\sqrt{x+3}-2}{x-1}=\lim_{x\to1}\frac{(\sqrt{x+3}-2)(\sqrt{x+3}+2)}{(x-1)(\sqrt{x+3}+2)}$$
$$=\lim_{x\to1}\frac{x-1}{(x-1)(\sqrt{x+3}+2)}$$
$$=\lim_{x\to1}\frac{1}{\sqrt{x+3}+2}=\frac{1}{4}$$

$\therefore \boldsymbol{b=\frac{1}{4}}$

4-3

함수 $f(x)$가 모든 실수 x에서 연속이려면 $x=2$에서 연속이어야 한다. 즉, $\lim_{x\to2-}f(x)=\lim_{x\to2+}f(x)=f(2)$

이때 $f(2)=3$

$\lim_{x\to2+}\frac{x^2+ax+b}{x-2}=3$에서 $\lim_{x\to2+}(x-2)=0$이므로

$\lim_{x\to2+}(x^2+ax+b)=0$

즉, $4+2a+b=0$이므로 $b=-2a-4$

$$\lim_{x\to2+}\frac{x^2+ax+b}{x-2}=\lim_{x\to2+}\frac{x^2+ax-2a-4}{x-2}$$
$$=\lim_{x\to2+}\frac{(x-2)(x+a+2)}{x-2}$$
$$=\lim_{x\to2+}(x+a+2)=a+4$$

이때 $a+4=3$이므로 $\boldsymbol{a=-1}$

$a=-1$을 $b=-2a-4$에 대입하면 $\boldsymbol{b=-2}$

1주 5일 함수의 연속

개념 확인

| 본문 35, 37쪽 |

1-1

(1) $\frac{g(x)}{f(x)}=\frac{x-2}{x^2-3x+2}$는 연속함수의 성질에 의하여 $x^2-3x+2\neq0$, 즉 $x\neq1,\ x\neq2$인 모든 실수에서 연속이다.
따라서 열린구간 $\mathbf{(-\infty,\ 1),\ (1,\ 2),\ (2,\ \infty)}$에서 연속이다.

(2) $\sqrt{f(x)g(x)}=\sqrt{(x^2-3x+2)(x-2)}$
$=\sqrt{(x-1)(x-2)^2}$
$=|x-2|\sqrt{x-1}$
은 연속함수의 성질에 의하여 $x-1\geq0$, 즉 $x\geq1$인 모든 실수에서 연속이다.
따라서 반닫힌 구간 $\mathbf{[1,\ \infty)}$에서 연속이다.

1-2

(1) $3f(x)-2g(x)=3(x^2+1)-2(x-1)=3x^2-2x+5$
는 연속함수의 성질에 의하여 모든 실수, 즉 열린구간 $\mathbf{(-\infty,\ \infty)}$에서 연속이다.

(2) $\frac{f(x)-g(x)}{f(x)+g(x)}=\frac{x^2+1-(x-1)}{x^2+1+(x-1)}=\frac{x^2-x+2}{x^2+x}$
는 연속함수의 성질에 의하여 $x^2+x\neq0$, 즉 $x\neq-1,\ x\neq0$인 모든 실수에서 연속이다.
따라서 열린구간 $\mathbf{(-\infty,\ -1),\ (-1,\ 0),\ (0,\ \infty)}$에서 연속이다.

2-1

(1) 함수 $f(x)=2x+5$는 닫힌구간 $[-2,\ 0]$에서 연속이고 닫힌구간 $[-2,\ 0]$에서 함수 $y=f(x)$의 그래프는 오른쪽 그림과 같다.
따라서 $f(x)$는 $x=0$에서 **최댓값 5**, $x=-2$에서 **최솟값 1**을 갖는다.

(2) 함수 $f(x)=\dfrac{x}{x-1}$는 닫힌구간 $[2,\ 5]$에서 연속이고 닫힌구간 $[2,\ 5]$에서 함수 $y=f(x)$의 그래프는 오른쪽 그림과 같다.

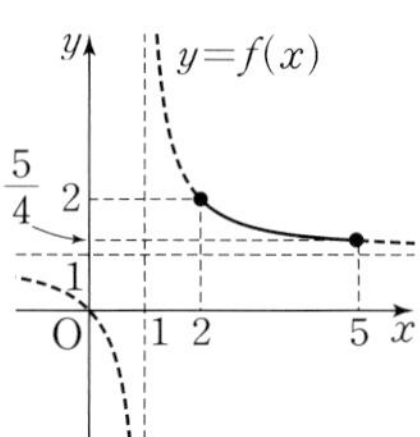

따라서 $f(x)$는 $x=2$에서 **최댓값 2**, $x=5$에서 **최솟값 $\dfrac{5}{4}$**를 갖는다.

(3) 함수 $f(x)=\sqrt{x+2}$는 닫힌구간 $[-1,\ 2]$에서 연속이고 닫힌구간 $[-1,\ 2]$에서 함수 $y=f(x)$의 그래프는 오른쪽 그림과 같다.

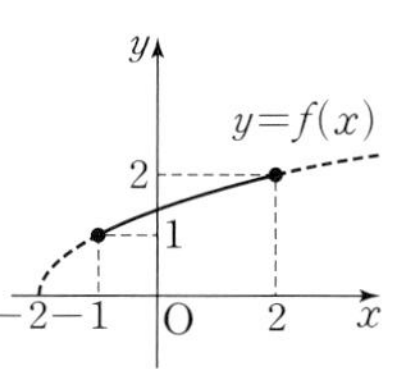

따라서 $f(x)$는 $x=2$에서 **최댓값 2**, $x=-1$에서 **최솟값 1**을 갖는다.

2-2

(1) 함수 $f(x)=x^2+2x-3$은 닫힌구간 $[-2,\ 1]$에서 연속이고 닫힌구간 $[-2,\ 1]$에서 함수 $y=f(x)$의 그래프는 오른쪽 그림과 같다.

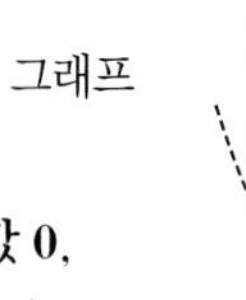

따라서 $f(x)$는 $x=1$에서 **최댓값 0**, $x=-1$에서 **최솟값 -4**를 갖는다.

(2) 함수 $f(x)=\dfrac{1}{2-x}+1$은 닫힌구간 $[-3,\ 1]$에서 연속이고 닫힌구간 $[-3,\ 1]$에서 함수 $y=f(x)$의 그래프는 오른쪽 그림과 같다.

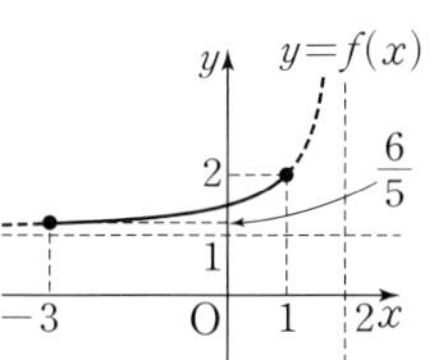

따라서 $f(x)$는 $x=1$에서 **최댓값 2**, $x=-3$에서 **최솟값 $\dfrac{6}{5}$**을 갖는다.

(3) 함수 $f(x)=\sqrt{4-3x}$는 닫힌구간 $[-1,\ 1]$에서 연속이고 닫힌구간 $[-1,\ 1]$에서 함수 $y=f(x)$의 그래프는 오른쪽 그림과 같다.

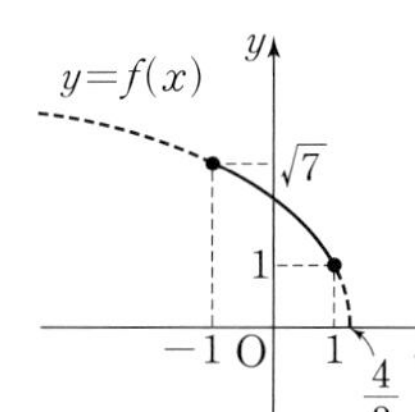

따라서 $f(x)$는 $x=-1$에서 **최댓값 $\sqrt{7}$**, $x=1$에서 **최솟값 1**을 갖는다.

3-1

(가) 연속 (나) 사잇값의 정리

3-2

(가) 0 (나) 하나

4-1

$f(-1)=-2<0$, $f(0)=1>0$이므로 사잇값의 정리에 의하여 방정식 $f(x)=0$은 열린구간 $(-1,\ 0)$에서 적어도 하나의 실근을 갖는다.
또 $f(1)=2>0$, $f(2)=-1<0$이므로 방정식 $f(x)=0$은 열린구간 $(1,\ 2)$에서 적어도 하나의 실근을 갖는다.
따라서 방정식 $f(x)=0$은 열린구간 $(-1,\ 2)$에서 적어도 **2**개의 실근을 갖는다.

4-2

$f(-1)=5>0$, $f(0)=-2<0$이므로 사잇값의 정리에 의하여 방정식 $f(x)=0$은 열린구간 $(-1,\ 0)$에서 적어도 하나의 실근을 갖는다.
또 $f(0)=-2<0$, $f(1)=2>0$, $f(2)=-4<0$이므로 방정식 $f(x)=0$은 열린구간 $(0,\ 1)$, $(1,\ 2)$에서 각각 적어도 하나의 실근을 갖는다.
따라서 방정식 $f(x)=0$은 열린구간 $(-2,\ 2)$에서 적어도 **3**개의 실근을 갖는다.

기초 유형

| 본문 38, 39쪽 |

1-1 **2, 2, -1**

1-2

$x\neq-1$일 때

$$f(x)=\frac{x^2-2x-3}{x+1}=\frac{(x+1)(x-3)}{x+1}=x-3$$

함수 $f(x)$가 $x=-1$에서 연속이므로

$$f(-1)=\lim_{x\to-1}f(x)=\lim_{x\to-1}(x-3)=\mathbf{-4}$$

2-1 **12, 3, 3**

2-2

$$\lim_{x\to3}\frac{(x-3)f(x)}{x^2-9}=\lim_{x\to3}\frac{f(x)}{x+3}=\frac{1}{6}\lim_{x\to3}f(x)$$

즉, $\dfrac{1}{6}\lim_{x\to3}f(x)=2$이므로 $\lim_{x\to3}f(x)=12$

함수 $f(x)$가 $x=3$에서 연속이므로

$$f(3)=\lim_{x\to3}f(x)=\mathbf{12}$$

3-1 **a, 3, 3, 3, 21**

3-2

함수 $f(x)g(x)$가 $x=3$에서 연속이므로

$\lim_{x\to 3-} f(x)g(x) = \lim_{x\to 3+} f(x)g(x) = f(3)g(3)$

$\lim_{x\to 3-} f(x)g(x) = \lim_{x\to 3-} (x-1)(x+a) = 6+2a$

$\lim_{x\to 3+} f(x)g(x) = \lim_{x\to 3+} (x-2)(x+a) = 3+a$

$f(3)g(3) = 3+a$

이므로 $6+2a=3+a$ $\therefore$ $a=\mathbf{-3}$

3-3

함수 $f(x)+g(x)$가 $x=0$에서 연속이므로

$\lim_{x\to 0-} \{f(x)+g(x)\} = \lim_{x\to 0+} \{f(x)+g(x)\} = f(0)+g(0)$

$\lim_{x\to 0-} \{f(x)+g(x)\} = \lim_{x\to 0-} (-x+1+x^2+3)$

$= \lim_{x\to 0-} (x^2-x+4) = 4$

$\lim_{x\to 0+} \{f(x)+g(x)\} = \lim_{x\to 0+} (x^3+x+a) = a$

$f(0)+g(0) = a$

이므로 $a=\mathbf{4}$

누구나 100점 테스트

본문 **40, 41**쪽

1 답 ⑤

$\lim_{x\to 0+} f(x) = 2$, $\lim_{x\to 2-} f(x) = 0$이므로

$\lim_{x\to 0+} f(x) + \lim_{x\to 2-} f(x) = 2$

2 답 **11**

$\lim_{x\to 2} \frac{x^2+7}{x-1} = \frac{4+7}{2-1} = 11$

3 답 ③

$\lim_{x\to -2} \frac{(x+2)(x^2+5)}{x+2} = \lim_{x\to -2} (x^2+5) = 9$

4 답 ④

$\lim_{x\to 1} \frac{\sqrt{3x+1}-\sqrt{x+3}}{x^2-1}$

$= \lim_{x\to 1} \frac{(\sqrt{3x+1}-\sqrt{x+3})(\sqrt{3x+1}+\sqrt{x+3})}{(x^2-1)(\sqrt{3x+1}+\sqrt{x+3})}$

$= \lim_{x\to 1} \frac{2(x-1)}{(x+1)(x-1)(\sqrt{3x+1}+\sqrt{x+3})}$

$= \lim_{x\to 1} \frac{2}{(x+1)(\sqrt{3x+1}+\sqrt{x+3})}$

$= \frac{2}{2(2+2)} = \frac{1}{4}$

5 답 ①

$\lim_{x\to 3} \frac{x^2+ax+b}{x-3} = 14$이고 $\lim_{x\to 3} (x-3) = 0$이므로

$\lim_{x\to 3} (x^2+ax+b) = 0$

즉, $9+3a+b=0$이므로 $b=-3a-9$

$b=-3a-9$를 주어진 식의 좌변에 대입하면

$\lim_{x\to 3} \frac{x^2+ax-3a-9}{x-3} = \lim_{x\to 3} \frac{(x-3)(x+a+3)}{x-3}$

$= \lim_{x\to 3} (x+a+3)$

$= a+6$

이때 $a+6=14$이므로 $a=8$

$a=8$을 $b=-3a-9$에 대입하면 $b=-33$

$\therefore$ $a+b=-25$

6 답 ②

조건 (가)에서 함수 $f(x)$는 이차항의 계수가 2인 이차식임을 알 수 있다.

조건 (나)에서 $\lim_{x\to 0} \frac{f(x)}{x} = 3$이고 $\lim_{x\to 0} x = 0$이므로

$\lim_{x\to 0} f(x) = 0$ $\therefore$ $f(0)=0$

즉, $f(x)=2x(x+a)$ (a는 상수)로 놓을 수 있으므로

$\lim_{x\to 0} \frac{f(x)}{x} = \lim_{x\to 0} \frac{2x(x+a)}{x} = \lim_{x\to 0} 2(x+a) = 2a$

이때 $2a=3$이므로 $a=\frac{3}{2}$

따라서 $f(x)=2x\left(x+\frac{3}{2}\right)$이므로

$f(2) = 2\times 2\times \frac{7}{2} = 14$

7 답 **11**

함수 $f(x)$가 실수 전체의 집합에서 연속이려면 $x=3$에서 연속이어야 하므로

$\lim_{x\to 3} f(x) = f(3)$

$\lim_{x\to 3} f(x) = \lim_{x\to 3} \frac{(3x+2)(x-3)}{x-3} = \lim_{x\to 3} (3x+2) = 11$

이므로 $a=11$

8 답 ④

함수 $f(x)$가 실수 전체의 집합에서 연속이려면 $x=2$에서 연속이어야 하므로

$\lim_{x\to 2-} f(x) = \lim_{x\to 2+} f(x) = f(2)$

$\lim_{x\to 2-} f(x) = \lim_{x\to 2-} (x+1) = 3$

$\lim_{x\to 2+} f(x) = \lim_{x\to 2+} (x^2-4x+a) = -4+a$

$f(2) = -4+a$

이므로 $-4+a=3$ $\therefore$ $a=7$

9 답 ①

$x\neq1$일 때, $f(x)=\dfrac{x^3+ax+b}{x-1}$

함수 $f(x)$가 $x=1$에서 연속이므로 $\lim_{x\to1}f(x)=f(1)$

$\therefore \lim_{x\to1}\dfrac{x^3+ax+b}{x-1}=4$ ······㉠

㉠에서 $\lim_{x\to1}(x-1)=0$이므로 $\lim_{x\to1}(x^3+ax+b)=0$

즉, $1+a+b=0$이므로 $b=-a-1$

$b=-a-1$을 ㉠의 좌변에 대입하면

$$\begin{aligned}\lim_{x\to1}\frac{x^3+ax-a-1}{x-1}&=\lim_{x\to1}\frac{(x-1)(x^2+x+a+1)}{x-1}\\&=\lim_{x\to1}(x^2+x+a+1)\\&=a+3\end{aligned}$$

이때 $a+3=4$이므로 $a=1$

$a=1$을 $b=-a-1$에 대입하면 $b=-2$

$\therefore ab=-2$

10 답 ②

함수 $f(x)g(x)$가 $x=2$에서 연속이므로

$\lim_{x\to2-}f(x)g(x)=\lim_{x\to2+}f(x)g(x)=f(2)g(2)$

$\lim_{x\to2-}f(x)g(x)=\lim_{x\to2-}(-x^2+a)(x-4)=8-2a$

$$\begin{aligned}\lim_{x\to2+}f(x)g(x)&=\lim_{x\to2+}\left\{(x^2-4)\times\frac{1}{x-2}\right\}\\&=\lim_{x\to2+}\frac{(x+2)(x-2)}{x-2}\\&=\lim_{x\to2+}(x+2)=4\end{aligned}$$

$f(2)g(2)=(-4+a)\times(-2)=8-2a$

이므로 $8-2a=4$

$2a=4 \qquad \therefore a=2$

창의 · 융합 · 코딩

본문 42~47쪽

정답 (1) **5000** (2) **존재하지 않는다.** (3) **4000** (4) **존재하지 않는다.**

어느 상점에서는 매일 6시 10분부터 10분 동안 5000원짜리 고등어 한 마리를 4000원으로 할인하여 판매하다가 6시 20분부터 다시 5000원으로 판매하고 있다. 6시부터 x분이 지난 후의 고등어 한 마리의 가격을 $f(x)$원이라 할 때, $y=f(x)$의 그래프를 이용하여 다음 극한을 구하시오. (단, $0\leq x\leq30$) ❶

(1) $\lim_{x\to5}f(x)$ (2) $\lim_{x\to10}f(x)$

(3) $\lim_{x\to15}f(x)$ (4) $\lim_{x\to20}f(x)$ ❷

❶ 함수 $y=f(x)$의 그래프를 그린다.
❷ 함수의 그래프를 이용하여 주어진 극한값을 구한다.

❶ $f(x)=\begin{cases}5000 & (0\leq x<10,\ 20\leq x\leq30)\\4000 & (10\leq x<20)\end{cases}$

이므로 $y=f(x)$의 그래프는 오른쪽 그림과 같다.

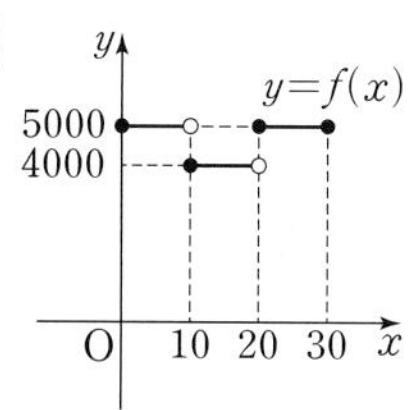

❷ (1) $\lim_{x\to5}f(x)=5000$

(2) $\lim_{x\to10-}f(x)=5000,\ \lim_{x\to10+}f(x)=4000$

$\lim_{x\to10-}f(x)\neq\lim_{x\to10+}f(x)$이므로

극한 $\lim_{x\to10}f(x)$는 존재하지 않는다.

(3) $\lim_{x\to15}f(x)=4000$

(4) $\lim_{x\to20-}f(x)=4000,\ \lim_{x\to20+}f(x)=5000$

$\lim_{x\to20-}f(x)\neq\lim_{x\to20+}f(x)$이므로

극한 $\lim_{x\to20}f(x)$는 존재하지 않는다.

1 답 **−1, 2, 1**

2 답 8

❶ 조건 (가)에서 함수 $f(x)g(x)$는 삼차항의 계수가 2인 삼차식임을 알 수 있다.

❷ 조건 (나)에서 극한 $\lim_{x\to0}\dfrac{f(x)g(x)}{x^2}$가 존재하려면 함수 $f(x)g(x)$는 x^2을 인수로 가져야 한다.

즉, $f(x)g(x)=2x^2(x+a)$ (a는 상수)로 놓을 수 있으므로

$$\begin{aligned}\lim_{x\to0}\frac{f(x)g(x)}{x^2}&=\lim_{x\to0}\frac{2x^2(x+a)}{x^2}\\&=\lim_{x\to0}2(x+a)\\&=2a\end{aligned}$$

이때 $2a=-4$이므로 $a=-2$

$\therefore f(x)g(x)=2x^2(x-2)$

❸ $x-2$가 함수 $f(x)$의 인수이면 $f(2)=0$이므로 $f(2)$가 최대이려면 $f(x)$는 $x-2$를 인수로 갖지 않고,

$f(x)=2$ 또는 $f(x)=2x$ 또는 $f(x)=2x^2$

중의 하나이다.

이때 $f(2)$의 값은 각각 2, 4, 8이므로 구하는 최댓값은 8이다.

참고 조건 (가)에서 $x\to\infty$일 때, 유리식의 극한값이 0이 아닌 상수이면 분모와 분자는 같은 차수이다.

조건 (나)에서 $\lim_{x\to0}\dfrac{f(x)g(x)}{x^2}=-4$이고 $\lim_{x\to0}x^2=0$이므로

$\lim_{x\to0}f(x)g(x)=0 \qquad \therefore f(0)g(0)=0$

$f(x)g(x)=2x^3+ax^2+bx$라 하면 극한 $\lim_{x\to0}\dfrac{f(x)g(x)}{x^2}$가 존재하지 않으므로 함수 $f(x)g(x)$는 x^2을 인수로 가져야 한다.

$\therefore f(x)g(x)=2x^3+ax^2$

3 답 $\frac{4}{5}$

❶ $\mathrm{P}(t, \sqrt{t})$이므로 $\overline{\mathrm{OP}}^2=t^2+(\sqrt{t})^2=t^2+t$

❷ $\overline{\mathrm{PH}}$의 길이는 점 $\mathrm{P}(t, \sqrt{t})$와 직선 $y=\frac{1}{2}x$, 즉 $x-2y=0$ 사이의 거리와 같으므로

$$\overline{\mathrm{PH}}=\frac{|t-2\sqrt{t}|}{\sqrt{1^2+(-2)^2}}=\frac{|t-2\sqrt{t}|}{\sqrt{5}}$$

$$\therefore \overline{\mathrm{PH}}^2=\frac{(t-2\sqrt{t})^2}{5}$$

❸ 이때 삼각형 PHO는 직각삼각형이므로

$$\overline{\mathrm{OH}}^2=\overline{\mathrm{OP}}^2-\overline{\mathrm{PH}}^2=(t^2+t)-\frac{(t-2\sqrt{t})^2}{5}$$

$$=\frac{4t^2+4t\sqrt{t}+t}{5}$$

❹ $$\therefore \lim_{t\to\infty}\frac{\overline{\mathrm{OH}}^2}{\overline{\mathrm{OP}}^2}=\lim_{t\to\infty}\frac{4t^2+4t\sqrt{t}+t}{5(t^2+t)}$$

$$=\lim_{t\to\infty}\frac{4+\frac{4\sqrt{t}}{t}+\frac{1}{t}}{5+\frac{5}{t}}$$

$$=\frac{4}{5}$$

4 답 2, 2, 4, 4, 4, 4

5 답 $\frac{9}{4}$

❶ 함수 $f(x)$는 $x<1$, $x\geq1$에서 각각 연속이고 함수 $g(x)$는 실수 전체의 집합에서 연속이므로 함수 $(g\circ f)(x)$가 실수 전체의 집합에서 연속이려면 $x=1$에서 연속이어야 한다. 즉,

$$\lim_{x\to1-}g(f(x))=\lim_{x\to1+}g(f(x))=g(f(1))$$

❷ $\lim_{x\to1-}g(f(x))$

$=\lim_{x\to1-}g(3x+a)$

$=\lim_{x\to1-}\{(3x+a)^2+a(3x+a)+3\}$

$=2a^2+9a+12$

$\lim_{x\to1+}g(f(x))$

$=\lim_{x\to1+}g(x^2-x+2a)$

$=\lim_{x\to1+}\{(x^2-x+2a)^2+a(x^2-x+2a)+3\}$

$=6a^2+3$

$g(f(1))=g(2a)=6a^2+3$

이므로 $2a^2+9a+12=6a^2+3$

$4a^2-9a-9=0, (4a+3)(a-3)=0$

$\therefore a=-\frac{3}{4}$ 또는 $a=3$

❸ 따라서 모든 상수 a의 값의 합은

$-\frac{3}{4}+3=\frac{9}{4}$

6 답 ㄱ, ㄷ

❶ 두 함수 $y=f(x)$, $y=g(x)$의 그래프는 다음 그림과 같다.

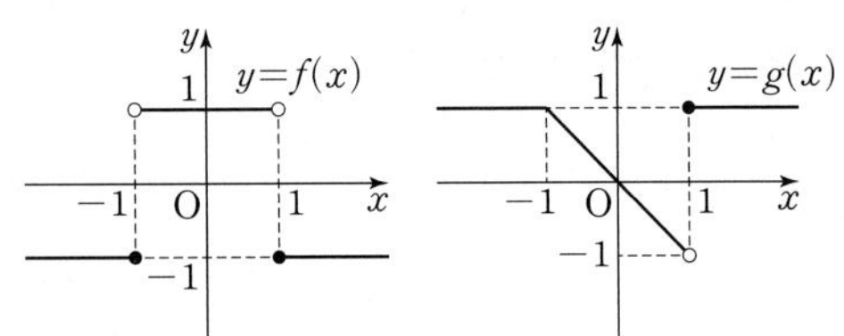

❷ ㄱ. $\lim_{x\to1-}f(x)g(x)=1\times(-1)=-1$

$\lim_{x\to1+}f(x)g(x)=(-1)\times1=-1$

$\therefore \lim_{x\to1}f(x)g(x)=-1$ (참)

❸ ㄴ. $x+1=t$로 놓으면

$x\to0-$일 때 $x+1\to1-$이므로 $t\to1-$

$\therefore \lim_{x\to0-}g(x+1)=\lim_{t\to1-}g(t)=-1$

$x\to0+$일 때 $x+1\to1+$이므로 $t\to1+$

$\therefore \lim_{x\to0+}g(x+1)=\lim_{t\to1+}g(t)=1$

따라서 $\lim_{x\to0-}g(x+1)\neq\lim_{x\to0+}g(x+1)$이므로 함수 $g(x+1)$은 $x=0$에서 불연속이다. (거짓)

❸의 다른 풀이

ㄴ. 함수 $y=g(x+1)$의 그래프는 함수 $y=g(x)$의 그래프를 x축의 방향으로 -1만큼 평행이동한 것과 같으므로 오른쪽 그림과 같다. 따라서 함수 $g(x+1)$은 $x=0$에서 불연속이다.

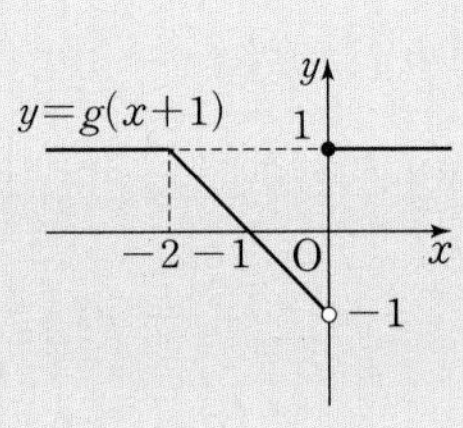

❹ ㄷ. 함수 $f(x)g(x+1)$이 $x=-1$에서 연속이려면

$$\lim_{x\to-1-}f(x)g(x+1)=\lim_{x\to-1+}f(x)g(x+1)$$
$$=f(-1)g(0)$$

이 성립해야 한다.

$x+1=t$로 놓으면

$x\to-1-$일 때 $x+1\to0-$이므로 $t\to0-$

$\therefore \lim_{x\to-1-}f(x)g(x+1)=\lim_{x\to-1-}f(x)\lim_{t\to0-}g(t)$
$=(-1)\times0=0$

$x\to-1+$일 때 $x+1\to0+$이므로 $t\to0+$

$\therefore \lim_{x\to-1+}f(x)g(x+1)=\lim_{x\to-1+}f(x)\lim_{t\to0+}g(t)$
$=1\times0=0$

$f(-1)g(0)=(-1)\times0=0$

따라서 함수 $f(x)g(x+1)$은 $x=-1$에서 연속이다. (참)

❹의 다른 풀이

ㄷ. 함수 $f(x)$가 $x=-1$에서 불연속이지만 함수 $g(x+1)$에 대하여 $\lim_{x\to-1}g(x+1)=0$이므로 함수 $f(x)g(x+1)$은 $x=-1$에서 연속이다.

❺ 옳은 것은 ㄱ, ㄷ이다.

2주 1일 미분계수

개념 확인

| 본문 53, 55쪽 |

1-1

(1) $\frac{\Delta y}{\Delta x}=\frac{f(3)-f(1)}{3-1}=\frac{(3^2-3)-(1^2-1)}{2}$

$=\frac{6}{2}=\mathbf{3}$

(2) $\frac{\Delta y}{\Delta x}=\frac{f(1+\Delta x)-f(1)}{(1+\Delta x)-1}$

$=\frac{\{(1+\Delta x)^2-(1+\Delta x)\}-(1^2-1)}{\Delta x}$

$=\frac{(\Delta x)^2+\Delta x}{\Delta x}=\boldsymbol{\Delta x+1}$

1-2

(1) $\frac{\Delta y}{\Delta x}=\frac{f(4)-f(2)}{4-2}=\frac{(2\times4^2+1)-(2\times2^2+1)}{2}$

$=\frac{24}{2}=\mathbf{12}$

(2) $\frac{\Delta y}{\Delta x}=\frac{f(2+h)-f(2)}{(2+h)-2}$

$=\frac{\{2\times(2+h)^2+1\}-(2\times2^2+1)}{h}$

$=\frac{2h^2+8h}{h}=\boldsymbol{2h+8}$

2-1

(1) $\frac{\Delta y}{\Delta x}=\frac{f(1+\Delta x)-f(1)}{(1+\Delta x)-1}$

$=\frac{\{-(1+\Delta x)^2+2(1+\Delta x)\}-1}{\Delta x}$

$=\frac{-(\Delta x)^2}{\Delta x}=\boldsymbol{-\Delta x}$

(2) $f'(1)=\lim_{\Delta x\to0}\frac{f(1+\Delta x)-f(1)}{\Delta x}$

$=\lim_{\Delta x\to0}(-\Delta x)=\mathbf{0}$

2-2

(1) $\frac{\Delta y}{\Delta x}=\frac{f(0+\Delta x)-f(0)}{\Delta x}$

$=\frac{\{(\Delta x)^2+3\Delta x\}-0}{\Delta x}$

$=\boldsymbol{\Delta x+3}$

(2) $f'(0)=\lim_{\Delta x\to0}\frac{f(0+\Delta x)-f(0)}{\Delta x}$

$=\lim_{\Delta x\to0}(\Delta x+3)=\mathbf{3}$

3-1

(1) $f'(2)=\lim_{\Delta x\to0}\frac{f(2+\Delta x)-f(2)}{\Delta x}$

$=\lim_{\Delta x\to0}\frac{\{2(2+\Delta x)+1\}-5}{\Delta x}$

$=\lim_{\Delta x\to0}\frac{2\Delta x}{\Delta x}=\mathbf{2}$

(2) $f'(2)=\lim_{\Delta x\to0}\frac{f(2+\Delta x)-f(2)}{\Delta x}$

$=\lim_{\Delta x\to0}\frac{\{(2+\Delta x)^2+2\}-6}{\Delta x}$

$=\lim_{\Delta x\to0}\frac{(\Delta x)^2+4\Delta x}{\Delta x}$

$=\lim_{\Delta x\to0}(\Delta x+4)=\mathbf{4}$

다른 풀이

(1) $f'(2)=\lim_{x\to2}\frac{f(x)-f(2)}{x-2}=\lim_{x\to2}\frac{(2x+1)-5}{x-2}=2$

(2) $f'(2)=\lim_{x\to2}\frac{f(x)-f(2)}{x-2}=\lim_{x\to2}\frac{(x^2+2)-6}{x-2}$

$=\lim_{x\to2}\frac{(x+2)(x-2)}{x-2}=\lim_{x\to2}(x+2)$

$=4$

3-2

(1) $f'(3)=\lim_{\Delta x\to0}\frac{f(3+\Delta x)-f(3)}{\Delta x}$

$=\lim_{\Delta x\to0}\frac{\{3(3+\Delta x)-1\}-8}{\Delta x}$

$=\lim_{\Delta x\to0}\frac{3\Delta x}{\Delta x}=\mathbf{3}$

(2) $f'(3)=\lim_{\Delta x\to0}\frac{f(3+\Delta x)-f(3)}{\Delta x}$

$=\lim_{\Delta x\to0}\frac{\{(3+\Delta x)^3-(3+\Delta x)-3\}-21}{\Delta x}$

$=\lim_{\Delta x\to0}\frac{(\Delta x)^3+9(\Delta x)^2+26\Delta x}{\Delta x}$

$=\lim_{\Delta x\to0}\{(\Delta x)^2+9\Delta x+26\}=\mathbf{26}$

다른 풀이

(1) $f'(3)=\lim_{x\to3}\frac{f(x)-f(3)}{x-3}=\lim_{x\to3}\frac{(3x-1)-8}{x-3}=3$

(2) $f'(3)=\lim_{x\to3}\frac{f(x)-f(3)}{x-3}=\lim_{x\to3}\frac{(x^3-x-3)-21}{x-3}$

$=\lim_{x\to3}\frac{(x-3)(x^2+3x+8)}{x-3}=\lim_{x\to3}(x^2+3x+8)$

$=26$

4-1

(1) (주어진 식)$=\lim_{h\to 0}\frac{f(1+h)-f(1)}{h}\times\frac{1}{2}$

$=\frac{1}{2}f'(1)=\mathbf{1}$

(2) (주어진 식)$=\lim_{h\to 0}\frac{f(1+3h)-f(1)}{3h}\times 3$

$=3f'(1)=\mathbf{6}$

(3) (주어진 식)

$$=\lim_{h\to 0}\frac{f(1+2h)-f(1)+f(1)-f(1-h)}{h}$$

$$=\lim_{h\to 0}\frac{f(1+2h)-f(1)}{h}-\lim_{h\to 0}\frac{f(1-h)-f(1)}{h}$$

$$=\lim_{h\to 0}\frac{f(1+2h)-f(1)}{2h}\times 2$$

$$-\lim_{h\to 0}\frac{f(1-h)-f(1)}{-h}\times(-1)$$

$$=2f'(1)+f'(1)=3f'(1)=\mathbf{6}$$

4-2

(1) (주어진 식)$=\lim_{h\to 0}\frac{f(3-h)-f(3)}{-h}\times(-1)$

$=-f'(3)=\mathbf{-1}$

(2) (주어진 식)$=\lim_{h\to 0}\frac{f(3+4h)-f(3)}{4h}\times\frac{4}{2}$

$=2f'(3)=\mathbf{2}$

(3) (주어진 식)

$$=\lim_{h\to 0}\frac{f(3+h)-f(3)+f(3)-f(3-3h)}{h}$$

$$=\lim_{h\to 0}\frac{f(3+h)-f(3)}{h}-\lim_{h\to 0}\frac{f(3-3h)-f(3)}{h}$$

$$=\lim_{h\to 0}\frac{f(3+h)-f(3)}{h}-\lim_{h\to 0}\frac{f(3-3h)-f(3)}{-3h}\times(-3)$$

$$=f'(3)+3f'(3)=4f'(3)=\mathbf{4}$$

5-1

(1) (주어진 식)$=f'(3)=\mathbf{1}$

(2) (주어진 식)$=\lim_{x\to 3}\left\{\frac{f(x)-f(3)}{x-3}\times\frac{1}{x+3}\right\}$

$=\frac{1}{6}f'(3)=\mathbf{\frac{1}{6}}$

(3) (주어진 식)

$$=\lim_{x\to 3}\frac{3f(x)-3f(3)+3f(3)-xf(3)}{x-3}$$

$$=\lim_{x\to 3}\frac{3\{f(x)-f(3)\}}{x-3}-\lim_{x\to 3}\frac{(x-3)f(3)}{x-3}$$

$$=3f'(3)-f(3)$$

$$=3\times 1-2=\mathbf{1}$$

5-2

(1) (주어진 식)$=f'(1)=\mathbf{2}$

(2) (주어진 식)$=\lim_{x\to 1}\left\{\frac{f(x^2)-f(1)}{x^2-1}\times(x+1)\right\}$

$=2f'(1)=\mathbf{4}$

(3) (주어진 식)

$$=\lim_{x\to 1}\frac{f(x)-f(1)+f(1)-xf(1)}{x-1}$$

$$=\lim_{x\to 1}\frac{f(x)-f(1)}{x-1}-\lim_{x\to 1}\frac{(x-1)f(1)}{x-1}$$

$$=f'(1)-f(1)=2-3=\mathbf{-1}$$

기초 유형

| 본문 56, 57쪽 |

1-1 **2, 6, 5**

1-2

함수 $f(x)=x^2-2x$에서 x의 값이 a에서 $a+3$까지 변할 때의 평균변화율은

$$\frac{\Delta y}{\Delta x}=\frac{f(a+3)-f(a)}{(a+3)-a}$$

$$=\frac{\{(a+3)^2-2(a+3)\}-(a^2-2a)}{3}$$

$$=2a+1$$

이때 $2a+1=-3$이므로 $a=\mathbf{-2}$

1-3

함수 $f(x)=x^2-5x+3$에서 x의 값이 1에서 2까지 변할 때의 평균변화율은

$$\frac{\Delta y}{\Delta x}=\frac{f(2)-f(1)}{2-1}=-3-(-1)=-2$$

함수 $f(x)$의 $x=a$에서의 미분계수는

$$f'(a)=\lim_{h\to 0}\frac{f(a+h)-f(a)}{h}$$

$$=\lim_{h\to 0}\frac{\{(a+h)^2-5(a+h)+3\}-(a^2-5a+3)}{h}$$

$$=\lim_{h\to 0}\frac{h^2+2ah-5h}{h}$$

$$=\lim_{h\to 0}(h+2a-5)=2a-5$$

이때 $2a-5=-2$이므로 $a=\mathbf{\frac{3}{2}}$

1-4

함수 $f(x)=x^2+2x+2$에서 x의 값이 -1에서 a까지 변할 때의 평균변화율은

$$\frac{\Delta y}{\Delta x}=\frac{f(a)-f(-1)}{a-(-1)}=\frac{(a^2+2a+2)-1}{a+1}=a+1$$

함수 $f(x)$의 $x=1$에서의 미분계수는

$$f'(1)=\lim_{h\to 0}\frac{f(1+h)-f(1)}{h}$$
$$=\lim_{h\to 0}\frac{\{(1+h)^2+2(1+h)+2\}-5}{h}$$
$$=\lim_{h\to 0}\frac{h^2+4h}{h}=\lim_{h\to 0}(h+4)=4$$

이때 $a+1=4$이므로 $a=\mathbf{3}$

2-1 **3, 3**

2-2

$$\lim_{\Delta x\to 0}\frac{f(1+2\Delta x)-f(1)}{\Delta x}=\lim_{\Delta x\to 0}\frac{f(1+2\Delta x)-f(1)}{2\Delta x}\times 2$$
$$=2f'(1)$$

이때 $2f'(1)=14$이므로 $f'(1)=\mathbf{7}$

3-1 **3, 6**

3-2

$$\lim_{x\to 3}\frac{x^2-9f(x)}{x-3}$$
$$=\lim_{x\to 3}\frac{x^2-9+9-9f(x)}{x-3}$$
$$=\lim_{x\to 3}\frac{x^2-9}{x-3}-\lim_{x\to 3}\frac{9\{f(x)-1\}}{x-3}$$
$$=\lim_{x\to 3}\frac{(x+3)(x-3)}{x-3}-9\lim_{x\to 3}\frac{f(x)-f(3)}{x-3}\ (\because f(3)=1)$$
$$=\lim_{x\to 3}(x+3)-9f'(3)=6-9\times(-2)=\mathbf{24}$$

3-3

$$\lim_{h\to 0}\frac{f(1+2h)-f(1-3h)}{h}$$
$$=\lim_{h\to 0}\frac{f(1+2h)-f(1)+f(1)-f(1-3h)}{h}$$
$$=\lim_{h\to 0}\frac{f(1+2h)-f(1)}{2h}\times 2-\lim_{h\to 0}\frac{f(1-3h)-f(1)}{-3h}\times(-3)$$
$$=2f'(1)+3f'(1)=5f'(1)$$

이때 $5f'(1)=10$이므로 $f'(1)=2$

$$\therefore \lim_{x\to 1}\frac{f(x^2)-f(1)}{x-1}=\lim_{x\to 1}\left\{\frac{f(x^2)-f(1)}{x^2-1}\times(x+1)\right\}$$
$$=2f'(1)=\mathbf{4}$$

2주 2일 미분가능성과 연속성

개념 확인

| 본문 59, 61쪽 |

1-1

(1) $f(x)=1-x$라 하면 구하는 접선의 기울기는 $f'(2)$이므로

$$f'(2)=\lim_{\Delta x\to 0}\frac{f(2+\Delta x)-f(2)}{\Delta x}$$
$$=\lim_{\Delta x\to 0}\frac{\{1-(2+\Delta x)\}-(-1)}{\Delta x}$$
$$=\lim_{\Delta x\to 0}\frac{-\Delta x}{\Delta x}$$
$$=\mathbf{-1}$$

(2) $f(x)=-x^2+2$라 하면 구하는 접선의 기울기는 $f'(-1)$이므로

$$f'(-1)=\lim_{\Delta x\to 0}\frac{f(-1+\Delta x)-f(-1)}{\Delta x}$$
$$=\lim_{\Delta x\to 0}\frac{\{-(-1+\Delta x)^2+2\}-1}{\Delta x}$$
$$=\lim_{\Delta x\to 0}\frac{2\Delta x-(\Delta x)^2}{\Delta x}$$
$$=\lim_{\Delta x\to 0}(2-\Delta x)$$
$$=\mathbf{2}$$

1-2

(1) $f(x)=x^2+x$라 하면 구하는 접선의 기울기는 $f'(1)$이므로

$$f'(1)=\lim_{\Delta x\to 0}\frac{f(1+\Delta x)-f(1)}{\Delta x}$$
$$=\lim_{\Delta x\to 0}\frac{\{(1+\Delta x)^2+(1+\Delta x)\}-2}{\Delta x}$$
$$=\lim_{\Delta x\to 0}\frac{(\Delta x)^2+3\Delta x}{\Delta x}$$
$$=\lim_{\Delta x\to 0}(\Delta x+3)$$
$$=\mathbf{3}$$

(2) $f(x)=x^2-2x-1$이라 하면 구하는 접선의 기울기는 $f'(-2)$이므로

$$f'(-2)=\lim_{\Delta x\to 0}\frac{f(-2+\Delta x)-f(-2)}{\Delta x}$$
$$=\lim_{\Delta x\to 0}\frac{\{(-2+\Delta x)^2-2(-2+\Delta x)-1\}-7}{\Delta x}$$
$$=\lim_{\Delta x\to 0}\frac{(\Delta x)^2-6\Delta x}{\Delta x}$$
$$=\lim_{\Delta x\to 0}(\Delta x-6)$$
$$=\mathbf{-6}$$

2-1

B(b, $f(b)$), $f'(b)$, $f'(a)$

2-2

A(a, $f(a)$), $f'(a)$, $f'(b)$

3-1

0, 연속, −1, 1

3-2

0, 연속, 0, 2

기초 유형

| 본문 62, 63쪽 |

1-1 6, 6, 9

1-2

함수 $f(x)$가 $x=2$에서 미분가능하므로 $x=2$에서 연속이다.

즉, $\lim_{x\to 2} f(x)=f(2)$에서

$4b+4=4+2a \qquad \therefore a=2b$ ······㉠

또 $x=2$에서의 미분계수 $f'(2)$가 존재하므로

$$\lim_{x\to 2-}\frac{f(x)-f(2)}{x-2}=\lim_{x\to 2-}\frac{(bx^2+4)-(4+2a)}{x-2}$$
$$=\lim_{x\to 2-}\frac{(bx^2+4)-(4+4b)}{x-2}\ (\because ㉠)$$
$$=\lim_{x\to 2-}\frac{b(x^2-4)}{x-2}$$
$$=\lim_{x\to 2-}\frac{b(x+2)(x-2)}{x-2}$$
$$=\lim_{x\to 2-}b(x+2)$$
$$=4b$$

$$\lim_{x\to 2+}\frac{f(x)-f(2)}{x-2}=\lim_{x\to 2+}\frac{(x^2+ax)-(4+2a)}{x-2}$$
$$=\lim_{x\to 2+}\frac{x^2+ax-2a-4}{x-2}$$
$$=\lim_{x\to 2+}\frac{(x-2)(x+a+2)}{x-2}$$
$$=\lim_{x\to 2+}(x+a+2)$$
$$=a+4$$

이때 $4b=a+4$이므로 $a=4b-4$ ······㉡

㉠, ㉡에서 $2b=4b-4 \qquad \therefore \boldsymbol{b=2}$

$b=2$를 ㉠에 대입하면 $\boldsymbol{a=4}$

1-3

함수 $f(x)$가 $x=1$에서 미분가능하므로 $x=1$에서 연속이다.

즉, $\lim_{x\to 1} f(x)=f(1)$에서

$b-3=1-a \qquad \therefore b=4-a$ ······㉠

또 $x=1$에서의 미분계수 $f'(1)$이 존재하므로

$$\lim_{x\to 1-}\frac{f(x)-f(1)}{x-1}=\lim_{x\to 1-}\frac{(bx-3)-(1-a)}{x-1}$$
$$=\lim_{x\to 1-}\frac{bx-4+a}{x-1}$$
$$=\lim_{x\to 1-}\frac{(4-a)x-(4-a)}{x-1}\ (\because ㉠)$$
$$=\lim_{x\to 1-}\frac{(4-a)(x-1)}{x-1}$$
$$=\lim_{x\to 1-}(4-a)=4-a$$

$$\lim_{x\to 1+}\frac{f(x)-f(1)}{x-1}=\lim_{x\to 1+}\frac{x^3-ax^2-(1-a)}{x-1}$$
$$=\lim_{x\to 1+}\frac{x^3-ax^2+a-1}{x-1}$$
$$=\lim_{x\to 1+}\frac{(x-1)\{x^2+(1-a)x+1-a\}}{x-1}$$
$$=\lim_{x\to 1+}\{x^2+(1-a)x+1-a\}=3-2a$$

이때 $4-a=3-2a$이므로 $\boldsymbol{a=-1}$

$a=-1$을 ㉠에 대입하면 $\boldsymbol{b=5}$

2-1 −1, 2, 0, 1

2-2

(i) $\lim_{x\to 2} f(x)=f(2)=4$이므로 $f(x)$는 $x=2$에서 연속이다.

(ii) $$\lim_{h\to 0-}\frac{f(2+h)-f(2)}{h}=\lim_{h\to 0-}\frac{2(2+h)-4}{h}$$
$$=\lim_{h\to 0-}\frac{2h}{h}$$
$$=\lim_{h\to 0-}2=2$$
$$\lim_{h\to 0+}\frac{f(2+h)-f(2)}{h}=\lim_{h\to 0+}\frac{(2+h)^2-4}{h}$$
$$=\lim_{h\to 0+}\frac{h^2+4h}{h}$$
$$=\lim_{h\to 0+}(h+4)=4$$

이므로 $f'(2)$가 존재하지 않는다.

따라서 함수 $f(x)$는 $x=2$에서 미분가능하지 않다.

(i), (ii)에서 함수 $f(x)$는 $x=2$에서 **연속이지만 미분가능하지 않다.**

2-3

ㄱ. $f(x)=x+1$은 모든 점에서 연속이고 미분가능하다.

ㄴ. (i) $\lim_{x\to -1} g(x)=g(-1)=0$이므로 $g(x)$는 $x=-1$에서 연속이다.

(ii) $\lim_{h\to0-}\frac{g(-1+h)-g(-1)}{h}=\lim_{h\to0-}\frac{|h|}{h}$

$=\lim_{h\to0-}\frac{-h}{h}=-1$

$\lim_{h\to0+}\frac{g(-1+h)-g(-1)}{h}=\lim_{h\to0+}\frac{|h|}{h}=\lim_{h\to0+}\frac{h}{h}=1$

이므로 $g'(-1)$이 존재하지 않는다.

따라서 함수 $g(x)$는 $x=-1$에서 미분가능하지 않다.

(i), (ii)에서 함수 $g(x)$는 $x=-1$에서 연속이지만 미분가능하지 않다.

ㄷ. $h(x)=x^2+1$은 모든 점에서 연속이고 미분가능하다.

ㄹ. (i) $\lim_{x\to-1}k(x)=k(-1)=0$이므로 $k(x)$는 $x=-1$에서 연속이다.

(ii) $\lim_{h\to0-}\frac{k(-1+h)-k(-1)}{h}$

$=\lim_{h\to0-}\frac{|(-1+h)^2-1|}{h}=\lim_{h\to0-}\frac{|h^2-2h|}{h}$

$=\lim_{h\to0-}\frac{h^2-2h}{h}=\lim_{h\to0-}(h-2)=-2$

$\lim_{h\to0+}\frac{k(-1+h)-k(-1)}{h}$

$=\lim_{h\to0+}\frac{|(-1+h)^2-1|}{h}=\lim_{h\to0+}\frac{|h^2-2h|}{h}$

$=\lim_{h\to0+}\frac{-h^2+2h}{h}=\lim_{h\to0+}(-h+2)=2$

이므로 $k'(-1)$이 존재하지 않는다.

따라서 함수 $k(x)$는 $x=-1$에서 미분가능하지 않다.

(i), (ii)에서 함수 $k(x)$는 $x=-1$에서 연속이지만 미분가능하지 않다.

따라서 구하는 함수는 ㄴ, ㄹ이다.

2주 3일 도함수

개념 확인

| 본문 65, 67쪽 |

1-1

(1) $f'(x)=\lim_{h\to0}\frac{f(x+h)-f(x)}{h}$

$=\lim_{h\to0}\frac{\{-4(x+h)+3\}-(-4x+3)}{h}$

$=\lim_{h\to0}(-4)=\mathbf{-4}$

(2) $f'(x)=\lim_{h\to0}\frac{f(x+h)-f(x)}{h}$

$=\lim_{h\to0}\frac{\{-2(x+h)^2-3(x+h)\}-(-2x^2-3x)}{h}$

$=\lim_{h\to0}(-4x-2h-3)=\mathbf{-4x-3}$

1-2

(1) $f'(x)=\lim_{h\to0}\frac{f(x+h)-f(x)}{h}$

$=\lim_{h\to0}\frac{\{(x+h)^2-2(x+h)+3\}-(x^2-2x+3)}{h}$

$=\lim_{h\to0}(2x+h-2)=\mathbf{2x-2}$

(2) $f'(x)=\lim_{h\to0}\frac{f(x+h)-f(x)}{h}$

$=\lim_{h\to0}\frac{\{(x+h)^3+1\}-(x^3+1)}{h}$

$=\lim_{h\to0}(3x^2+3xh+h^2)=\mathbf{3x^2}$

2-1

(1) $y'=6x^{6-1}=\mathbf{6x^5}$

(2) $y'=\mathbf{0}$

(3) $y'=(3x^2+6x-5)'$

$=(3x^2)'+(6x)'-(5)'$

$=3(x^2)'+6(x)'-(5)'$

$=3\times2x+6\times1-0$

$=\mathbf{6x+6}$

(4) $y'=\left(-\frac{1}{2}x^2+3\right)'$

$=\left(-\frac{1}{2}x^2\right)'+(3)'$

$=-\frac{1}{2}(x^2)'+(3)'$

$=-\frac{1}{2}\times2x+0$

$=\mathbf{-x}$

2-2

(1) $y'=-7x^{7-1}=\mathbf{-7x^6}$

(2) $y'=(x^2-2x)'$

$=(x^2)'-(2x)'$

$=(x^2)'-2(x)'$

$=2x-2\times1$

$=\mathbf{2x-2}$

(3) $y'=(-x^3+2x)'$

$=(-x^3)'+(2x)'$

$=-(x^3)'+2(x)'$

$=(-1)\times3x^2+2\times1$

$=\mathbf{-3x^2+2}$

(4) $\boldsymbol{y'}=(3x^4-2x^2+1)'$

$=(3x^4)'-(2x^2)'+(1)'$

$=3(x^4)'-2(x^2)'+(1)'$

$=3\times4x^3-2\times2x+0$

$=\mathbf{12x^3-4x}$

3-1

$f(x)=ax^2+bx+c\ (a\neq0)$로 놓으면 $f'(x)=2ax+b$

$f(-1)=2$에서 $a-b+c=2$ ······㉠

$f'(0)=-2$에서 $b=-2$

$f'(1)=4$에서 $2a+b=4$ $\quad\therefore a=3$

$a=3,\ b=-2$를 ㉠에 대입하면

$3-(-2)+c=2$ $\quad\therefore c=-3$

$\therefore \boldsymbol{f(x)=3x^2-2x-3}$

3-2

$f(x)=ax^2+bx+c\ (a\neq0)$로 놓으면 $f'(x)=2ax+b$

$f(0)=1$에서 $c=1$

$f'(0)=2$에서 $b=2$

$f'(2)=-2$에서 $4a+b=-2$ $\quad\therefore a=-1$

$\therefore \boldsymbol{f(x)=-x^2+2x+1}$

4-1

(1) $y'=(2x+3)'(3x-2)+(2x+3)(3x-2)'$

$=2(3x-2)+(2x+3)\times3$

$=\mathbf{12x+5}$

(2) $y'=(x+1)'(x^2-x+1)+(x+1)(x^2-x+1)'$

$=1\times(x^2-x+1)+(x+1)(2x-1)$

$=\mathbf{3x^2}$

다른 풀이

$y=(x+1)(x^2-x+1)=x^3+1$에서 $y'=3x^2$

4-2

(1) $y'=(x^2-1)'(2x+1)+(x^2-1)(2x+1)'$

$=2x(2x+1)+(x^2-1)\times2$

$=\mathbf{6x^2+2x-2}$

(2) $y'=(x^2-x+1)'(x^2+x+1)+(x^2-x+1)(x^2+x+1)'$

$=(2x-1)(x^2+x+1)+(x^2-x+1)(2x+1)$

$=\mathbf{4x^3+2x}$

다른 풀이

$y=(x^2-x+1)(x^2+x+1)=x^4+x^2+1$에서

$y'=4x^3+2x$

5-1

(1) $y'=3(3x+1)^2(3x+1)'$

$=3(3x+1)^2\times3=\mathbf{9(3x+1)^2}$

(2) $y'=4(x^2+2x+3)^3(x^2+2x+3)'$

$=4(x^2+2x+3)^3(2x+2)=\mathbf{8(x+1)(x^2+2x+3)^3}$

5-2

(1) $y'=3(x-1)^2(x-1)'$

$=3(x-1)^2\times1=\mathbf{3(x-1)^2}$

(2) $y'=5(3-4x)^4(3-4x)'$

$=5(3-4x)^4\times(-4)=\mathbf{-20(3-4x)^4}$

6-1

(1) 다항식 x^3+ax^2+b를 $(x-2)^2$으로 나누었을 때의 몫을 $Q(x)$라 하면

$x^3+ax^2+b=(x-2)^2Q(x)$ ······㉠

양변에 $x=2$를 대입하면

$8+4a+b=0$ $\quad\therefore 4a+b=-8$ ······㉡

㉠의 양변을 x에 대하여 미분하면

$3x^2+2ax=2(x-2)Q(x)+(x-2)^2Q'(x)$

양변에 $x=2$를 대입하면

$12+4a=0$ $\quad\therefore \boldsymbol{a=-3}$

$a=-3$을 ㉡에 대입하면

$-12+b=-8$ $\quad\therefore \boldsymbol{b=4}$

(2) 다항식 x^7-2x+4를 $(x-1)^2$으로 나누었을 때의 몫을 $Q(x)$, 나머지를 $ax+b$라 하면

$x^7-2x+4=(x-1)^2Q(x)+ax+b$ ······㉠

양변에 $x=1$을 대입하면

$1-2+4=a+b$ $\quad\therefore a+b=3$ ······㉡

㉠의 양변을 x에 대하여 미분하면

$7x^6-2=2(x-1)Q(x)+(x-1)^2Q'(x)+a$

양변에 $x=1$을 대입하면

$7-2=a$ $\quad\therefore a=5$

$a=5$를 ㉡에 대입하면

$5+b=3$ $\quad\therefore b=-2$

따라서 구하는 나머지는 $\mathbf{5x-2}$

6-2

(1) 다항식 x^4+ax^2+b를 $(x-1)^2$으로 나누었을 때의 몫을 $Q(x)$라 하면

$x^4+ax^2+b=(x-1)^2Q(x)$ ······㉠

양변에 $x=1$을 대입하면

$1+a+b=0$ $\quad\therefore a+b=-1$ ······㉡

㉠의 양변을 x에 대하여 미분하면

$4x^3+2ax=2(x-1)Q(x)+(x-1)^2Q'(x)$

양변에 $x=1$을 대입하면

$4+2a=0$ $\quad\therefore \boldsymbol{a=-2}$

$a=-2$를 ㉡에 대입하면

$-2+b=-1$ $\quad\therefore \boldsymbol{b=1}$

(2) 다항식 $x^{10}-2x^3+1$을 $(x+1)^2$으로 나누었을 때의 몫을 $Q(x)$, 나머지를 $ax+b$라 하면

$x^{10}-2x^3+1=(x+1)^2Q(x)+ax+b$ ······㉠

양변에 $x=-1$을 대입하면

$1+2+1=-a+b \quad \therefore a-b=-4$ ······㉡

㉠의 양변을 x에 대하여 미분하면

$10x^9-6x^2=2(x+1)Q(x)+(x+1)^2Q'(x)+a$

양변에 $x=-1$을 대입하면

$-10-6=a \quad \therefore a=-16$

$a=-16$을 ㉡에 대입하면

$-16-b=-4 \quad \therefore b=-12$

따라서 구하는 나머지는 $\mathbf{-16x-12}$

기초 유형

| 본문 68, 69쪽 |

1-1 **1, 2, 3**

1-2

$f(x)=x+2x^2+3x^3+4x^4+5x^5$에서

$f'(x)=1+4x+9x^2+16x^3+25x^4$

$\therefore f'(1)=1+4+9+16+25=\mathbf{55}$

1-3

$f(x)=x^2+3x$에서 $f'(x)=2x+3$

$$\therefore \lim_{h\to0}\frac{f(1+2h)-f(1)}{h}=\lim_{h\to0}\frac{f(1+2h)-f(1)}{2h}\times2$$
$$=2f'(1)$$
$$=2\times5=\mathbf{10}$$

2-1 **2, 5**

2-2

$f(x)=2x^4-3x^3+ax+5$에서 $f'(x)=8x^3-9x^2+a$

이때 $f'(1)=2$이므로

$-1+a=2 \quad \therefore a=\mathbf{3}$

2-3

$f(x)=x^3+ax^2-4x+1$에서 $f'(x)=3x^2+2ax-4$

$$\lim_{h\to0}\frac{f(1+h)-f(1)+f(1)-f(1-3h)}{2h}$$
$$=\lim_{h\to0}\frac{f(1+h)-f(1)}{2h}-\lim_{h\to0}\frac{f(1-3h)-f(1)}{2h}$$
$$=\lim_{h\to0}\frac{f(1+h)-f(1)}{h}\times\frac{1}{2}-\lim_{h\to0}\frac{f(1-3h)-f(1)}{-3h}\times\left(-\frac{3}{2}\right)$$
$$=\frac{1}{2}f'(1)+\frac{3}{2}f'(1)=2f'(1)$$

이때 $2f'(1)=6$에서 $f'(1)=3$이므로

$3+2a-4=3 \quad \therefore a=\mathbf{2}$

3-1 **4, 8**

3-2

$f(x)=(x^3+a)(x^3+x^2+x+2)$에서

$f'(x)=(x^3+a)'(x^3+x^2+x+2)+(x^3+a)(x^3+x^2+x+2)'$

$\qquad=3x^2(x^3+x^2+x+2)+(x^3+a)(3x^2+2x+1)$

이때 $f'(0)=5$이므로 $a=\mathbf{5}$

3-3

$f(x)=(x-a)(x^2-4x+3)$에서

$f'(x)=(x-a)'(x^2-4x+3)+(x-a)(x^2-4x+3)'$

$\qquad=(x^2-4x+3)+(x-a)(2x-4)$

이때 $f'(a)=-1$이므로

$a^2-4a+3=-1,\ a^2-4a+4=0$

$(a-2)^2=0 \quad \therefore a=2$

따라서

$f'(x)=(x^2-4x+3)+(x-2)(2x-4)$

$\qquad=3x^2-12x+11$

이므로 $f'(1)=\mathbf{2}$

4-1 **0, 3, 3**

4-2

$\lim_{x\to3}\frac{f(x)-2}{x-3}=1$에서 $x\to3$일 때, 극한값이 존재하고

(분모)$\to0$이므로 (분자)$\to0$이다.

즉, $\lim_{x\to3}\{f(x)-2\}=0$이므로

$\lim_{x\to3}f(x)=2 \quad \therefore f(3)=2$

이때 $\lim_{x\to3}\frac{f(x)-2}{x-3}=\lim_{x\to3}\frac{f(x)-f(3)}{x-3}=f'(3)$이므로

$f'(3)=1$

$\lim_{x\to3}\frac{g(x)-1}{x-3}=2$에서 $x\to3$일 때, 극한값이 존재하고

(분모)$\to0$이므로 (분자)$\to0$이다.

즉, $\lim_{x\to3}\{g(x)-1\}=0$이므로

$\lim_{x\to3}g(x)=1 \quad \therefore g(3)=1$

이때 $\lim_{x\to3}\frac{g(x)-1}{x-3}=\lim_{x\to3}\frac{g(x)-g(3)}{x-3}=g'(3)$이므로

$g'(3)=2$

한편 $\{f(x)g(x)\}'=f'(x)g(x)+f(x)g'(x)$이므로

함수 $f(x)g(x)$의 $x=3$에서의 미분계수는

$f'(3)g(3)+f(3)g'(3)=1\times1+2\times2=\mathbf{5}$

2주 4일 접선의 방정식

개념 확인

| 본문 71, 73쪽 |

1-1

(1) $f(x)=-x^2+4x-3$이라 하면 $f'(x)=-2x+4$
곡선 $y=-x^2+4x-3$ 위의 점 $(1, 0)$에서의 접선의 기울기는 $f'(1)=2$
따라서 구하는 접선의 방정식은
$y-0=2(x-1)$, 즉 $\boldsymbol{y=2x-2}$

(2) $f(x)=x^2-3x+4$라 하면 $f'(x)=2x-3$
곡선 $y=x^2-3x+4$ 위의 점 $(1, 2)$에서의 접선의 기울기는 $f'(1)=-1$
따라서 구하는 접선의 방정식은
$y-2=-(x-1)$, 즉 $\boldsymbol{y=-x+3}$

(3) $f(x)=x^3-1$이라 하면 $f'(x)=3x^2$
곡선 $y=x^3-1$ 위의 점 $(-1, -2)$에서의 접선의 기울기는 $f'(-1)=3$
따라서 구하는 접선의 방정식은
$y-(-2)=3\{x-(-1)\}$, 즉 $\boldsymbol{y=3x+1}$

1-2

(1) $f(x)=1+2x-3x^2$이라 하면 $f'(x)=2-6x$
곡선 $y=1+2x-3x^2$ 위의 점 $(0, 1)$에서의 접선의 기울기는 $f'(0)=2$
따라서 구하는 접선의 방정식은
$y-1=2(x-0)$, 즉 $\boldsymbol{y=2x+1}$

(2) $f(x)=-2x^2+5x+1$이라 하면 $f'(x)=-4x+5$
곡선 $y=-2x^2+5x+1$ 위의 점 $(2, 3)$에서의 접선의 기울기는 $f'(2)=-3$
따라서 구하는 접선의 방정식은
$y-3=-3(x-2)$, 즉 $\boldsymbol{y=-3x+9}$

(3) $f(x)=x^3-2x$라 하면 $f'(x)=3x^2-2$
곡선 $y=x^3-2x$ 위의 점 $(1, -1)$에서의 접선의 기울기는 $f'(1)=1$
따라서 구하는 접선의 방정식은
$y-(-1)=x-1$, 즉 $\boldsymbol{y=x-2}$

2-1

(1) $f(x)=-x^2+3x+2$라 하면 $f'(x)=-2x+3$
곡선 $y=-x^2+3x+2$ 위의 점 $(1, 4)$에서의 접선의 기울기는 $f'(1)=1$이므로 이 접선에 수직인 직선의 기울기는 -1이다.
따라서 구하는 직선의 방정식은
$y-4=-(x-1)$, 즉 $\boldsymbol{y=-x+5}$

(2) $f(x)=-x^3+2x+1$이라 하면 $f'(x)=-3x^2+2$
곡선 $y=-x^3+2x+1$ 위의 점 $(-1, 0)$에서의 접선의 기울기는 $f'(-1)=-1$이므로 이 접선에 수직인 직선의 기울기는 1이다.
따라서 구하는 직선의 방정식은
$y-0=x-(-1)$, 즉 $\boldsymbol{y=x+1}$

(3) $f(x)=x^3+x^2$이라 하면 $f'(x)=3x^2+2x$
곡선 $y=x^3+x^2$ 위의 점 $(1, 2)$에서의 접선의 기울기는 $f'(1)=5$이므로 이 접선에 수직인 직선의 기울기는 $-\frac{1}{5}$이다.
따라서 구하는 직선의 방정식은
$y-2=-\frac{1}{5}(x-1)$, 즉 $\boldsymbol{y=-\frac{1}{5}x+\frac{11}{5}}$

2-2

(1) $f(x)=2x^2-x-1$이라 하면 $f'(x)=4x-1$
곡선 $y=2x^2-x-1$ 위의 점 $(0, -1)$에서의 접선의 기울기는 $f'(0)=-1$이므로 이 접선에 수직인 직선의 기울기는 1이다.
따라서 구하는 직선의 방정식은
$y-(-1)=x$, 즉 $\boldsymbol{y=x-1}$

(2) $f(x)=x^2+1$이라 하면 $f'(x)=2x$
곡선 $y=x^2+1$ 위의 점 $(1, 2)$에서의 접선의 기울기는 $f'(1)=2$이므로 이 접선에 수직인 직선의 기울기는 $-\frac{1}{2}$이다.
따라서 구하는 직선의 방정식은
$y-2=-\frac{1}{2}(x-1)$, 즉 $\boldsymbol{y=-\frac{1}{2}x+\frac{5}{2}}$

(3) $f(x)=5x-x^3$이라 하면 $f'(x)=5-3x^2$
곡선 $y=5x-x^3$ 위의 점 $(2, 2)$에서의 접선의 기울기는 $f'(2)=-7$이므로 이 접선에 수직인 직선의 기울기는 $\frac{1}{7}$이다.
따라서 구하는 직선의 방정식은
$y-2=\frac{1}{7}(x-2)$, 즉 $\boldsymbol{y=\frac{1}{7}x+\frac{12}{7}}$

3-1

(1) $f(x)=3x^2-5x+2$라 하면 $f'(x)=6x-5$
접점의 좌표를 $(a, 3a^2-5a+2)$라 하면 접선의 기울기가 1이므로
$f'(a)=6a-5=1$ $\quad\therefore a=1$
따라서 접점의 좌표가 $(1, 0)$이므로 구하는 접선의 방정식은
$y-0=x-1$, 즉 $\boldsymbol{y=x-1}$

(2) $f(x)=-x^3+x+4$라 하면 $f'(x)=-3x^2+1$
접점의 좌표를 $(a, -a^3+a+4)$라 하면 접선의 기울기가 1이므로
$f'(a)=-3a^2+1=1$ $\quad\therefore a=0$
따라서 접점의 좌표가 $(0, 4)$이므로 구하는 접선의 방정식은
$y-4=x-0$, 즉 $\boldsymbol{y=x+4}$

3-2

(1) $f(x)=x^2+x$라 하면 $f'(x)=2x+1$

접점의 좌표를 $(a,\ a^2+a)$라 하면 접선의 기울기가 -1이므로

$f'(a)=2a+1=-1 \quad \therefore a=-1$

따라서 접점의 좌표가 $(-1,\ 0)$이므로 구하는 접선의 방정식은

$y-0=-\{x-(-1)\}$, 즉 $\boldsymbol{y=-x-1}$

(2) $f(x)=x^3+3x^2-x+2$라 하면 $f'(x)=3x^2+6x-1$

접점의 좌표를 $(a,\ a^3+3a^2-a+2)$라 하면 접선의 기울기가 -1이므로

$f'(a)=3a^2+6a-1=-1,\ 3a(a+2)=0$

$\therefore a=-2$ 또는 $a=0$

(i) $a=-2$일 때, 접점의 좌표가 $(-2,\ 8)$이므로 접선의 방정식은

$y-8=-\{x-(-2)\}$, 즉 $y=-x+6$

(ii) $a=0$일 때, 접점의 좌표가 $(0,\ 2)$이므로 접선의 방정식은

$y-2=-x$, 즉 $y=-x+2$

(i), (ii)에서 구하는 접선의 방정식은

$\boldsymbol{y=-x+6}$ **또는** $\boldsymbol{y=-x+2}$

4-1

$f(x)=(x-1)(2x+1)=2x^2-x-1$에서 $f'(x)=4x-1$

(1) 곡선 $y=f(x)$와 x축의 교점의 x좌표는

$(x-1)(2x+1)=0$에서

$x=-\frac{1}{2}$ 또는 $x=1$

(i) 점 $\left(-\frac{1}{2},\ 0\right)$에서의 접선의 기울기는

$f'\left(-\frac{1}{2}\right)=4\times\left(-\frac{1}{2}\right)-1=-3$

(ii) 점 $(1,\ 0)$에서의 접선의 기울기는

$f'(1)=4\times1-1=3$

(i), (ii)에서 구하는 접선의 기울기는

$\boldsymbol{-3}$ **또는** $\boldsymbol{3}$

(2) 접점의 좌표를 $(a,\ 2a^2-a-1)$이라 하면 접선의 기울기가 -5이므로

$f'(a)=4a-1=-5 \quad \therefore a=-1$

따라서 접점의 좌표가 $(-1,\ 2)$이므로 구하는 접선의 방정식은

$y-2=-5\{x-(-1)\}$, 즉 $\boldsymbol{y=-5x-3}$

4-2

$f(x)=x^2-5x+6$에서 $f'(x)=2x-5$

(1) 곡선 $y=f(x)$와 x축의 교점의 x좌표는

$x^2-5x+6=0$에서 $(x-2)(x-3)=0$

$\therefore x=2$ 또는 $x=3$

(i) 점 $(2,\ 0)$에서의 접선의 기울기는

$f'(2)=2\times2-5=-1$

(ii) 점 $(3,\ 0)$에서의 접선의 기울기는

$f'(3)=2\times3-5=1$

(i), (ii)에서 구하는 접선의 기울기는

$\boldsymbol{-1}$ **또는** $\boldsymbol{1}$

(2) 접점의 좌표를 $(a,\ a^2-5a+6)$이라 하면 접선의 기울기가 3이므로

$f'(a)=2a-5=3 \quad \therefore a=4$

따라서 접점의 좌표가 $(4,\ 2)$이므로 구하는 접선의 방정식은

$y-2=3(x-4)$, 즉 $\boldsymbol{y=3x-10}$

5-1

(1) $f(x)=-x^2-3x+1$이라 하면 $f'(x)=-2x-3$

접점의 좌표를 $(a,\ -a^2-3a+1)$이라 하면 직선 $y=x$와 평행한 접선의 기울기는 1이므로

$f'(a)=-2a-3=1 \quad \therefore a=-2$

따라서 접점의 좌표가 $(-2,\ 3)$이므로 구하는 접선의 방정식은

$y-3=x-(-2)$, 즉 $\boldsymbol{y=x+5}$

(2) $f(x)=x^3+x+1$이라 하면 $f'(x)=3x^2+1$

접점의 좌표를 $(a,\ a^3+a+1)$이라 하면 직선 $y=x$와 평행한 접선의 기울기는 1이므로

$f'(a)=3a^2+1=1 \quad \therefore a=0$

따라서 접점의 좌표가 $(0,\ 1)$이므로 구하는 접선의 방정식은

$y-1=x$, 즉 $\boldsymbol{y=x+1}$

5-2

(1) $f(x)=x^2+5x$라 하면 $f'(x)=2x+5$

접점의 좌표를 $(a,\ a^2+5a)$라 하면 직선 $y=3x$와 평행한 접선의 기울기는 3이므로

$f'(a)=2a+5=3 \quad \therefore a=-1$

따라서 접점의 좌표가 $(-1,\ -4)$이므로 구하는 접선의 방정식은

$y-(-4)=3\{x-(-1)\}$, 즉 $\boldsymbol{y=3x-1}$

(2) $f(x)=x^3+8$이라 하면 $f'(x)=3x^2$

접점의 좌표를 $(a,\ a^3+8)$이라 하면 직선 $y=3x$와 평행한 접선의 기울기는 3이므로

$f'(a)=3a^2=3 \quad \therefore a=-1$ 또는 $a=1$

(i) $a=-1$일 때, 접점의 좌표가 $(-1,\ 7)$이므로 접선의 방정식은

$y-7=3\{x-(-1)\}$, 즉 $y=3x+10$

(ii) $a=1$일 때, 접점의 좌표가 $(1,\ 9)$이므로 접선의 방정식은

$y-9=3(x-1)$, 즉 $y=3x+6$

(i), (ii)에서 구하는 접선의 방정식은

$\boldsymbol{y=3x+10}$ **또는** $\boldsymbol{y=3x+6}$

기초 유형

| 본문 74, 75쪽 |

1-1 **1, 2**

1-2

$f(x)=x^2+ax+b$라 하면 $f'(x)=2x+a$

점 $(2, 3)$에서의 접선의 기울기가 6이므로

$f'(2)=4+a=6$ $\quad \therefore \boldsymbol{a=2}$

점 $(2, 3)$이 곡선 $y=x^2+ax+b$ 위의 점이므로

$4+2a+b=3$ $\quad \therefore b=-2a-1$ ……㉠

$a=2$를 ㉠에 대입하면 $\boldsymbol{b=-5}$

2-1 **7, 7, 16**

2-2

$f(x)=x^3+6x^2-11x+7$이라 하면

$f'(x)=3x^2+12x-11$

곡선 $y=x^3+6x^2-11x+7$ 위의 점 $(1, 3)$에서의 접선의 기울기는 $f'(1)=4$

이므로 접선의 방정식은

$y-3=4(x-1)$, 즉 $y=4x-1$

따라서 $m=4$, $n=-1$이므로

$m-n=\mathbf{5}$

2-3

다항함수 $y=f(x)$의 그래프 위의 점 $(1, 2)$에서의 접선의 방정식이 $y=3x-1$이므로

$f(1)=2$, $f'(1)=3$

$y=\{f(x)\}^2$에서 $y'=2f(x)f'(x)$이고

x좌표가 1인 점의 y좌표는 $\{f(1)\}^2=4$이므로

점 $(1, 4)$에서의 접선의 기울기는

$2f(1)f'(1)=2\times2\times3=12$

따라서 구하는 접선의 방정식은

$y-4=12(x-1)$, 즉 $\boldsymbol{y=12x-8}$

3-1 **2, 4**

3-2

$f(x)=x^3-3x^2+x-2$라 하면 $f'(x)=3x^2-6x+1$

곡선 $y=x^3-3x^2+x-2$ 위의 점 $(1, -3)$에서의 접선의 기울기는 $f'(1)=-2$이므로 이 접선과 수직이고 점 $(1, -3)$을 지나는 직선의 방정식은

$y-(-3)=\frac{1}{2}(x-1)$, 즉 $\boldsymbol{y=\frac{1}{2}x-\frac{7}{2}}$

4-1 **1, 2, 2, 1**

4-2

$f(x)=-x^2+ax+b$라 하면 $f'(x)=-2x+a$

점 $(3, 5)$에서의 접선의 기울기는

$f'(3)=-6+a$

이때 $y=-x+8$에서 $f'(3)=-1$이므로

$-6+a=-1$ $\quad \therefore a=5$

따라서 $f(x)=-x^2+5x+b$이므로

$f(3)=-9+15+b=5$ $\quad \therefore b=-1$

$\therefore a-b=\mathbf{6}$

4-3

$f(x)=ax^2+bx+1$이라 하면 $f'(x)=2ax+b$

직선 $y=-\frac{1}{5}x+1$과 수직인 직선의 기울기는 5이므로 점 $(1, 3)$에서의 접선의 기울기는

$f'(1)=2a+b=5$ ……㉠

점 $(1, 3)$은 곡선 $y=ax^2+bx+1$ 위의 점이므로

$a+b+1=3$ $\quad \therefore a+b=2$ ……㉡

㉠, ㉡을 연립하여 풀면 $a=3$, $b=-1$

$\therefore a-b=\mathbf{4}$

2주 5일 접선의 방정식의 활용

개념 확인

| 본문 77, 79쪽 |

1-1

(1) $f(x)=x^2-2x$라 하면 $f'(x)=2x-2$

접점의 좌표를 (a, a^2-2a)라 하면 접선의 기울기는

$f'(a)=2a-2$

따라서 접선의 방정식은

$y-(a^2-2a)=(2a-2)(x-a)$에서

$y=(2a-2)x-a^2$ ……㉠

이 접선이 점 $(3, -1)$을 지나므로

$-1=3(2a-2)-a^2$, $a^2-6a+5=0$

$(a-1)(a-5)=0$

$\therefore a=1$ 또는 $a=5$

a의 값을 ㉠에 대입하면 구하는 접선의 방정식은

$\boldsymbol{y=-1}$ **또는** $\boldsymbol{y=8x-25}$

(2) $f(x)=-x^2+2x-4$라 하면 $f'(x)=-2x+2$

접점의 좌표를 $(a, -a^2+2a-4)$라 하면 접선의 기울기는

$f'(a)=-2a+2$

따라서 접선의 방정식은

$y-(-a^2+2a-4)=(-2a+2)(x-a)$에서

$y=(-2a+2)x+a^2-4$ ……㉠

이 접선이 점 $(0, 0)$을 지나므로

$0=a^2-4$, $(a+2)(a-2)=0$

$\therefore a=-2$ 또는 $a=2$

a의 값을 ㉠에 대입하면 구하는 접선의 방정식은

$y=6x$ 또는 $y=-2x$

(3) $f(x)=x^3$이라 하면 $f'(x)=3x^2$

접점의 좌표를 (a, a^3)이라 하면 접선의 기울기는

$f'(a)=3a^2$

따라서 접선의 방정식은 $y-a^3=3a^2(x-a)$에서

$y=3a^2x-2a^3$ ……㉠

이 접선이 점 $(0, -2)$를 지나므로

$-2=-2a^3$, $a^3-1=0$

$(a-1)(a^2+a+1)=0$

a는 실수이므로 $a=1$

a의 값을 ㉠에 대입하면 구하는 접선의 방정식은

$y=3x-2$

(4) $f(x)=-x^3+3x+2$라 하면 $f'(x)=-3x^2+3$

접점의 좌표를 $(a, -a^3+3a+2)$라 하면 접선의 기울기는

$f'(a)=-3a^2+3$

따라서 접선의 방정식은

$y-(-a^3+3a+2)=(-3a^2+3)(x-a)$에서

$y=(-3a^2+3)x+2a^3+2$ ……㉠

이 접선이 점 $(1, 9)$를 지나므로

$9=-3a^2+3+2a^3+2$, $2a^3-3a^2-4=0$

$(a-2)(2a^2+a+2)=0$

a는 실수이므로 $a=2$

a의 값을 ㉠에 대입하면 구하는 접선의 방정식은

$y=-9x+18$

1-2

(1) $f(x)=x^2+2$라 하면 $f'(x)=2x$

접점의 좌표를 (a, a^2+2)라 하면 접선의 기울기는

$f'(a)=2a$

따라서 접선의 방정식은

$y-(a^2+2)=2a(x-a)$에서

$y=2ax-a^2+2$ ……㉠

이 접선이 점 $(1, -1)$을 지나므로

$-1=2a-a^2+2$, $a^2-2a-3=0$

$(a+1)(a-3)=0$

$\therefore a=-1$ 또는 $a=3$

a의 값을 ㉠에 대입하면 구하는 접선의 방정식은

$y=-2x+1$ 또는 $y=6x-7$

(2) $f(x)=-x^2+4x-2$라 하면 $f'(x)=-2x+4$

접점의 좌표를 $(a, -a^2+4a-2)$라 하면 접선의 기울기는

$f'(a)=-2a+4$

따라서 접선의 방정식은

$y-(-a^2+4a-2)=(-2a+4)(x-a)$에서

$y=(-2a+4)x+a^2-2$ ……㉠

이 접선이 점 $(2, 3)$을 지나므로

$3=-4a+8+a^2-2$, $a^2-4a+3=0$

$(a-1)(a-3)=0$

$\therefore a=1$ 또는 $a=3$

a의 값을 ㉠에 대입하면 구하는 접선의 방정식은

$y=2x-1$ 또는 $y=-2x+7$

(3) $f(x)=-x^3+1$이라 하면 $f'(x)=-3x^2$

접점의 좌표를 $(a, -a^3+1)$이라 하면 접선의 기울기는

$f'(a)=-3a^2$

따라서 접선의 방정식은

$y-(-a^3+1)=-3a^2(x-a)$에서

$y=-3a^2x+2a^3+1$ ……㉠

이 접선이 점 $(0, -1)$을 지나므로

$-1=2a^3+1$, $a^3+1=0$

$(a+1)(a^2-a+1)=0$

a는 실수이므로 $a=-1$

a의 값을 ㉠에 대입하면 구하는 접선의 방정식은

$y=-3x-1$

(4) $f(x)=x^3-4x^2+5x$라 하면 $f'(x)=3x^2-8x+5$

접점의 좌표를 (a, a^3-4a^2+5a)라 하면 접선의 기울기는

$f'(a)=3a^2-8a+5$

따라서 접선의 방정식은

$y-(a^3-4a^2+5a)=(3a^2-8a+5)(x-a)$에서

$y=(3a^2-8a+5)x-2a^3+4a^2$ ……㉠

이 접선이 점 $(2, 10)$을 지나므로

$10=6a^2-16a+10-2a^3+4a^2$, $a^3-5a^2+8a=0$

$a(a^2-5a+8)=0$

a는 실수이므로 $a=0$

a의 값을 ㉠에 대입하면 구하는 접선의 방정식은

$y=5x$

2-1

(1) $f(x)=ax^3$, $g(x)=bx^2-x$라 하면

$f'(x)=3ax^2$, $g'(x)=2bx-1$

두 곡선 $y=f(x)$, $y=g(x)$가 $x=1$인 점에서 공통접선을 가지므로

$f(1)=g(1)$에서

$a=b-1$ $\quad\therefore a-b=-1$ ……㉠

$f'(1)=g'(1)$에서

$3a=2b-1$ $\quad\therefore 3a-2b=-1$ ……㉡

㉠, ㉡을 연립하여 풀면

$a=1$, $b=2$

(2) $f(x)=ax^2$, $g(x)=x^3+bx+c$라 하면

$f'(x)=2ax$, $g'(x)=3x^2+b$

두 곡선 $y=f(x)$, $y=g(x)$가 점 $(-2, 4)$를 지나므로

$f(-2)=4a=4 \quad \therefore a=1$

$g(-2)=-8-2b+c=4 \quad \therefore 2b-c=-12$ ……㉠

두 곡선의 접점 $(-2, 4)$에서의 접선의 기울기가 같으므로

$f'(-2)=g'(-2)$에서 $-4a=12+b$

$a=1$을 대입하면 $-4=12+b \quad \therefore b=-16$

$b=-16$을 ㉠에 대입하면 $-32-c=-12 \quad \therefore c=-20$

$\therefore \boldsymbol{a=1, b=-16, c=-20}$

2-2

(1) $f(x)=x^3+ax$, $g(x)=x^2+2x+b$라 하면

$f'(x)=3x^2+a$, $g'(x)=2x+2$

두 곡선 $y=f(x)$, $y=g(x)$가 $x=1$인 점에서 공통접선을 가지므로

$f(1)=g(1)$에서

$1+a=1+2+b \quad \therefore a-b=2$ ……㉠

$f'(1)=g'(1)$에서

$3+a=2+2 \quad \therefore a=1$

$a=1$을 ㉠에 대입하면 $b=-1$

$\therefore \boldsymbol{a=1, b=-1}$

(2) $f(x)=x^2+ax+b$, $g(x)=-x^3+c$라 하면

$f'(x)=2x+a$, $g'(x)=-3x^2$

두 곡선 $y=f(x)$, $y=g(x)$가 점 $(1, -2)$를 지나므로

$f(1)=1+a+b=-2 \quad \therefore a+b=-3$ ……㉠

$g(1)=-1+c=-2 \quad \therefore c=-1$

두 곡선의 접점 $(1, -2)$에서의 접선의 기울기가 같으므로

$f'(1)=g'(1)$에서 $2+a=-3 \quad \therefore a=-5$

$a=-5$를 ㉠에 대입하면 $-5+b=-3 \quad \therefore b=2$

$\therefore \boldsymbol{a=-5, b=2, c=-1}$

3-1

(1) 함수 $f(x)=-x^2+2x$는 닫힌구간 $[0, 2]$에서 연속이고 열린구간 $(0, 2)$에서 미분가능하다.

이때 $f(0)=f(2)=0$이므로 롤의 정리에 의하여 $f'(c)=0$인 c가 열린구간 $(0, 2)$에 적어도 하나 존재한다.

$f'(x)=-2x+2$이므로

$f'(c)=-2c+2=0 \quad \therefore c=\boldsymbol{1}$

(2) 함수 $f(x)=x^3-3x$는 닫힌구간 $[0, \sqrt{3}]$에서 연속이고 열린구간 $(0, \sqrt{3})$에서 미분가능하다.

이때 $f(0)=f(\sqrt{3})=0$이므로 롤의 정리에 의하여

$f'(c)=0$인 c가 열린구간 $(0, \sqrt{3})$에 적어도 하나 존재한다.

$f'(x)=3x^2-3$이므로

$f'(c)=3c^2-3=0, c^2=1 \quad \therefore c=\boldsymbol{1}$ ($\because 0<c<\sqrt{3}$)

3-2

(1) 함수 $f(x)=2x^2-2x+1$은 닫힌구간 $[-1, 2]$에서 연속이고 열린구간 $(-1, 2)$에서 미분가능하다.

이때 $f(-1)=f(2)=5$이므로 롤의 정리에 의하여

$f'(c)=0$인 c가 열린구간 $(-1, 2)$에 적어도 하나 존재한다.

$f'(x)=4x-2$이므로 $f'(c)=4c-2=0 \quad \therefore c=\boldsymbol{\frac{1}{2}}$

(2) 함수 $f(x)=-x^3+6x$는 닫힌구간 $[0, \sqrt{6}]$에서 연속이고 열린구간 $(0, \sqrt{6})$에서 미분가능하다.

이때 $f(0)=f(\sqrt{6})=0$이므로 롤의 정리에 의하여

$f'(c)=0$인 c가 열린구간 $(0, \sqrt{6})$에 적어도 하나 존재한다.

$f'(x)=-3x^2+6$이므로

$f'(c)=-3c^2+6=0, c^2=2 \quad \therefore c=\boldsymbol{\sqrt{2}}$ ($\because 0<c<\sqrt{6}$)

4-1

(1) 함수 $f(x)=x^2+2x$는 닫힌구간 $[-1, 1]$에서 연속이고 열린구간 $(-1, 1)$에서 미분가능하므로 평균값 정리에 의하여

$$\frac{f(1)-f(-1)}{1-(-1)}=\frac{3-(-1)}{2}=2=f'(c)$$

인 c가 열린구간 $(-1, 1)$에 적어도 하나 존재한다.

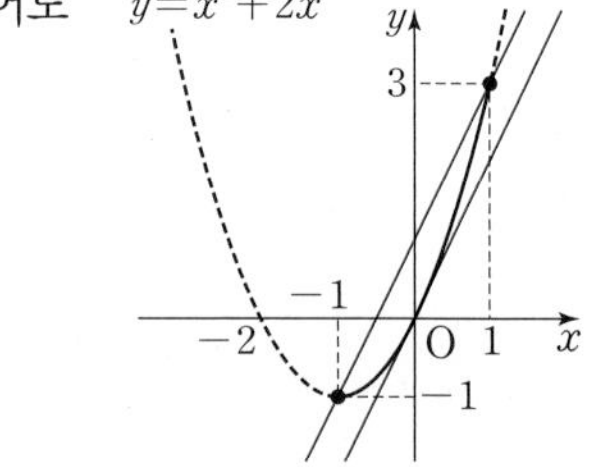

$f'(x)=2x+2$이므로

$f'(c)=2c+2=2 \quad \therefore c=\boldsymbol{0}$

(2) 함수 $f(x)=-x^3+1$은 닫힌구간 $[-3, 0]$에서 연속이고 열린구간 $(-3, 0)$에서 미분가능하므로 평균값 정리에 의하여

$$\frac{f(0)-f(-3)}{0-(-3)}=\frac{1-28}{3}=-9=f'(c)$$

인 c가 열린구간 $(-3, 0)$에 적어도 하나 존재한다.

$f'(x)=-3x^2$이므로

$f'(c)=-3c^2=-9, c^2=3 \quad \therefore c=\boldsymbol{-\sqrt{3}}$ ($\because -3<c<0$)

4-2

(1) 함수 $f(x)=2x^2+3x+1$은 닫힌구간 $[-2, 0]$에서 연속이고 열린구간 $(-2, 0)$에서 미분가능하므로 평균값 정리에 의하여

$$\frac{f(0)-f(-2)}{0-(-2)}=\frac{1-3}{2}=-1=f'(c)$$

인 c가 열린구간 $(-2, 0)$에 적어도 하나 존재한다.

$f'(x)=4x+3$이므로 $f'(c)=4c+3=-1 \quad \therefore c=\boldsymbol{-1}$

(2) 함수 $f(x)=x^3$은 닫힌구간 $[-1, 2]$에서 연속이고 열린구간 $(-1, 2)$에서 미분가능하므로 평균값 정리에 의하여

$$\frac{f(2)-f(-1)}{2-(-1)}=\frac{8-(-1)}{3}=3=f'(c)$$

인 c가 열린구간 $(-1, 2)$에 적어도 하나 존재한다.

$f'(x)=3x^2$이므로

$f'(c)=3c^2=3, c^2=1 \quad \therefore c=\boldsymbol{1}$ ($\because -1<c<2$)

5-1

함수 $f(x)=x^3-6x^2+9x+1$은 닫힌구간 $[0, a]$에서 연속이고 열린구간 $(0, a)$에서 미분가능하다.

이때 $f(0)=f(a)$이므로

$1=a^3-6a^2+9a+1$, $a^3-6a^2+9a=0$

$a(a-3)^2=0 \quad \therefore a=3 \ (\because a>0)$

롤의 정리에 의하여 $f'(c)=0$인 c가 열린구간 $(0, 3)$에 적어도 하나 존재한다.

$f'(x)=3x^2-12x+9$이므로

$f'(c)=3c^2-12c+9=0$, $c^2-4c+3=0$

$(c-1)(c-3)=0 \quad \therefore c=1 \ (\because 0<c<3)$

$\therefore$ $\boldsymbol{a=3}$**,** $\boldsymbol{b=1}$

5-2

함수 $f(x)=x^2-3$은 닫힌구간 $[-1, a]$에서 연속이고 열린구간 $(-1, a)$에서 미분가능하므로 평균값 정리에 의하여

$\dfrac{f(a)-f(-1)}{a-(-1)}=f'\left(\dfrac{1}{2}\right)$

인 $\dfrac{1}{2}$이 열린구간 $(-1, a)$에 적어도 하나 존재한다.

$f'(x)=2x$이므로 $f'\left(\dfrac{1}{2}\right)=1$

$\dfrac{a^2-3-(-2)}{a+1}=\dfrac{a^2-1}{a+1}=a-1=1$

$\therefore a=\mathbf{2}$

기초 유형

| 본문 80, 81쪽 |

1-1 $\mathbf{3t^2}$**, 1, 4**

1-2

$f(x)=x^3-1$이라 하면 $f'(x)=3x^2$

접점의 좌표를 (t, t^3-1)이라 하면 접선의 기울기는

$f'(t)=3t^2$이므로 접선의 방정식은

$y-(t^3-1)=3t^2(x-t)$

$\therefore y=3t^2x-2t^3-1$ ……㉠

이 접선이 점 $(0, -3)$을 지나므로

$-3=-2t^3-1$, $t^3-1=0$

$(t-1)(t^2+t+1)=0$

t는 실수이므로 $t=1$

t의 값을 ㉠에 대입하면 접선의 방정식은

$y=3x-3$

이 직선이 x축과 만나는 점의 좌표가 $(a, 0)$이므로

$3a-3=0 \quad \therefore a=\mathbf{1}$

1-3

$f(x)=x^3-6x^2+9x-10$이라 하면

$f'(x)=3x^2-12x+9$

접점의 좌표를 $(t, t^3-6t^2+9t-10)$이라 하면 접선의 기울기는

$f'(t)=3t^2-12t+9$이므로 접선의 방정식은

$y-(t^3-6t^2+9t-10)=(3t^2-12t+9)(x-t)$

$\therefore y=(3t^2-12t+9)x-2t^3+6t^2-10$ ……㉠

이 접선이 점 $(2, 8)$을 지나므로

$8=2(3t^2-12t+9)-2t^3+6t^2-10$

$t^3-6t^2+12t=0$, $t(t^2-6t+12)=0$

t는 실수이므로 $t=0$

t의 값을 ㉠에 대입하면 접선의 방정식은

$y=9x-10$

따라서 구하는 접선의 y절편은 $\mathbf{-10}$

1-4

$f(x)=x^4-3x^2+6$이라 하면 $f'(x)=4x^3-6x$

접점의 좌표를 (t, t^4-3t^2+6)이라 하면 접선의 기울기는

$f'(t)=4t^3-6t$이므로 접선의 방정식은

$y-(t^4-3t^2+6)=(4t^3-6t)(x-t)$

$\therefore y=(4t^3-6t)x-3t^4+3t^2+6$ ……㉠

이 접선이 원점 $(0, 0)$을 지나므로

$0=-3t^4+3t^2+6$, $t^4-t^2-2=0$

$(t^2-2)(t^2+1)=0$

t는 실수이므로 $t=\pm\sqrt{2}$

접점의 좌표는 $(-\sqrt{2}, 4)$, $(\sqrt{2}, 4)$이므로 구하는 삼각형 OAB의 넓이는

$\dfrac{1}{2}\times 2\sqrt{2}\times 4=\mathbf{4\sqrt{2}}$

2-1 **5, 5, 19**

2-2

$f(x)=x^3-6x^2+12x-3$이라 하면

$f'(x)=3x^2-12x+12$

점 $(1, 4)$에서의 접선의 기울기는

$f'(1)=3-12+12=3$

이므로 이 점에서의 접선의 방정식은

$y-4=3(x-1) \quad \therefore y=3x+1$

곡선 $y=x^3-6x^2+12x-3$과 직선 $y=3x+1$의 교점의 x좌표는

$x^3-6x^2+12x-3=3x+1$, $x^3-6x^2+9x-4=0$

$(x-1)^2(x-4)=0 \quad \therefore x=1$ 또는 $x=4$

$a\neq 1$이므로 $a=4$

점 $(4, b)$는 직선 $y=3x+1$ 위의 점이므로 $b=13$

$\therefore b-a=\mathbf{9}$

3-1 $2t^2$, 8, 1, 7

3-2

$f(x)=-x^3+2x$라 하면 $f'(x)=-3x^2+2$

접점의 좌표를 $(t,\ -t^3+2t)$라 하면 접선의 기울기는

$f'(t)=-3t^2+2$이므로 접선의 방정식은

$y-(-t^3+2t)=(-3t^2+2)(x-t)$

$\therefore y=(-3t^2+2)x+2t^3$

이 직선이 $y=mx+2$와 일치하므로

$-3t^2+2=m,\ 2t^3=2$

$t^3-1=0,\ (t-1)(t^2+t+1)=0$

t는 실수이므로 $t=1$

t의 값을 $m=-3t^2+2$에 대입하면 $m=\mathbf{-1}$

3-3

$f(x)=x^3+6x^2+10x+4$라 하면 $f'(x)=3x^2+12x+10$

접점의 좌표를 $(t,\ t^3+6t^2+10t+4)$라 하면 접선의 기울기는

$f'(t)=3t^2+12t+10$이므로 접선의 방정식은

$y-(t^3+6t^2+10t+4)=(3t^2+12t+10)(x-t)$

$\therefore y=(3t^2+12t+10)x-2t^3-6t^2+4$

이 직선이 $y=(x+m)-2$와 일치하므로

$3t^2+12t+10=1,\ (t+3)(t+1)=0$

$\therefore t=-3$ 또는 $t=-1$

$-2t^3-6t^2+4=m-2$에서 $m=-2t^3-6t^2+6$

$\therefore m=6$ 또는 $m=2$

따라서 모든 m의 값의 합은 8이다.

참고 곡선 $y=x^3+6x^2+10x+4$를 x축의 방향으로 m만큼 평행이동하면 직선 $y=x-2$와 접하므로 직선 $y=x-2$를 x축의 방향으로 $-m$만큼 평행이동하면 곡선 $y=x^3+6x^2+10x+4$에 접한다.

누구나 100점 테스트

본문 82, 83쪽

1 답 ③

x의 값이 -2에서 0까지 변할 때의 평균변화율은

$\frac{\Delta y}{\Delta x}=\frac{f(0)-f(-2)}{0-(-2)}=\frac{0-(-8)}{2}=4$

x의 값이 0에서 a까지 변할 때의 평균변화율은

$\frac{\Delta y}{\Delta x}=\frac{f(a)-f(0)}{a-0}=\frac{a(a+1)(a-2)}{a}=(a+1)(a-2)$

$(a+1)(a-2)=4$에서

$a^2-a-6=0,\ (a+2)(a-3)=0$

$a>0$이므로 $a=3$

2 답 ③

$\lim_{h\to0}\frac{f(2+h)-f(2)}{3h}=5$에서

$\lim_{h\to0}\frac{f(2+h)-f(2)}{h}\times\frac{1}{3}=\frac{1}{3}f'(2)=5$

$\therefore f'(2)=15$

3 답 20

함수 $f(x)$가 $x=2$에서 미분가능하므로 $x=2$에서 연속이다.

즉, $\lim_{x\to2}f(x)=f(2)$에서

$8+2a+b=10a-12 \qquad \therefore b=8a-20$ ……㉠

또 $x=2$에서 미분계수 $f'(2)$가 존재하므로

$$\lim_{x\to2-}\frac{f(x)-f(2)}{x-2}=\lim_{x\to2-}\frac{(2x^2+ax+b)-(10a-12)}{x-2}$$
$$=\lim_{x\to2-}\frac{2x^2+ax-2(a+4)}{x-2}\ (\because ㉠)$$
$$=\lim_{x\to2-}\frac{(x-2)(2x+a+4)}{x-2}$$
$$=\lim_{x\to2-}(2x+a+4)=a+8$$

$$\lim_{x\to2+}\frac{f(x)-f(2)}{x-2}=\lim_{x\to2+}\frac{(5ax-12)-(10a-12)}{x-2}$$
$$=\lim_{x\to2+}\frac{5a(x-2)}{x-2}=5a$$

$a+8=5a,\ 4a=8 \qquad \therefore a=2$

$a=2$를 ㉠에 대입하면 $b=-4$

$\therefore a^2+b^2=4+16=20$

다른 풀이

$f(x)=\begin{cases} g(x)=2x^2+ax+b & (x<2) \\ h(x)=5ax-12 & (x\ge2) \end{cases}$로 놓으면

$f'(x)=\begin{cases} g'(x)=4x+a & (x<2) \\ h'(x)=5a & (x>2) \end{cases}$

$x=2$에서 연속이므로 $g(2)=h(2)$

$8+2a+b=10a-12 \qquad \therefore b=8a-20$ ……㉠

$x=2$에서 미분계수가 존재하므로 $g'(2)=h'(2)$

$8+a=5a,\ 4a=8 \qquad \therefore a=2$

$a=2$를 ㉠에 대입하면 $b=-4$

$\therefore a^2+b^2=4+16=20$

4 답 ③

$f(x)=x^2-ax+3$에서 $f'(x)=2x-a$

$\lim_{h\to0}\frac{f(2+h)-f(2)}{h}=1$에서 $f'(2)=1$

$4-a=1 \qquad \therefore a=3$

5 답 22

$f(x)=(2x+3)(x^2+5)$에서

$f'(x)=2(x^2+5)+(2x+3)\times2x=6x^2+6x+10$

$\therefore f'(1)=6+6+10=22$

6 답 ①

$h \to 0$일 때, 극한값이 존재하고 (분모)$\to 0$이므로 (분자)$\to 0$이다.

즉, $\lim_{h \to 0}\{f(3+h)-4\}=0$이므로

$\lim_{h \to 0}f(3+h)=4 \qquad \therefore f(3)=4$

$\lim_{h \to 0}\dfrac{f(3+h)-4}{2h}=1$에서

$\lim_{h \to 0}\dfrac{f(3+h)-4}{2h}=\lim_{h \to 0}\dfrac{f(3+h)-f(3)}{h}\times\dfrac{1}{2}=\dfrac{1}{2}f'(3)=1$

이므로 $f'(3)=2$

$\therefore f(3)+f'(3)=4+2=6$

7 답 10

$f(x)=x^3-6x^2+6$이라 하면 $f'(x)=3x^2-12x$

곡선 $y=x^3-6x^2+6$ 위의 점 $(1, 1)$에서의 접선의 기울기는

$f'(1)=-9$

이므로 접선의 방정식은

$y-1=-9(x-1)$, 즉 $y=-9x+10$

이 접선이 점 $(0, a)$를 지나므로

$a=10$

8 답 3

$f(x)=x^2-x+5$에서 $f'(x)=2x-1$

점 $(a, f(a))$에서의 접선의 기울기가 3이므로

$f'(a)=2a-1=3 \qquad \therefore a=2$

점 $(2, 7)$은 직선 $y=3x+b$ 위의 점이므로

$7=6+b \qquad \therefore b=1$

$\therefore a+b=3$

9 답 48

$f(x)=x^3-ax$에서 $f'(x)=3x^2-a$

접점의 좌표를 (t, t^3-at)라 하면 접선의 기울기는

$f'(t)=3t^2-a$이므로 접선의 방정식은

$y-(t^3-at)=(3t^2-a)(x-t)$

$\therefore y=(3t^2-a)x-2t^3$

이 접선의 기울기가 8이므로

$3t^2-a=8$ ······㉠

또 이 접선이 점 $(0, 16)$을 지나므로

$16=-2t^3$, $t^3+8=0$

$(t+2)(t^2-2t+4)=0$

t는 실수이므로 $t=-2$

$t=-2$를 ㉠에 대입하면

$12-a=8 \qquad \therefore a=4$

$f(x)=x^3-4x$이므로

$f(a)=f(4)=64-16=48$

10 답 10

$f(x)=2x^2+1$이라 하면 $f'(x)=4x$

곡선 $y=2x^2+1$ 위의 점 $(-1, 3)$에서의 접선의 기울기는

$f'(-1)=-4$이므로 접선의 방정식은

$y-3=-4\{x-(-1)\} \qquad \therefore y=-4x-1$

직선 $y=-4x-1$이 곡선 $y=2x^3-ax+3$에 접할 때의 접점의 좌표를 $(t, 2t^3-at+3)$이라 하면 접선의 기울기는 $6t^2-a$이므로 접선의 방정식은

$y-(2t^3-at+3)=(6t^2-a)(x-t)$

$\therefore y=(6t^2-a)x-4t^3+3$

이 직선이 $y=-4x-1$과 일치하므로

$6t^2-a=-4$, $-4t^3+3=-1$

$t^3-1=0$, $(t-1)(t^2+t+1)=0$

t는 실수이므로 $t=1$

t의 값을 $6t^2-a=-4$에 대입하면 $a=10$

창의 · 융합 · 코딩

본문 84~89쪽

정답 (1) A (2) B

두 자동차 A, B가 같은 지점에서 동시에 출발하여 4시간 동안 달렸다. 두 자동차 A, B가 출발 후 x시간 동안 달린 거리 y km를 나타낸 그래프가 다음과 같을 때, 물음에 답하시오.

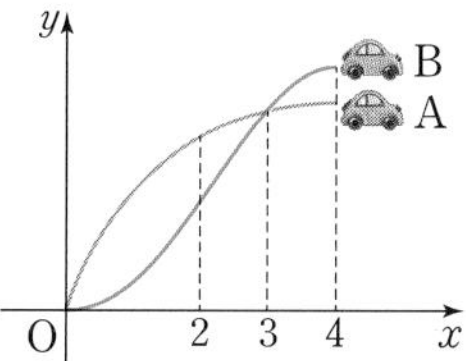

(1) 출발 후 2시간 동안 달린 거리의 평균변화율❶이 더 큰 자동차를 말하시오.

(2) 출발한 지 3시간이 되는 순간 달린 거리의 순간변화율❷이 더 큰 자동차를 말하시오.

❶ x의 값이 0에서 2까지 변할 때의 직선의 기울기를 비교한다.
❷ $x=3$에서의 접선의 기울기를 비교한다.

오른쪽 그림과 같이 세 점 P, Q, R를 잡자.

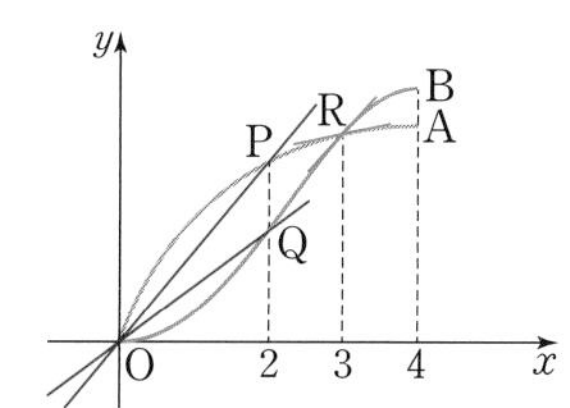

(1) ❶ 출발 후 2시간 동안 달린 거리의 평균변화율은 각각 두 점 O와 P, O와 Q를 지나는 직선의 기울기와 같다.
(직선 OQ의 기울기)$<$(직선 OP의 기울기)이므로 출발 후 2시간 동안 달린 거리의 평균변화율이 더 큰 자동차는 A이다.

(2) ❷ 출발한 지 3시간이 되는 순간 달린 거리의 순간변화율은 $x=3$에서의 접선의 기울기와 같다.
점 R에서의 접선의 기울기는 자동차 B의 그래프가 더 크므로 출발한 지 3시간이 되는 순간 달린 거리의 순간변화율이 더 큰 자동차는 B이다.

1 답 0, 4, 10

2 답 5

❶ 조건 (가)에서 $f(a)=f(2)=f(6)=k$ (k는 실수)라 하면
$f(a)-k=f(2)-k=f(6)-k=0$
방정식 $f(x)-k=0$의 세 실근이 a, 2, 6이고 최고차항의 계수가 1이므로
$f(x)-k=(x-a)(x-2)(x-6)$
$\therefore f(x)=(x-a)(x-2)(x-6)+k$

❷ $f'(x)=(x-2)(x-6)+(x-a)(x-6)+(x-a)(x-2)$
조건 (나)에서 $f'(2)=-4$이므로
$-4=-4(2-a)$, $2-a=1$ $\quad\therefore a=1$

❸ $f'(x)=(x-2)(x-6)+(x-1)(x-6)+(x-1)(x-2)$
$\therefore f'(a)=f'(1)=-1\times(-5)=5$

3 답 3

❶ $f(x)=ax^2+b$에서 $f'(x)=2ax$
$4f(x)=\{f'(x)\}^2+x^2+4$에 $f(x)$, $f'(x)$를 대입하면
$4(ax^2+b)=(2ax)^2+x^2+4$
$4ax^2+4b=(4a^2+1)x^2+4$

❷ 이 등식이 x에 대한 항등식이므로
$4a=4a^2+1$, $4b=4$
$4a^2-4a+1=0$에서 $(2a-1)^2=0$ $\quad\therefore a=\frac{1}{2}$
$4b=4$에서 $b=1$

❸ 따라서 $f(x)=\frac{1}{2}x^2+1$이므로
$f(2)=3$

4 답 1, 1, 1

5 답 10

❶ 곡선 $y=f(x)$ 위의 점 $(2, 4)$에서의 접선이 점 $(-1, 1)$을 지나므로 접선의 방정식은
$y-4=\frac{1-4}{-1-2}(x-2)$ $\quad\therefore y=x+2$
곡선 $y=f(x)$와 직선 $y=x+2$가 점 $(2, 4)$에서 접하고 점 $(-1, 1)$에서 만나므로 방정식 $f(x)=x+2$, 즉 $f(x)-x-2=0$은 중근 $x=2$와 다른 한 근 $x=-1$을 갖는다.

❷ 삼차함수 $f(x)$의 최고차항의 계수가 1이므로
$f(x)-x-2=(x-2)^2(x+1)$
$\therefore f(x)=(x-2)^2(x+1)+x+2$

❸ $f'(x)=2(x-2)(x+1)+(x-2)^2\times1+1$
$\therefore f'(3)=8+1+1=10$

6 답 5

❶ 곡선 위의 점 $P(a, b)$와 직선 $x-y-10=0$ 사이의 거리가 최소이려면 점 P에서의 접선의 기울기가 직선 $x-y-10=0$, 즉 $y=x-10$의 기울기와 같아야 한다.

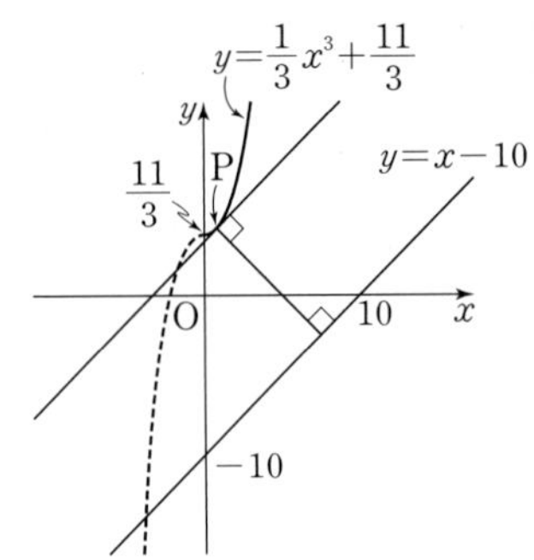

$f(x)=\frac{1}{3}x^3+\frac{11}{3}$이라 하면
$f'(x)=x^2$에서 $f'(a)=1$

❷ $a^2=1$ $\quad\therefore a=1\ (\because a>0)$
점 $P(a, b)$는 곡선 위의 점이므로
$b=\frac{1}{3}a^3+\frac{11}{3}=\frac{1}{3}+\frac{11}{3}=4$
$\therefore a+b=5$

3주 1일 함수의 증가, 감소와 극대, 극소

개념 확인

| 본문 95, 97쪽 |

1-1

(1) $f'(x)=3x^2-6x-9=3(x+1)(x-3)$

$f'(x)=0$에서 $x=-1$ 또는 $x=3$

함수 $f(x)$의 증가와 감소를 표로 나타내면 다음과 같다.

x	$\cdots$	-1	$\cdots$	3	$\cdots$
$f'(x)$	$+$	0	$-$	0	$+$
$f(x)$	$\nearrow$	7	$\searrow$	-25	$\nearrow$

따라서 함수 $f(x)$는

반닫힌 구간 $(-\infty, -1]$, $[3, \infty)$에서 증가하고,

닫힌구간 $[-1, 3]$에서 감소한다.

(2) $f'(x)=1+2x-3x^2=-(3x+1)(x-1)$

$f'(x)=0$에서 $x=-\frac{1}{3}$ 또는 $x=1$

함수 $f(x)$의 증가와 감소를 표로 나타내면 다음과 같다.

x	$\cdots$	$-\frac{1}{3}$	$\cdots$	1	$\cdots$
$f'(x)$	$-$	0	$+$	0	$-$
$f(x)$	$\searrow$	$\frac{22}{27}$	$\nearrow$	2	$\searrow$

따라서 함수 $f(x)$는

반닫힌 구간 $\left(-\infty, -\frac{1}{3}\right]$, $[1, \infty)$에서 감소하고,

닫힌구간 $\left[-\frac{1}{3}, 1\right]$에서 증가한다.

(3) $f'(x)=3x^2+6x+3=3(x+1)^2$

$f'(x)=0$에서 $x=-1$

함수 $f(x)$의 증가와 감소를 표로 나타내면 다음과 같다.

x	$\cdots$	-1	$\cdots$
$f'(x)$	$+$	0	$+$
$f(x)$	$\nearrow$	1	$\nearrow$

따라서 함수 $f(x)$는

열린구간 $(-\infty, \infty)$에서 증가한다.

(4) $f'(x)=4x^3-12x^2=4x^2(x-3)$

$f'(x)=0$에서 $x=0$ 또는 $x=3$

함수 $f(x)$의 증가와 감소를 표로 나타내면 다음과 같다.

x	$\cdots$	0	$\cdots$	3	$\cdots$
$f'(x)$	$-$	0	$-$	0	$+$
$f(x)$	$\searrow$	3	$\searrow$	-24	$\nearrow$

따라서 함수 $f(x)$는

반닫힌 구간 $(-\infty, 3]$에서 감소하고,

반닫힌 구간 $[3, \infty)$에서 증가한다.

1-2

(1) $f'(x)=3x^2-6x=3x(x-2)$

$f'(x)=0$에서 $x=0$ 또는 $x=2$

함수 $f(x)$의 증가와 감소를 표로 나타내면 다음과 같다.

x	$\cdots$	0	$\cdots$	2	$\cdots$
$f'(x)$	$+$	0	$-$	0	$+$
$f(x)$	$\nearrow$	4	$\searrow$	0	$\nearrow$

따라서 함수 $f(x)$는

반닫힌 구간 $(-\infty, 0]$, $[2, \infty)$에서 증가하고,

닫힌구간 $[0, 2]$에서 감소한다.

(2) $f'(x)=-3x^2+12x-9=-3(x-1)(x-3)$

$f'(x)=0$에서 $x=1$ 또는 $x=3$

함수 $f(x)$의 증가와 감소를 표로 나타내면 다음과 같다.

x	$\cdots$	1	$\cdots$	3	$\cdots$
$f'(x)$	$-$	0	$+$	0	$-$
$f(x)$	$\searrow$	-9	$\nearrow$	-5	$\searrow$

따라서 함수 $f(x)$는

반닫힌 구간 $(-\infty, 1]$, $[3, \infty)$에서 감소하고,

닫힌구간 $[1, 3]$에서 증가한다.

(3) $f'(x)=-3(x-2)^2$

$f'(x)=0$에서 $x=2$

함수 $f(x)$의 증가와 감소를 표로 나타내면 다음과 같다.

x	$\cdots$	2	$\cdots$
$f'(x)$	$-$	0	$-$
$f(x)$	$\searrow$	0	$\searrow$

따라서 함수 $f(x)$는

열린구간 $(-\infty, \infty)$에서 감소한다.

(4) $f'(x)=4x^3-4x=4x(x+1)(x-1)$

$f'(x)=0$에서 $x=-1$ 또는 $x=0$ 또는 $x=1$

함수 $f(x)$의 증가와 감소를 표로 나타내면 다음과 같다.

x	$\cdots$	-1	$\cdots$	0	$\cdots$	1	$\cdots$
$f'(x)$	$-$	0	$+$	0	$-$	0	$+$
$f(x)$	$\searrow$	3	$\nearrow$	4	$\searrow$	3	$\nearrow$

따라서 함수 $f(x)$는

반닫힌 구간 $(-\infty, -1]$, 닫힌구간 $[0, 1]$에서 감소하고,

닫힌구간 $[-1, 0]$, 반닫힌 구간 $[1, \infty)$에서 증가한다.

2-1

(1) 모든 실수 x에 대하여

$f'(x)=3x^2+6ax+3a\geq0$

이어야 하므로 이차방정식 $3x^2+6ax+3a=0$의 판별식을 D라 하면

$\frac{D}{4}=(3a)^2-9a\leq0$, $9a(a-1)\leq0$

$\therefore$ **$0\leq a\leq1$**

(2) 모든 실수 x에 대하여

$f'(x)=3x^2+2ax+a\geq0$

이어야 하므로 이차방정식 $3x^2+2ax+a=0$의 판별식을 D라 하면

$\frac{D}{4}=a^2-3a\leq0$, $a(a-3)\leq0$

$\therefore$ **$0\leq a\leq3$**

참고 이차방정식 $ax^2+bx+c=0$의 판별식을 $D=b^2-4ac$라 할 때, 모든 실수 x에 대하여

❶ $ax^2+bx+c>0 \Longleftrightarrow a>0,\ D<0$

❷ $ax^2+bx+c\geq0 \Longleftrightarrow a>0,\ D\leq0$

❸ $ax^2+bx+c<0 \Longleftrightarrow a<0,\ D<0$

❹ $ax^2+bx+c\leq0 \Longleftrightarrow a<0,\ D\leq0$

2-2

(1) 모든 실수 x에 대하여

$f'(x)=-3x^2+a\leq0$

이어야 하므로 이차방정식 $-3x^2+a=0$의 판별식을 D라 하면

$D=12a\leq0$

$\therefore$ **$a\leq0$**

(2) 모든 실수 x에 대하여

$f'(x)=-3x^2-6ax-3\leq0$

이어야 하므로 이차방정식 $-3x^2-6ax-3=0$의 판별식을 D라 하면

$\frac{D}{4}=(-3a)^2-9\leq0$, $9(a+1)(a-1)\leq0$

$\therefore$ **$-1\leq a\leq1$**

3-1

(1) $f'(x)=3x^2+6x-9=3(x+3)(x-1)$

$f'(x)=0$에서 $x=-3$ 또는 $x=1$

함수 $f(x)$의 증가와 감소를 표로 나타내면 다음과 같다.

x	$\cdots$	-3	$\cdots$	1	$\cdots$
$f'(x)$	$+$	0	$-$	0	$+$
$f(x)$	↗	27	↘	-5	↗

따라서 함수 $f(x)$는

$x=-3$에서 극대이고 **극댓값**은 $f(-3)=$**27**

$x=1$에서 극소이고 **극솟값**은 $f(1)=$**-5**

(2) $f'(x)=-3x^2+3=-3(x+1)(x-1)$

$f'(x)=0$에서 $x=-1$ 또는 $x=1$

함수 $f(x)$의 증가와 감소를 표로 나타내면 다음과 같다.

x	$\cdots$	-1	$\cdots$	1	$\cdots$
$f'(x)$	$-$	0	$+$	0	$-$
$f(x)$	↘	-2	↗	2	↘

따라서 함수 $f(x)$는

$x=-1$에서 극소이고 **극솟값**은 $f(-1)=$**-2**

$x=1$에서 극대이고 **극댓값**은 $f(1)=$**2**

(3) $f'(x)=3x^2-12x+12=3(x-2)^2$

$f'(x)=0$에서 $x=2$

함수 $f(x)$의 증가와 감소를 표로 나타내면 다음과 같다.

x	$\cdots$	2	$\cdots$
$f'(x)$	$+$	0	$+$
$f(x)$	↗	4	↗

따라서 함수 $f(x)$의 **극값은 없다.**

(4) $f'(x)=4x^3-12x^2+8x=4x(x-1)(x-2)$

$f'(x)=0$에서 $x=0$ 또는 $x=1$ 또는 $x=2$

함수 $f(x)$의 증가와 감소를 표로 나타내면 다음과 같다.

x	$\cdots$	0	$\cdots$	1	$\cdots$	2	$\cdots$
$f'(x)$	$-$	0	$+$	0	$-$	0	$+$
$f(x)$	↘	0	↗	1	↘	0	↗

따라서 함수 $f(x)$는

$x=0$, $x=2$에서 극소이고 **극솟값**은 $f(0)=f(2)=$**0**

$x=1$에서 극대이고 **극댓값**은 $f(1)=$**1**

3-2

(1) $f'(x)=2(x-1)(x+2)+(x-1)^2$

$=3(x+1)(x-1)$

$f'(x)=0$에서 $x=-1$ 또는 $x=1$

함수 $f(x)$의 증가와 감소를 표로 나타내면 다음과 같다.

x	$\cdots$	-1	$\cdots$	1	$\cdots$
$f'(x)$	$+$	0	$-$	0	$+$
$f(x)$	↗	4	↘	0	↗

따라서 함수 $f(x)$는

$x=-1$에서 극대이고 **극댓값**은 $f(-1)=$**4**

$x=1$에서 극소이고 **극솟값**은 $f(1)=$**0**

(2) $f'(x)=-3x^2+12=-3(x+2)(x-2)$

$f'(x)=0$에서 $x=-2$ 또는 $x=2$

함수 $f(x)$의 증가와 감소를 표로 나타내면 다음과 같다.

x	$\cdots$	-2	$\cdots$	2	$\cdots$
$f'(x)$	$-$	0	$+$	0	$-$
$f(x)$	↘	-16	↗	16	↘

따라서 함수 $f(x)$는

$x=-2$에서 극소이고 **극솟값**은 $f(-2)=\mathbf{-16}$

$x=2$에서 극대이고 **극댓값**은 $f(2)=\mathbf{16}$

(3) $f'(x)=4x^3-16x=4x(x+2)(x-2)$

$f'(x)=0$에서 $x=-2$ 또는 $x=0$ 또는 $x=2$

함수 $f(x)$의 증가와 감소를 표로 나타내면 다음과 같다.

x	$\cdots$	-2	$\cdots$	0	$\cdots$	2	$\cdots$
$f'(x)$	$-$	0	$+$	0	$-$	0	$+$
$f(x)$	↘	-18	↗	-2	↘	-18	↗

따라서 함수 $f(x)$는

$x=-2$, $x=2$에서 극소이고 **극솟값**은 $f(-2)=f(2)=\mathbf{-18}$

$x=0$에서 극대이고 **극댓값**은 $f(0)=\mathbf{-2}$

(4) $f'(x)=-4x^3+12x^2=-4x^2(x-3)$

$f'(x)=0$에서 $x=0$ 또는 $x=3$

함수 $f(x)$의 증가와 감소를 표로 나타내면 다음과 같다.

x	$\cdots$	0	$\cdots$	3	$\cdots$
$f'(x)$	$+$	0	$+$	0	$-$
$f(x)$	↗	-7	↗	20	↘

따라서 함수 $f(x)$는

$x=3$에서 극대이고 **극댓값**은 $f(3)=\mathbf{20}$

4-1

(1) $f'(x)=-3x^2+2ax+b$

함수 $f(x)$가 $x=1$에서 극댓값 1을 가지므로

$f'(1)=-3+2a+b=0$ $\quad\therefore 2a+b=3$ ······㉠

$f(1)=-1+a+b-1=1$ $\quad\therefore a+b=3$ ······㉡

㉠, ㉡을 연립하여 풀면 $\mathbf{a=0,\ b=3}$

(2) $f'(x)=3x^2+2ax+b$

함수 $f(x)$가 $x=-3$, $x=1$에서 극값을 가지므로

$f'(-3)=27-6a+b=0$ $\quad\therefore 6a-b=27$ ······㉠

$f'(1)=3+2a+b=0$ $\quad\therefore 2a+b=-3$ ······㉡

㉠, ㉡을 연립하여 풀면 $\mathbf{a=3,\ b=-9}$

4-2

(1) $f'(x)=-6x^2+2ax+b$

함수 $f(x)$가 $x=2$에서 극댓값 -3을 가지므로

$f'(2)=-24+4a+b=0$ $\quad\therefore 4a+b=24$ ······㉠

$f(2)=-16+4a+2b+1=-3$ $\quad\therefore 2a+b=6$ ······㉡

㉠, ㉡을 연립하여 풀면 $\mathbf{a=9,\ b=-12}$

(2) $f'(x)=3x^2+2ax+b$

함수 $f(x)$가 $x=0$, $x=2$에서 극값을 가지므로

$f'(0)=\mathbf{b=0}$

$f'(2)=12+4a+b=0$ $\quad\therefore 4a+b=-12$ ······㉠

$b=0$을 ㉠에 대입하면 $4a=-12$ $\quad\therefore \mathbf{a=-3}$

기초 유형

| 본문 98, 99쪽 |

1-1 6, 6

1-2

$x_1<x_2$일 때, $f(x_1)>f(x_2)$이면 $f(x)$는 실수 전체의 집합에서 감소하므로 모든 실수 x에 대하여

$f'(x)=-3x^2+2ax-3\le 0$

이차방정식 $-3x^2+2ax-3=0$의 판별식을 D라 하면

$\frac{D}{4}=a^2-9\le 0$, $(a+3)(a-3)\le 0$

$\therefore \mathbf{-3\le a\le 3}$

2-1 ≤, 9

2-2

함수 $f(x)$가 닫힌구간 $[1, 2]$에서 증가하려면 이 구간에서

$f'(x)\ge 0$

이때 $f'(x)=-3x^2+2x+a$이므로

$f'(1)=-3+2+a\ge 0$ $\quad\therefore a\ge 1$ ······㉠

$f'(2)=-12+4+a\ge 0$ $\quad\therefore a\ge 8$ ······㉡

㉠, ㉡에서 $\mathbf{a\ge 8}$

2-3

함수 $f(x)$가 닫힌구간 $[-2, 1]$에서 감소하려면 이 구간에서

$f'(x)\le 0$

이때 $f'(x)=3x^2+6x+a$이므로

$f'(-2)=12-12+a\le 0$ $\quad\therefore a\le 0$ ······㉠

$f'(1)=3+6+a\le 0$ $\quad\therefore a\le -9$ ······㉡

㉠, ㉡에서 $\mathbf{a\le -9}$

3-1 0, 18, 4

3-2

$f'(x)=-3x^2+a$

함수 $f(x)$가 $x=1$에서 극댓값을 가지므로

$f'(1)=-3+a=0$ $\quad\therefore a=3$

따라서 $f(x)=-x^3+3x$이고

$f'(x)=-3x^2+3=-3(x+1)(x-1)$

$f'(x)=0$에서 $x=-1$ 또는 $x=1$

함수 $f(x)$의 증가와 감소를 표로 나타내면 다음과 같다.

x	$\cdots$	-1	$\cdots$	1	$\cdots$
$f'(x)$	$-$	0	$+$	0	$-$
$f(x)$	↘	극소	↗	극대	↘

따라서 함수 $f(x)$의 극솟값은

$f(-1)=1-3=\mathbf{-2}$

3-3

$f'(x)=3x^2+2ax+9$

함수 $f(x)$가 $x=1$에서 극댓값 0을 가지므로

$f'(1)=3+2a+9=0 \quad \therefore a=-6$

$f(1)=1+a+9+b=0 \quad \therefore a+b=-10 \quad \cdots\cdots ㉠$

$a=-6$을 ㉠에 대입하면 $b=-4$

따라서 $f(x)=x^3-6x^2+9x-4$이고

$f'(x)=3x^2-12x+9=3(x-1)(x-3)$

$f'(x)=0$에서 $x=1$ 또는 $x=3$

함수 $f(x)$의 증가와 감소를 표로 나타내면 다음과 같다.

x	$\cdots$	1	$\cdots$	3	$\cdots$
$f'(x)$	+	0	−	0	+
$f(x)$	↗	극대	↘	극소	↗

따라서 함수 $f(x)$의 극솟값은

$f(3)=27-54+27-4=\mathbf{-4}$

4-1 $\mathbf{-1,\ -6,\ -2}$

4-2

$f'(x)=2(x-1)(x-4)+(x-1)^2$

$=3(x-1)(x-3)$

$f'(x)=0$에서 $x=1$ 또는 $x=3$

함수 $f(x)$의 증가와 감소를 표로 나타내면 다음과 같다.

x	$\cdots$	1	$\cdots$	3	$\cdots$
$f'(x)$	+	0	−	0	+
$f(x)$	↗	극대	↘	극소	↗

따라서 함수 $f(x)$는 $x=3$에서 극소이고 극솟값이 3이므로

$f(3)=4\times(-1)+a=3 \quad \therefore a=\mathbf{7}$

4-3

$f'(x)=6x^2-12x=6x(x-2)$

$f'(x)=0$에서 $x=0$ 또는 $x=2$

함수 $f(x)$의 증가와 감소를 표로 나타내면 다음과 같다.

x	$\cdots$	0	$\cdots$	2	$\cdots$
$f'(x)$	+	0	−	0	+
$f(x)$	↗	극대	↘	극소	↗

따라서 함수 $f(x)$는

$x=0$에서 극대이고 극댓값은 $f(0)=a$

$x=2$에서 극소이고 극솟값은 $f(2)=a-8$

이때 모든 극값의 곱이 -12이므로

$a(a-8)=-12,\ a^2-8a+12=0$

$(a-2)(a-6)=0$

$\therefore$ **$a=2$ 또는 $a=6$**

3주 2일 함수의 그래프와 최대, 최소

개념 확인

| 본문 101, 103쪽 |

1-1

(1) $f'(x)=3x^2-4x+1=(3x-1)(x-1)$

$f'(x)=0$에서 $x=\frac{1}{3}$ 또는 $x=1$

함수 $f(x)$의 증가와 감소를 표로 나타내면 다음과 같다.

x	$\cdots$	$\frac{1}{3}$	$\cdots$	1	$\cdots$
$f'(x)$	+	0	−	0	+
$f(x)$	↗	$-\frac{23}{27}$	↘	-1	↗

함수 $y=f(x)$의 그래프와 y축의 교점의 좌표는 $(0,\ -1)$

따라서 주어진 함수의 그래프의 개형은 오른쪽 그림과 같다.

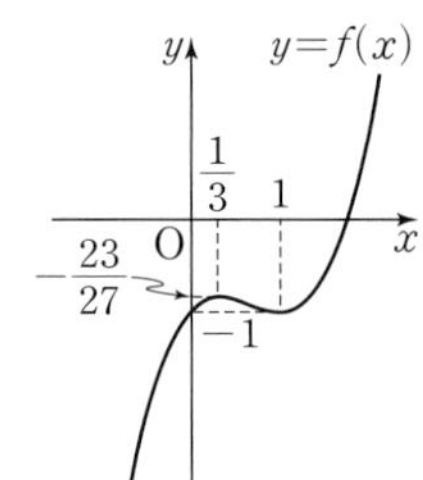

(2) $f(x)=x^2(2-x)=2x^2-x^3$에서

$f'(x)=4x-3x^2=-x(3x-4)$

$f'(x)=0$에서 $x=0$ 또는 $x=\frac{4}{3}$

함수 $f(x)$의 증가와 감소를 표로 나타내면 다음과 같다.

x	$\cdots$	0	$\cdots$	$\frac{4}{3}$	$\cdots$
$f'(x)$	−	0	+	0	−
$f(x)$	↘	0	↗	$\frac{32}{27}$	↘

함수 $y=f(x)$의 그래프는 점 $(0,\ 0)$을 지난다.

따라서 주어진 함수의 그래프의 개형은 오른쪽 그림과 같다.

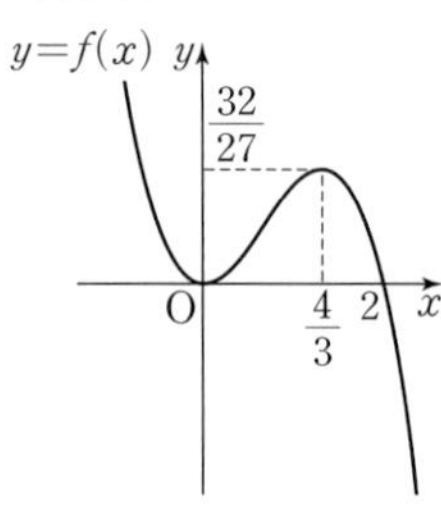

(3) $f'(x)=3x^2-6x+3=3(x-1)^2$

$f'(x)=0$에서 $x=1$

함수 $f(x)$의 증가와 감소를 표로 나타내면 다음과 같다.

x	$\cdots$	1	$\cdots$
$f'(x)$	+	0	+
$f(x)$	↗	2	↗

함수 $y=f(x)$의 그래프와 y축의 교점의 좌표는 $(0,\ 1)$

따라서 주어진 함수의 그래프의 개형은 오른쪽 그림과 같다.

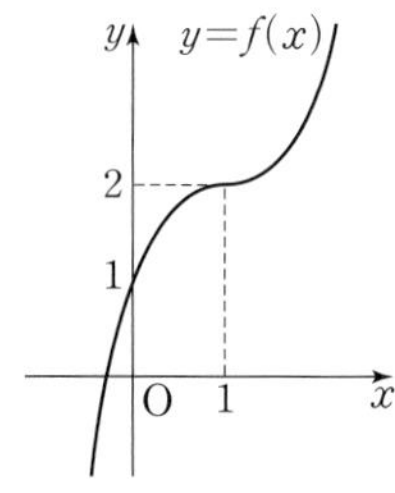

1-2

(1) $f'(x)=3x^2-3=3(x+1)(x-1)$

$f'(x)=0$에서 $x=-1$ 또는 $x=1$

함수 $f(x)$의 증가와 감소를 표로 나타내면 다음과 같다.

x	$\cdots$	-1	$\cdots$	1	$\cdots$
$f'(x)$	$+$	0	$-$	0	$+$
$f(x)$	↗	2	↘	-2	↗

함수 $y=f(x)$의 그래프는 점 $(0, 0)$을 지난다.

따라서 주어진 함수의 그래프의 개형은 오른쪽 그림과 같다.

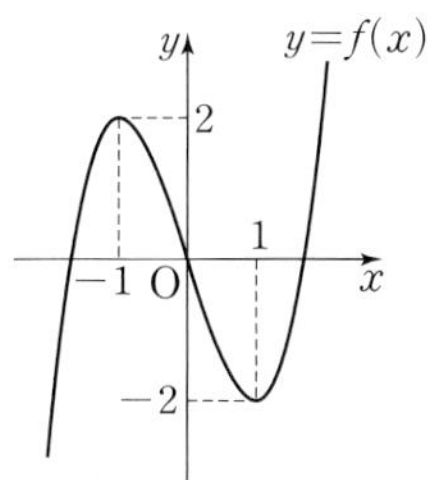

(2) $f'(x)=(x-2)^2+2(x+2)(x-2)=(x-2)(3x+2)$

$f'(x)=0$에서 $x=-\frac{2}{3}$ 또는 $x=2$

함수 $f(x)$의 증가와 감소를 표로 나타내면 다음과 같다.

x	$\cdots$	$-\frac{2}{3}$	$\cdots$	2	$\cdots$
$f'(x)$	$+$	0	$-$	0	$+$
$f(x)$	↗	$\frac{256}{27}$	↘	0	↗

함수 $y=f(x)$의 그래프와 y축의 교점의 좌표는 $(0, 8)$

따라서 주어진 함수의 그래프의 개형은 오른쪽 그림과 같다.

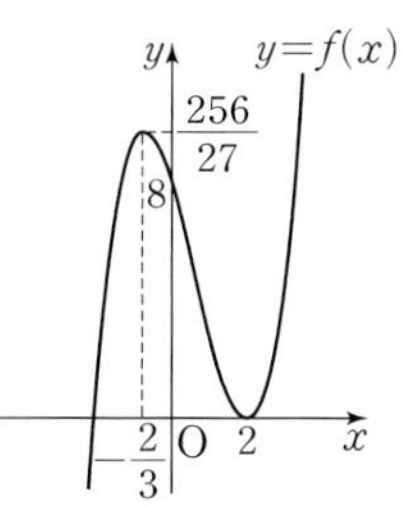

(3) $f'(x)=-3x^2+6x-4=-3(x-1)^2-1$

$f'(x)=0$을 만족시키는 x의 값은 존재하지 않으므로 함수 $f(x)$의 극값은 없다.

따라서 함수 $f(x)$는 열린구간 $(-\infty, \infty)$에서 감소한다.

함수 $y=f(x)$의 그래프와 y축의 교점의 좌표는 $(0, 2)$, x축의 교점의 좌표는 $(1, 0)$이므로 주어진 함수의 그래프의 개형은 오른쪽 그림과 같다.

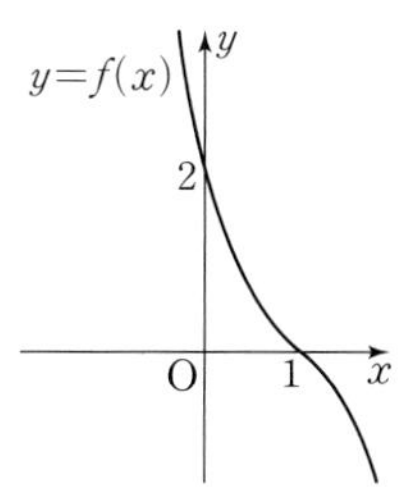

2-1

(1) $f'(x)=4x^3-4x=4x(x+1)(x-1)$

$f'(x)=0$에서 $x=-1$ 또는 $x=0$ 또는 $x=1$

함수 $f(x)$의 증가와 감소를 표로 나타내면 다음과 같다.

x	$\cdots$	-1	$\cdots$	0	$\cdots$	1	$\cdots$
$f'(x)$	$-$	0	$+$	0	$-$	0	$+$
$f(x)$	↘	-1	↗	0	↘	-1	↗

함수 $y=f(x)$의 그래프는 점 $(0, 0)$을 지난다.

따라서 주어진 함수의 그래프의 개형은 오른쪽 그림과 같다.

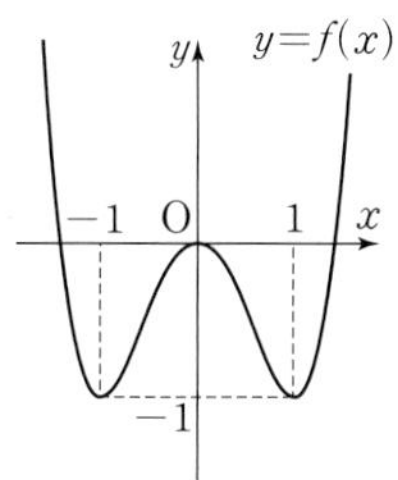

(2) $f'(x)=x^3-3x^2+4=(x+1)(x-2)^2$

$f'(x)=0$에서 $x=-1$ 또는 $x=2$

함수 $f(x)$의 증가와 감소를 표로 나타내면 다음과 같다.

x	$\cdots$	-1	$\cdots$	2	$\cdots$
$f'(x)$	$-$	0	$+$	0	$+$
$f(x)$	↘	$-\frac{7}{4}$	↗	5	↗

함수 $y=f(x)$의 그래프와 y축의 교점의 좌표는 $(0, 1)$

따라서 주어진 함수의 그래프의 개형은 오른쪽 그림과 같다.

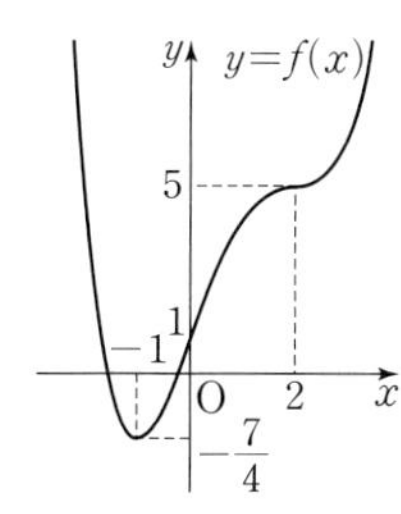

참고

$f'(x)=x^3-3x^2+4$에서 $f'(-1)=0$이므로 다음과 같이 조립제법을 이용하여 $f'(x)$를 인수분해할 수 있다.

$$\begin{array}{r|rrrr} -1 & 1 & -3 & 0 & 4 \\ & & -1 & 4 & -4 \\ \hline & 1 & -4 & 4 & 0 \end{array}$$

$\therefore f'(x)=x^3-3x^2+4=(x+1)(x^2-4x+4)$

$=(x+1)(x-2)^2$

2-2

(1) $f'(x)=12x^3-48x^2+36x=12x(x-1)(x-3)$

$f'(x)=0$에서 $x=0$ 또는 $x=1$ 또는 $x=3$

함수 $f(x)$의 증가와 감소를 표로 나타내면 다음과 같다.

x	$\cdots$	0	$\cdots$	1	$\cdots$	3	$\cdots$
$f'(x)$	$-$	0	$+$	0	$-$	0	$+$
$f(x)$	↘	5	↗	10	↘	-22	↗

함수 $y=f(x)$의 그래프와 y축의 교점의 좌표는 $(0, 5)$
따라서 주어진 함수의 그래프의 개형은 오른쪽 그림과 같다.

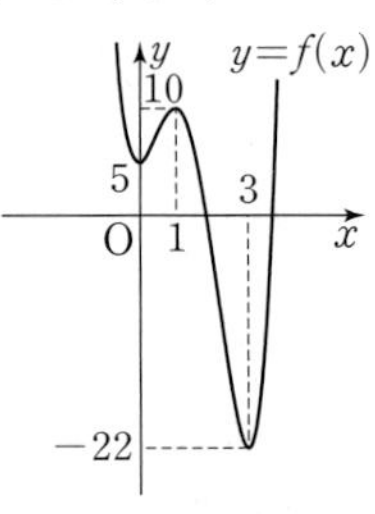

(2) $f'(x)=12x^3-12x^2=12x^2(x-1)$
$f'(x)=0$에서 $x=0$ 또는 $x=1$
함수 $f(x)$의 증가와 감소를 표로 나타내면 다음과 같다.

x	$\cdots$	0	$\cdots$	1	$\cdots$
$f'(x)$	$-$	0	$-$	0	$+$
$f(x)$	↘	0	↘	-1	↗

함수 $y=f(x)$의 그래프는 점 $(0, 0)$을 지난다.
따라서 주어진 함수의 그래프의 개형은 오른쪽 그림과 같다.

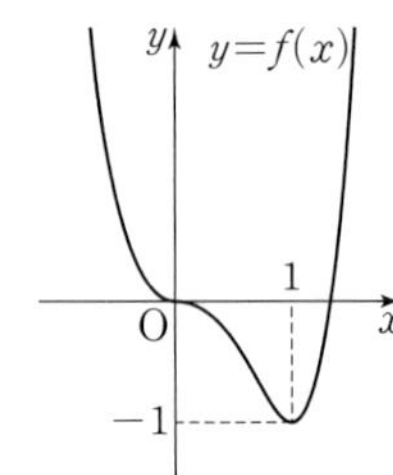

3-1

(1) $f'(x)=3x^2+6ax+3(a+2)$
삼차함수 $f(x)$가 극값을 가지려면 이차방정식 $f'(x)=0$이 서로 다른 두 실근을 가져야 한다.
이때 이차방정식 $f'(x)=0$의 판별식을 D라 하면
$\frac{D}{4}=(3a)^2-9(a+2)>0$, $(a+1)(a-2)>0$
$\therefore$ **$a<-1$ 또는 $a>2$**

(2) $f'(x)=3x^2+2ax-3a$
삼차함수 $f(x)$가 극값을 갖지 않으려면 이차방정식 $f'(x)=0$이 중근 또는 서로 다른 두 허근을 가져야 한다.
이때 이차방정식 $f'(x)=0$의 판별식을 D라 하면
$\frac{D}{4}=a^2+9a\le 0$, $a(a+9)\le 0$
$\therefore$ **$-9\le a\le 0$**

3-2

(1) $f'(x)=3ax^2+12x+3(5-a)$
삼차함수 $f(x)$가 극값을 가지려면 이차방정식 $f'(x)=0$이 서로 다른 두 실근을 가져야 한다.
이때 이차방정식 $f'(x)=0$의 판별식을 D라 하면
$a\ne 0$이고 $\frac{D}{4}=6^2-9a(5-a)>0$
$a^2-5a+4>0$, $(a-1)(a-4)>0$
$\therefore$ **$a<0$ 또는 $0<a<1$ 또는 $a>4$**

(2) $f'(x)=3x^2+2ax+3$
삼차함수 $f(x)$가 극값을 갖지 않으려면 이차방정식 $f'(x)=0$이 중근 또는 서로 다른 두 허근을 가져야 한다.
이때 이차방정식 $f'(x)=0$의 판별식을 D라 하면
$\frac{D}{4}=a^2-9\le 0$, $(a+3)(a-3)\le 0$
$\therefore$ **$-3\le a\le 3$**

4-1

(1) $f'(x)=3x^2+4x+1=(x+1)(3x+1)$
$f'(x)=0$에서 $x=-1$ 또는 $x=-\frac{1}{3}$
닫힌구간 $[-2, 1]$에서 함수 $f(x)$의 증가와 감소를 표로 나타내면 다음과 같다.

x	-2	$\cdots$	-1	$\cdots$	$-\frac{1}{3}$	$\cdots$	1
$f'(x)$		$+$	0	$-$	0	$+$	
$f(x)$	-4	↗	-2	↘	$-\frac{58}{27}$	↗	2

따라서 함수 $f(x)$는
$x=1$에서 **최댓값 2**,
$x=-2$에서 **최솟값 -4**
를 갖는다.

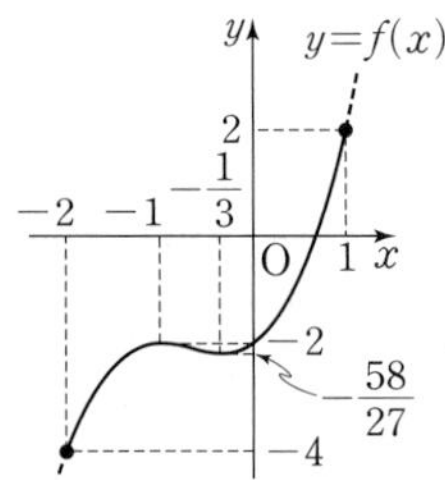

(2) $f'(x)=-3x^2+6x=-3x(x-2)$
$f'(x)=0$에서 $x=0$ 또는 $x=2$
닫힌구간 $[-1, 1]$에서 함수 $f(x)$의 증가와 감소를 표로 나타내면 다음과 같다.

x	-1	$\cdots$	0	$\cdots$	1
$f'(x)$		$-$	0	$+$	
$f(x)$	2	↘	-2	↗	0

따라서 함수 $f(x)$는
$x=-1$에서 **최댓값 2**,
$x=0$에서 **최솟값 -2**
를 갖는다.

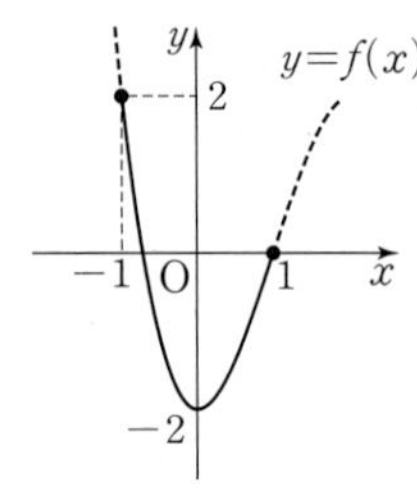

(3) $f'(x)=-4x^3+4x=-4x(x+1)(x-1)$
$f'(x)=0$에서 $x=-1$ 또는 $x=0$ 또는 $x=1$
닫힌구간 $[-2, 0]$에서 함수 $f(x)$의 증가와 감소를 표로 나타내면 다음과 같다.

x	-2	$\cdots$	-1	$\cdots$	0
$f'(x)$		$+$	0	$-$	0
$f(x)$	-8	↗	1	↘	0

따라서 함수 $f(x)$는
$x=-1$에서 **최댓값 1**,
$x=-2$에서 **최솟값 -8**
을 갖는다.

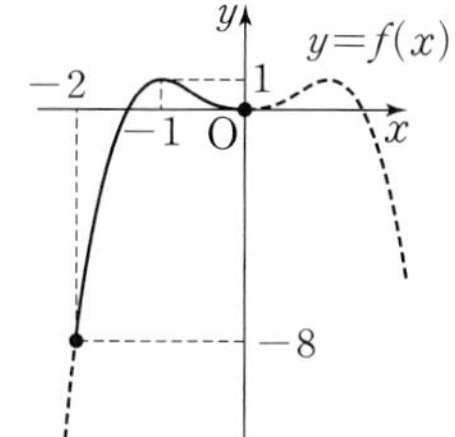

4-2

(1) $f'(x)=6x^2+6x-12=6(x+2)(x-1)$
$f'(x)=0$에서 $x=-2$ 또는 $x=1$
닫힌구간 $[-3, 1]$에서 함수 $f(x)$의 증가와 감소를 표로 나타내면 다음과 같다.

x	-3	$\cdots$	-2	$\cdots$	1
$f'(x)$		$+$	0	$-$	0
$f(x)$	10	↗	21	↘	-6

따라서 함수 $f(x)$는
$x=-2$에서 **최댓값 21**,
$x=1$에서 **최솟값 -6**
을 갖는다.

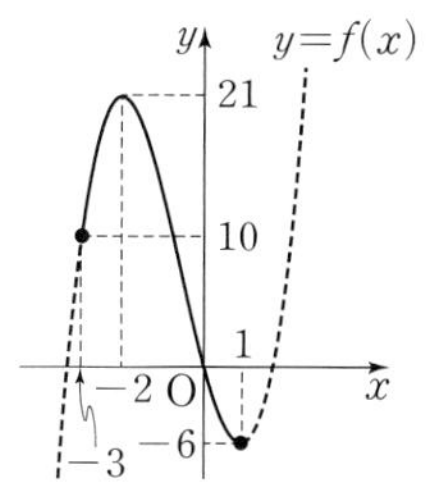

(2) $f'(x)=3x^2-12x+9=3(x-1)(x-3)$
$f'(x)=0$에서 $x=1$ 또는 $x=3$
닫힌구간 $[0, 2]$에서 함수 $f(x)$의 증가와 감소를 표로 나타내면 다음과 같다.

x	0	$\cdots$	1	$\cdots$	2
$f'(x)$		$+$	0	$-$	
$f(x)$	0	↗	4	↘	2

따라서 함수 $f(x)$는
$x=1$에서 **최댓값 4**,
$x=0$에서 **최솟값 0**
을 갖는다.

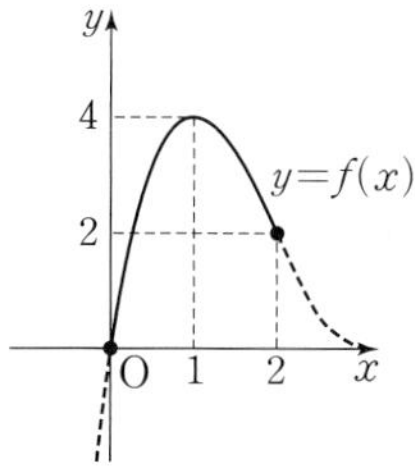

(3) $f'(x)=4x^3-12x-8=4(x+1)^2(x-2)$
$f'(x)=0$에서 $x=-1$ 또는 $x=2$
닫힌구간 $[1, 3]$에서 함수 $f(x)$의 증가와 감소를 표로 나타내면 다음과 같다.

x	1	$\cdots$	2	$\cdots$	3
$f'(x)$		$-$	0	$+$	
$f(x)$	-3	↘	-14	↗	13

따라서 함수 $f(x)$는
$x=3$에서 **최댓값 13**,
$x=2$에서 **최솟값 -14**
를 갖는다.

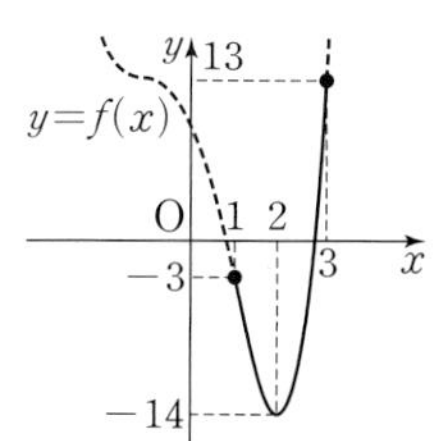

기초 유형

| 본문 104, 105쪽 |

1-1 **5, 25, 10**

1-2

$f'(x)=-3x^2+6x=-3x(x-2)$
$f'(x)=0$에서 $x=0$ 또는 $x=2$
닫힌구간 $[-2, 2]$에서 함수 $f(x)$의 증가와 감소를 표로 나타내면 다음과 같다.

x	-2	$\cdots$	0	$\cdots$	2
$f'(x)$		$-$	0	$+$	0
$f(x)$	$a+20$	↘	a	↗	$a+4$

함수 $f(x)$는
$x=-2$에서 최댓값 $a+20$,
$x=0$에서 최솟값 a
를 갖는다. 이때 최솟값이 -4이므로 $a=-4$
따라서 구하는 최댓값은
$a+20=-4+20=$**16**

1-3

$f'(x)=6x^2-6x=6x(x-1)$
$f'(x)=0$에서 $x=0$ 또는 $x=1$
닫힌구간 $[0, 2]$에서 함수 $f(x)$의 증가와 감소를 표로 나타내면 다음과 같다.

x	0	$\cdots$	1	$\cdots$	2
$f'(x)$	0	$-$	0	$+$	
$f(x)$	a	↘	$a-1$	↗	$a+4$

함수 $f(x)$는
$x=2$에서 최댓값 $a+4$,
$x=1$에서 최솟값 $a-1$
을 갖는다. 이때 최댓값이 2이므로
$a+4=2 \qquad \therefore a=-2$
따라서 구하는 최솟값은
$a-1=-2-1=$**-3**

1-4

$f'(x)=3ax^2-12ax=3ax(x-4)$
$f'(x)=0$에서 $x=0$ 또는 $x=4$
닫힌구간 $[-1, 2]$에서 함수 $f(x)$의 증가와 감소를 표로 나타내면 다음과 같다.

x	-1	$\cdots$	0	$\cdots$	2
$f'(x)$		$+$	0	$-$	
$f(x)$	$-7a+b$	↗	b	↘	$-16a+b$

$a>0$이므로 함수 $f(x)$는
$x=0$에서 최댓값 b,
$x=2$에서 최솟값 $-16a+b$
를 갖는다. 이때 최댓값이 3이므로 $b=3$
또 최솟값이 -29이므로 $-16a+b=-29$
$-16a+3=-29$, $16a=32$ $\quad\therefore a=2$
$\therefore a+b=2+3=\mathbf{5}$

2-1 **3, 24, 24**

2-2
잘라 내는 정사각형의 한 변의 길이를 x cm라 하면
$x>0$, $12-2x>0$에서
$0<x<6$
상자의 부피를 $f(x)$ cm^3라 하면
$f(x)=x(12-2x)^2=4x^3-48x^2+144x$
$f'(x)=12x^2-96x+144=12(x-2)(x-6)$
$f'(x)=0$에서 $x=2$ ($\because 0<x<6$)
열린구간 $(0, 6)$에서 함수 $f(x)$의 증가와 감소를 표로 나타내면 다음과 같다.

x	(0)	$\cdots$	2	$\cdots$	(6)
$f'(x)$		$+$	0	$-$	0
$f(x)$		$\nearrow$	128	$\searrow$	

함수 $f(x)$는 $x=2$에서 극대이면서 최대이므로 구하는 부피의 최댓값은
$f(2)=\mathbf{128\,(cm^3)}$

2-3
$\mathrm{D}(a, 12-a^2)$이라 하면
$\mathrm{A}(-a, 12-a^2)$, $\mathrm{B}(-a, 0)$, $\mathrm{C}(a, 0)$
이때 $a>0$, $12-a^2>0$에서
$0<a<2\sqrt{3}$
직사각형 ABCD의 넓이를 $S(a)$라 하면
$S(a)=\overline{\mathrm{AB}}\times\overline{\mathrm{BC}}$
$=(12-a^2)\times 2a=-2a^3+24a$
$S'(a)=-6a^2+24=-6(a+2)(a-2)$
$S'(a)=0$에서 $a=2$ ($\because 0<a<2\sqrt{3}$)
열린구간 $(0, 2\sqrt{3})$에서 함수 $S(a)$의 증가와 감소를 표로 나타내면 다음과 같다.

a	(0)	$\cdots$	2	$\cdots$	$(2\sqrt{3})$
$S'(a)$		$+$	0	$-$	
$S(a)$		$\nearrow$	32	$\searrow$	

함수 $S(a)$는 $a=2$에서 극대이면서 최대이므로 구하는 넓이의 최댓값은
$S(2)=\mathbf{32}$

3주 3일 도함수의 활용

개념 확인

| 본문 107, 109쪽 |

1-1
(1) $f(x)=x^3+6x^2-6$이라 하면
$f'(x)=3x^2+12x=3x(x+4)$
$f'(x)=0$에서 $x=-4$ 또는 $x=0$
함수 $f(x)$의 증가와 감소를 표로 나타내고 $y=f(x)$의 그래프를 그리면 다음과 같다.

x	$\cdots$	-4	$\cdots$	0	$\cdots$
$f'(x)$	$+$	0	$-$	0	$+$
$f(x)$	$\nearrow$	26	$\searrow$	-6	$\nearrow$

오른쪽 그림에서 함수 $y=f(x)$의 그래프는 x축과 서로 다른 세 점에서 만나므로 방정식 $x^3+6x^2-6=0$의 서로 다른 실근의 개수는 **3**이다.

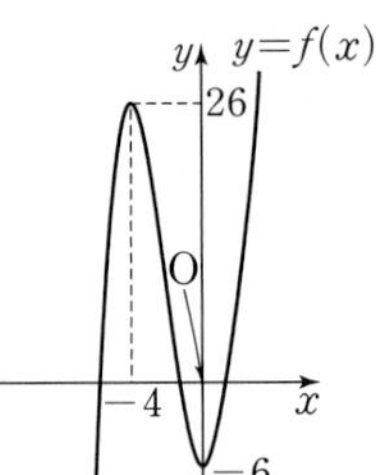

(2) $f(x)=2x^3-3x^2-12x-6$이라 하면
$f'(x)=6x^2-6x-12=6(x+1)(x-2)$
$f'(x)=0$에서 $x=-1$ 또는 $x=2$
함수 $f(x)$의 증가와 감소를 표로 나타내고 $y=f(x)$의 그래프를 그리면 다음과 같다.

x	$\cdots$	-1	$\cdots$	2	$\cdots$
$f'(x)$	$+$	0	$-$	0	$+$
$f(x)$	$\nearrow$	1	$\searrow$	-26	$\nearrow$

오른쪽 그림에서 함수 $y=f(x)$의 그래프는 x축과 서로 다른 세 점에서 만나므로 방정식 $2x^3-3x^2-12x-6=0$의 서로 다른 실근의 개수는 **3**이다.

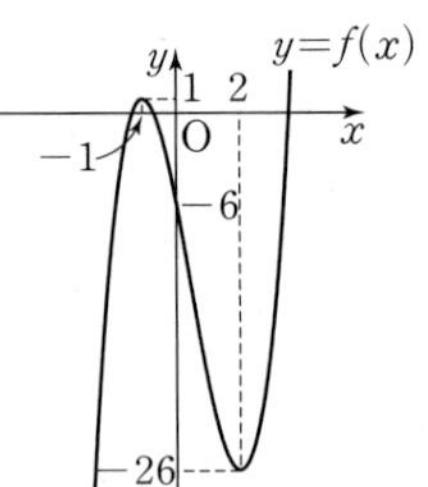

(3) $f(x)=2x^3-x^2-4x+3$이라 하면
$f'(x)=6x^2-2x-4=2(3x+2)(x-1)$
$f'(x)=0$에서 $x=-\frac{2}{3}$ 또는 $x=1$
함수 $f(x)$의 증가와 감소를 표로 나타내고 $y=f(x)$의 그래프를 그리면 다음과 같다.

x	$\cdots$	$-\frac{2}{3}$	$\cdots$	1	$\cdots$
$f'(x)$	$+$	0	$-$	0	$+$
$f(x)$	$\nearrow$	$\frac{125}{27}$	$\searrow$	0	$\nearrow$

오른쪽 그림에서 함수 $y=f(x)$의 그래프는 x축과 서로 다른 두 점에서 만나므로 방정식 $2x^3-x^2-4x+3=0$의 서로 다른 실근의 개수는 **2**이다.

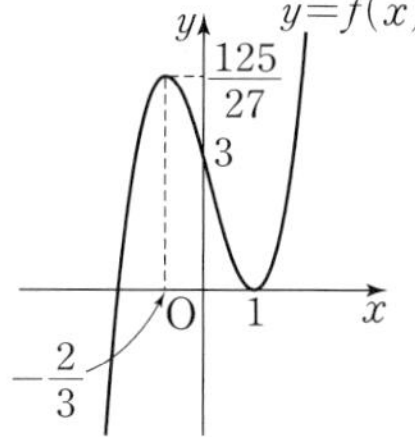

(4) $f(x)=x^4-2x^2-1$이라 하면

$f'(x)=4x^3-4x=4x(x+1)(x-1)$

$f'(x)=0$에서 $x=-1$ 또는 $x=0$ 또는 $x=1$

함수 $f(x)$의 증가와 감소를 표로 나타내고 $y=f(x)$의 그래프를 그리면 다음과 같다.

x	$\cdots$	-1	$\cdots$	0	$\cdots$	1	$\cdots$
$f'(x)$	$-$	0	$+$	0	$-$	0	$+$
$f(x)$	↘	-2	↗	-1	↘	-2	↗

오른쪽 그림에서 함수 $y=f(x)$의 그래프는 x축과 서로 다른 두 점에서 만나므로 방정식 $x^4-2x^2-1=0$의 서로 다른 실근의 개수는 **2**이다.

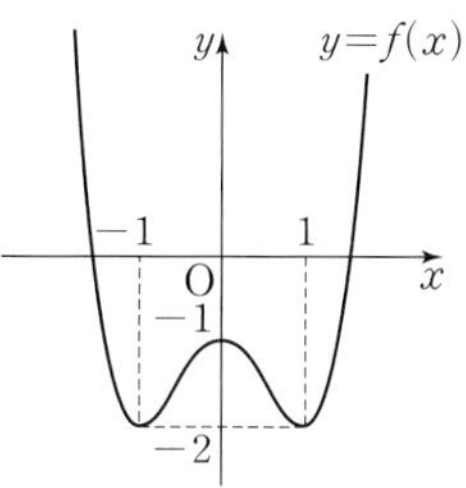

1-2

(1) $f(x)=x^3+4x^2+6x-1$이라 하면

$$f'(x)=3x^2+8x+6=3\left(x+\frac{4}{3}\right)^2+\frac{2}{3}>0$$

함수 $f(x)$는 극값이 존재하지 않고 열린구간 $(-\infty, \infty)$에서 증가하므로 $y=f(x)$의 그래프를 그리면 다음과 같다.

오른쪽 그림에서 함수 $y=f(x)$의 그래프는 x축과 한 점에서 만나므로 방정식 $x^3+4x^2+6x-1=0$의 서로 다른 실근의 개수는 **1**이다.

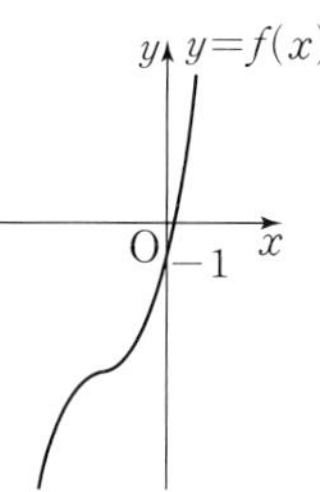

(2) $f(x)=x^3-6x^2+9x-1$이라 하면

$f'(x)=3x^2-12x+9=3(x-1)(x-3)$

$f'(x)=0$에서 $x=1$ 또는 $x=3$

함수 $f(x)$의 증가와 감소를 표로 나타내고 $y=f(x)$의 그래프를 그리면 다음과 같다.

x	$\cdots$	1	$\cdots$	3	$\cdots$
$f'(x)$	$+$	0	$-$	0	$+$
$f(x)$	↗	3	↘	-1	↗

오른쪽 그림에서 함수 $y=f(x)$의 그래프는 x축과 서로 다른 세 점에서 만나므로 방정식 $x^3-6x^2+9x-1=0$의 서로 다른 실근의 개수는 **3**이다.

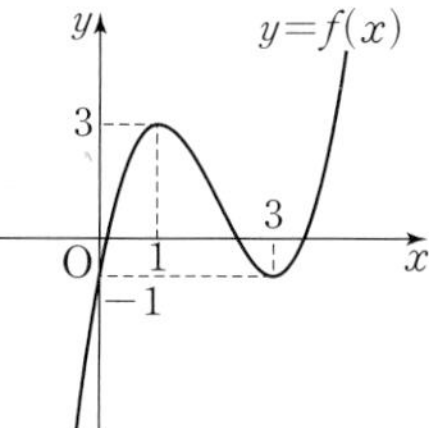

(3) $f(x)=x^3-3x+2$라 하면

$f'(x)=3x^2-3=3(x+1)(x-1)$

$f'(x)=0$에서 $x=-1$ 또는 $x=1$

함수 $f(x)$의 증가와 감소를 표로 나타내고 $y=f(x)$의 그래프를 그리면 다음과 같다.

x	$\cdots$	-1	$\cdots$	1	$\cdots$
$f'(x)$	$+$	0	$-$	0	$+$
$f(x)$	↗	4	↘	0	↗

오른쪽 그림에서 함수 $y=f(x)$의 그래프는 x축과 서로 다른 두 점에서 만나므로 방정식 $x^3-3x+2=0$의 서로 다른 실근의 개수는 **2**이다.

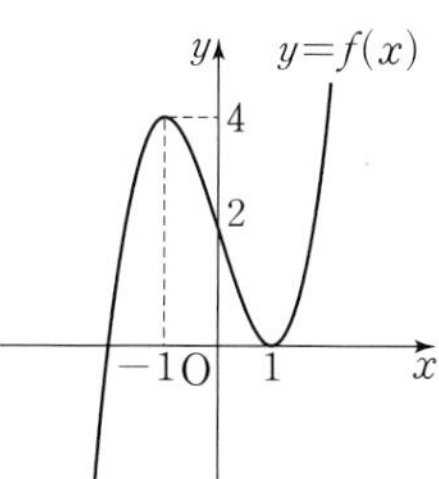

(4) $f(x)=x^4-4x^2+1$이라 하면

$f'(x)=4x^3-8x=4x(x+\sqrt{2})(x-\sqrt{2})$

$f'(x)=0$에서 $x=-\sqrt{2}$ 또는 $x=0$ 또는 $x=\sqrt{2}$

함수 $f(x)$의 증가와 감소를 표로 나타내고 $y=f(x)$의 그래프를 그리면 다음과 같다.

x	$\cdots$	$-\sqrt{2}$	$\cdots$	0	$\cdots$	$\sqrt{2}$	$\cdots$
$f'(x)$	$-$	0	$+$	0	$-$	0	$+$
$f(x)$	↘	-3	↗	1	↘	-3	↗

오른쪽 그림에서 함수 $y=f(x)$의 그래프는 x축과 서로 다른 네 점에서 만나므로 방정식 $x^4-4x^2+1=0$의 서로 다른 실근의 개수는 **4**이다.

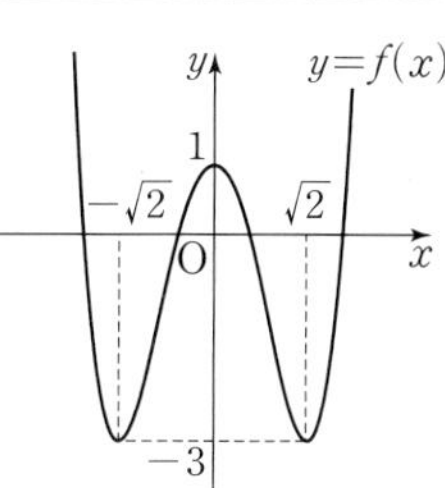

2-1

$x^3-x^2-x-a=0$에서 $x^3-x^2-x=a$

주어진 방정식의 서로 다른 실근의 개수는 함수 $y=x^3-x^2-x$의 그래프와 직선 $y=a$의 교점의 개수와 같다.

$f(x)=x^3-x^2-x$라 하면

$f'(x)=3x^2-2x-1=(3x+1)(x-1)$

$f'(x)=0$에서 $x=-\frac{1}{3}$ 또는 $x=1$

함수 $f(x)$의 증가와 감소를 표로 나타내고 $y=f(x)$의 그래프를 그리면 다음과 같다.

x	$\cdots$	$-\frac{1}{3}$	$\cdots$	1	$\cdots$
$f'(x)$	$+$	0	$-$	0	$+$
$f(x)$	↗	$\frac{5}{27}$	↘	-1	↗

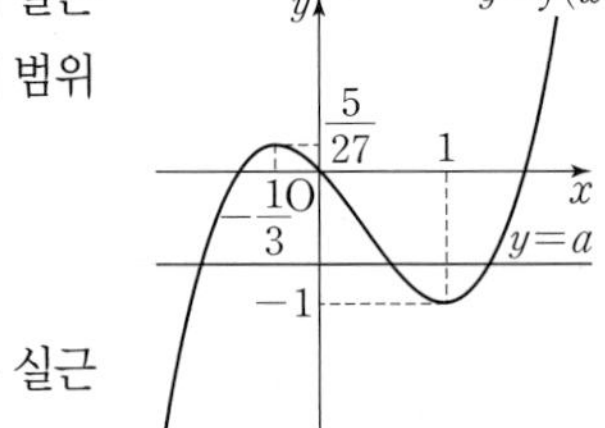

(1) 주어진 방정식이 서로 다른 세 실근을 갖도록 하는 실수 a의 값의 범위는

$\mathbf{-1<a<\frac{5}{27}}$

(2) 주어진 방정식이 서로 다른 두 실근을 갖도록 하는 실수 a의 값은

$\mathbf{a=-1}$ **또는** $\mathbf{a=\frac{5}{27}}$

(3) 주어진 방정식이 한 실근과 두 허근을 갖도록 하는 실수 a의 값의 범위는

$\mathbf{a<-1}$ **또는** $\mathbf{a>\frac{5}{27}}$

2-2

$x^3-3x-a=0$에서 $x^3-3x=a$

주어진 방정식의 서로 다른 실근의 개수는 함수 $y=x^3-3x$의 그래프와 직선 $y=a$의 교점의 개수와 같다.

$f(x)=x^3-3x$라 하면

$f'(x)=3x^2-3=3(x+1)(x-1)$

$f'(x)=0$에서 $x=-1$ 또는 $x=1$

함수 $f(x)$의 증가와 감소를 표로 나타내고 $y=f(x)$의 그래프를 그리면 다음과 같다.

x	$\cdots$	-1	$\cdots$	1	$\cdots$
$f'(x)$	$+$	0	$-$	0	$+$
$f(x)$	↗	2	↘	-2	↗

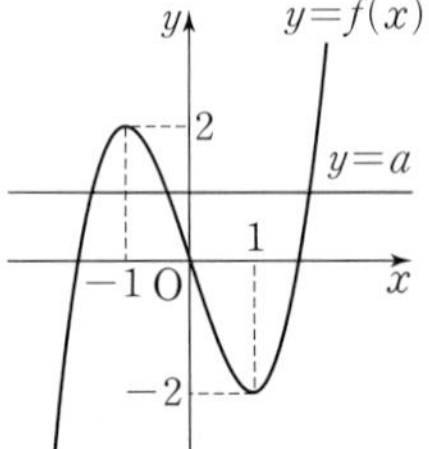

(1) 주어진 방정식이 서로 다른 세 실근을 갖도록 하는 실수 a의 값의 범위는

$\mathbf{-2<a<2}$

(2) 주어진 방정식이 서로 다른 두 실근을 갖도록 하는 실수 a의 값은

$\mathbf{a=-2}$ **또는** $\mathbf{a=2}$

(3) 주어진 방정식이 한 실근과 두 허근을 갖도록 하는 실수 a의 값의 범위는

$\mathbf{a<-2}$ **또는** $\mathbf{a>2}$

3-1

$2x^3+3x^2-36x-a-1=0$에서 $2x^3+3x^2-36x-1=a$

$f(x)=2x^3+3x^2-36x-1$이라 하면

$f'(x)=6x^2+6x-36=6(x+3)(x-2)$

$f'(x)=0$에서 $x=-3$ 또는 $x=2$

함수 $f(x)$의 증가와 감소를 표로 나타내고 $y=f(x)$의 그래프를 그리면 다음과 같다.

x	$\cdots$	-3	$\cdots$	2	$\cdots$
$f'(x)$	$+$	0	$-$	0	$+$
$f(x)$	↗	80	↘	-45	↗

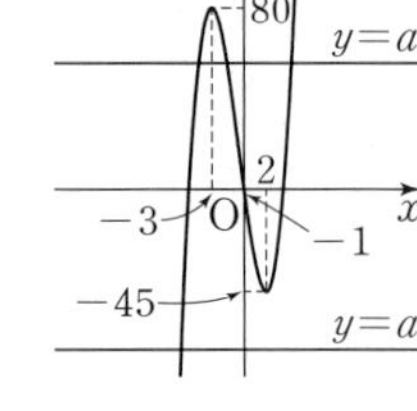

(1) 함수 $y=f(x)$의 그래프와 직선 $y=a$의 교점이 $x<0$에서 두 개이고, $x>0$에서 한 개인 경우이므로

$\mathbf{-1<a<80}$

(2) 함수 $y=f(x)$의 그래프와 직선 $y=a$의 교점이 $x<0$에서 한 개인 경우이므로

$\mathbf{a<-45}$

3-2

$2x^3-3x^2-a=0$에서 $2x^3-3x^2=a$

$f(x)=2x^3-3x^2$이라 하면 $f'(x)=6x^2-6x=6x(x-1)$

$f'(x)=0$에서 $x=0$ 또는 $x=1$

함수 $f(x)$의 증가와 감소를 표로 나타내고 $y=f(x)$의 그래프를 그리면 다음과 같다.

x	$\cdots$	0	$\cdots$	1	$\cdots$
$f'(x)$	$+$	0	$-$	0	$+$
$f(x)$	↗	0	↘	-1	↗

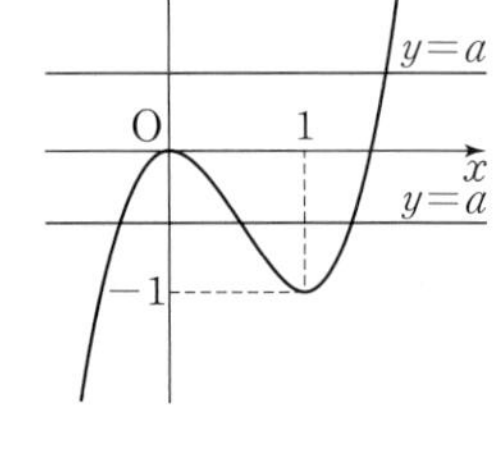

(1) 함수 $y=f(x)$의 그래프와 직선 $y=a$의 교점이 $x>0$에서 두 개이고, $x<0$에서 한 개인 경우이므로

$\mathbf{-1<a<0}$

(2) 함수 $y=f(x)$의 그래프와 직선 $y=a$의 교점이 $x>0$에서 한 개인 경우이므로

$\mathbf{a>0}$

4-1

$f(x)=x^3-3x^2-a$라 하면 $f'(x)=3x^2-6x=3x(x-2)$

$f'(x)=0$에서 $x=0$ 또는 $x=2$

함수 $f(x)$의 증가와 감소를 표로 나타내면 다음과 같다.

x	$\cdots$	0	$\cdots$	2	$\cdots$
$f'(x)$	$+$	0	$-$	0	$+$
$f(x)$	↗	극대	↘	극소	↗

(1) 삼차방정식 $f(x)=0$이 서로 다른 세 실근을 가질 조건은

(극댓값)×(극솟값)<0에서

$f(0)f(2)<0$, 즉 $-a(-4-a)<0$

$\therefore$ $\mathbf{-4<a<0}$

(2) 삼차방정식 $f(x)=0$이 서로 다른 두 실근을 가질 조건은

(극댓값)×(극솟값)$=0$에서

$f(0)f(2)=0$, 즉 $-a(-4-a)=0$

$\therefore$ $\mathbf{a=-4}$ **또는** $\mathbf{a=0}$

(3) 삼차방정식 $f(x)=0$이 한 실근과 두 허근을 가질 조건은

(극댓값)×(극솟값)>0에서

$f(0)f(2)>0$, 즉 $-a(-4-a)>0$

$\therefore$ $\mathbf{a<-4}$ **또는** $\mathbf{a>0}$

참고

근의 종류	그래프 개형과 판별법
서로 다른 세 실근	극대, 극소, x (극댓값)×(극솟값)<0
서로 다른 두 실근 (중근과 한 실근)	극대, 극소, 극대, 극소, x (극댓값)×(극솟값)=0
한 실근과 두 허근	극대, 극소, 극대, 극소, x (극댓값)×(극솟값)>0

다른 풀이

$x^3-3x^2-a=0$에서 $x^3-3x^2=a$이므로 주어진 방정식의 실근의 개수는 함수 $f(x)=x^3-3x^2$의 그래프와 직선 $y=a$의 교점의 개수와 같다. 주어진 방정식이

(1) 서로 다른 세 실근을 갖도록 하는 실수 a의 값의 범위는 $-4<a<0$

(2) 서로 다른 두 실근을 갖도록 하는 실수 a의 값은 $a=-4$ 또는 $a=0$

(3) 한 실근과 두 허근을 갖도록 하는 실수 a의 값의 범위는 $a<-4$ 또는 $a>0$

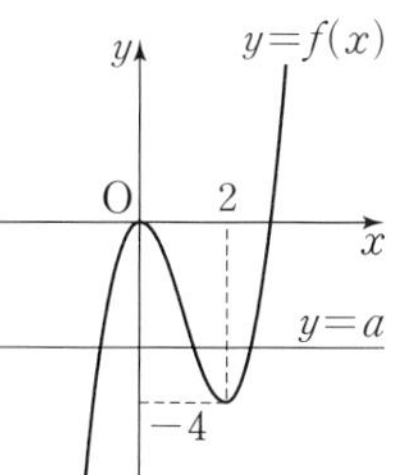

4-2

$f(x)=x^3-3x^2-9x-a$라 하면

$f'(x)=3x^2-6x-9=3(x+1)(x-3)$

$f'(x)=0$에서 $x=-1$ 또는 $x=3$

함수 $f(x)$의 증가와 감소를 표로 나타내면 다음과 같다.

x	$\cdots$	-1	$\cdots$	3	$\cdots$
$f'(x)$	$+$	0	$-$	0	$+$
$f(x)$	↗	극대	↘	극소	↗

(1) 삼차방정식 $f(x)=0$이 서로 다른 세 실근을 가질 조건은 (극댓값)×(극솟값)<0에서

$f(-1)f(3)<0$, 즉 $(5-a)(-27-a)<0$

$\therefore$ $\boldsymbol{-27<a<5}$

(2) 삼차방정식 $f(x)=0$이 서로 다른 두 실근을 가질 조건은 (극댓값)×(극솟값)=0에서

$f(-1)f(3)=0$, 즉 $(5-a)(-27-a)=0$

$\therefore$ $\boldsymbol{a=-27}$ **또는** $\boldsymbol{a=5}$

(3) 삼차방정식 $f(x)=0$이 한 실근과 두 허근을 가질 조건은 (극댓값)×(극솟값)>0에서

$f(-1)f(3)>0$, 즉 $(5-a)(-27-a)>0$

$\therefore$ $\boldsymbol{a<-27}$ **또는** $\boldsymbol{a>5}$

기초 유형

| 본문 110, 111쪽 |

1-1 **12, 15**

1-2

$2x^3-6x-a=0$에서 $2x^3-6x=a$

주어진 방정식의 서로 다른 실근의 개수는 함수 $y=2x^3-6x$의 그래프와 직선 $y=a$의 교점의 개수와 같다.

$f(x)=2x^3-6x$라 하면

$f'(x)=6x^2-6=6(x+1)(x-1)$

$f'(x)=0$에서 $x=-1$ 또는 $x=1$

함수 $f(x)$의 증가와 감소를 표로 나타내고 $y=f(x)$의 그래프를 그리면 다음과 같다.

x	$\cdots$	-1	$\cdots$	1	$\cdots$
$f'(x)$	$+$	0	$-$	0	$+$
$f(x)$	↗	4	↘	-4	↗

따라서 주어진 방정식의 실근이 오직 하나이기 위한 상수 a의 값의 범위는

$\boldsymbol{a<-4}$ **또는** $\boldsymbol{a>4}$

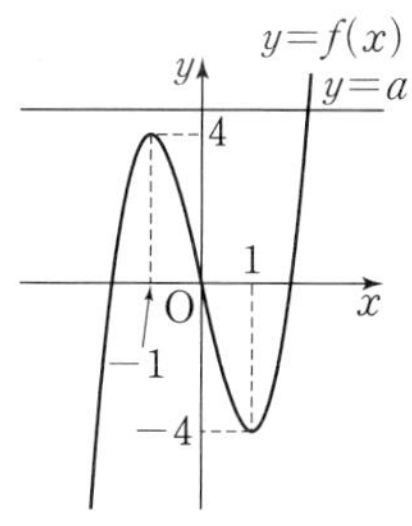

1-3

$4x^3-x=2x+k$에서 $4x^3-3x=k$

$f(x)=4x^3-3x$라 하면

$f'(x)=12x^2-3=3(2x+1)(2x-1)$

$f'(x)=0$에서 $x=-\frac{1}{2}$ 또는 $x=\frac{1}{2}$

함수 $f(x)$의 증가와 감소를 표로 나타내고 $y=f(x)$의 그래프를 그리면 다음과 같다.

x	$\cdots$	$-\frac{1}{2}$	$\cdots$	$\frac{1}{2}$	$\cdots$
$f'(x)$	$+$	0	$-$	0	$+$
$f(x)$	↗	1	↘	-1	↗

따라서 주어진 곡선과 직선이 서로 다른 세 점에서 만나도록 하는 상수 k의 값의 범위는

$\boldsymbol{-1<k<1}$

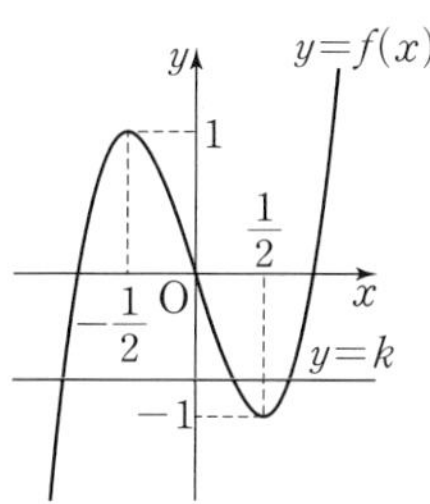

1-4

$x^3-4x^2+4x=2x^2-5x+k$에서 $x^3-6x^2+9x=k$

$f(x)=x^3-6x^2+9x$라 하면

$f'(x)=3x^2-12x+9=3(x-1)(x-3)$

$f'(x)=0$에서 $x=1$ 또는 $x=3$

함수 $f(x)$의 증가와 감소를 표로 나타내고 $y=f(x)$의 그래프를 그리면 다음과 같다.

x	$\cdots$	1	$\cdots$	3	$\cdots$
$f'(x)$	+	0	−	0	+
$f(x)$	↗	4	↘	0	↗

따라서 주어진 두 곡선이 서로 다른 두 점에서 만나도록 하는 k의 값은

$k=0$ 또는 $k=4$

이때 $k>0$이므로

$k=\mathbf{4}$

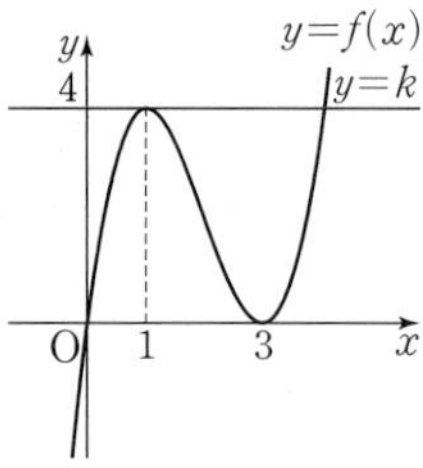

2-1 $\boldsymbol{a}$, $\mathbf{-2}$, $\mathbf{0}$

2-2

$5x^3-2=2x^3+9x+k$에서 $3x^3-9x-2=k$

$f(x)=3x^3-9x-2$라 하면

$f'(x)=9x^2-9=9(x+1)(x-1)$

$f'(x)=0$에서 $x=-1$ 또는 $x=1$

함수 $f(x)$의 증가와 감소를 표로 나타내고 $y=f(x)$의 그래프를 그리면 다음과 같다.

x	$\cdots$	−1	$\cdots$	1	$\cdots$
$f'(x)$	+	0	−	0	+
$f(x)$	↗	4	↘	−8	↗

함수 $y=f(x)$의 그래프와 직선 $y=k$의 교점이 $x>0$에서 두 개이고, $x<0$에서 한 개인 경우이므로

$\mathbf{-8<k<-2}$

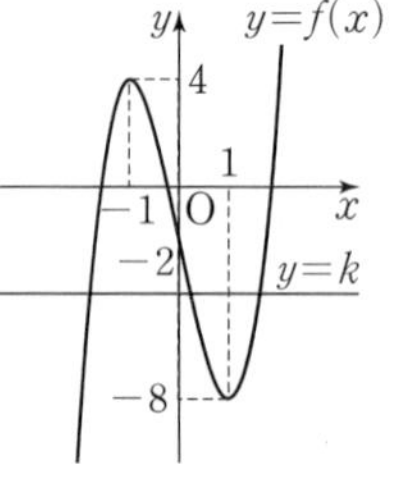

2-3

$4x^3+x^2-3x=2x^3+4x^2+9x+a$에서 $2x^3-3x^2-12x=a$

$h(x)=2x^3-3x^2-12x$라 하면

$h'(x)=6x^2-6x-12=6(x+1)(x-2)$

$h'(x)=0$에서 $x=-1$ 또는 $x=2$

함수 $h(x)$의 증가와 감소를 표로 나타내고 $y=h(x)$의 그래프를 그리면 다음과 같다.

x	$\cdots$	−1	$\cdots$	2	$\cdots$
$h'(x)$	+	0	−	0	+
$h(x)$	↗	7	↘	−20	↗

함수 $y=h(x)$의 그래프와 직선 $y=a$의 교점이 $x>0$에서 한 개이고, $x<0$에서 두 개인 경우이므로 $0<a<7$

따라서 구하는 정수 a의 개수는 1, 2, $\cdots$, 6의 **6**이다.

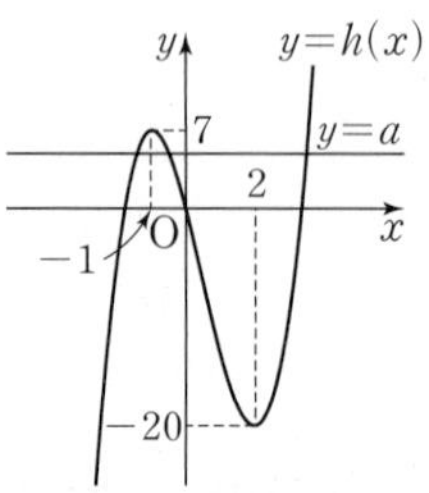

2-4

$x^3-3x+5-2k=0$에서 $x^3-3x+5=2k$

$g(x)=x^3-3x+5$라 하면

$g'(x)=3x^2-3=3(x+1)(x-1)$

$g'(x)=0$에서 $x=-1$ 또는 $x=1$

함수 $g(x)$의 증가와 감소를 표로 나타내고 $y=g(x)$의 그래프를 그리면 다음과 같다.

x	$\cdots$	−1	$\cdots$	1	$\cdots$
$g'(x)$	+	0	−	0	+
$g(x)$	↗	7	↘	3	↗

오른쪽 그림에서

$k=1$일 때, $y=2$와의 교점 중에서 x의 좌표가 양수인 점은 없으므로

$f(1)=0$

$k=2$일 때, $y=4$와의 교점 중에서 x의 좌표가 양수인 점의 개수는 2이므로 $f(2)=2$

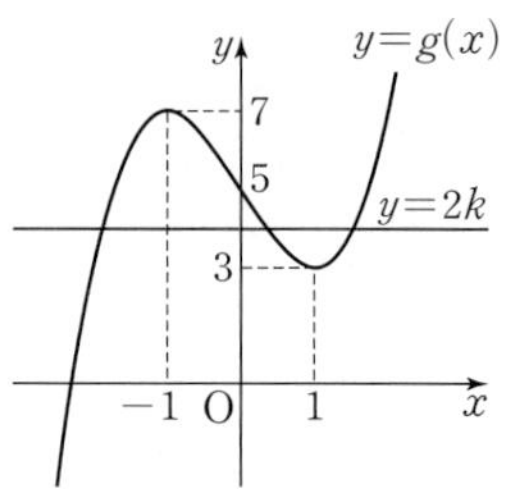

$k\geq 3$일 때, $y=2k$와의 교점 중에서 x의 좌표가 양수인 점의 개수는 1이므로 $f(3)=f(4)=\cdots=f(10)=1$

$\therefore f(1)+f(2)+\cdots+f(10)=0+2+1\times 8=\mathbf{10}$

3주 4일 도함수의 활용

개념 확인

| 본문 113, 115쪽 |

1-1 **2, 2, 0**

1-2 **1, 1, 0**

2-1

점 P의 시각 t에서의 속도를 v, 가속도를 a라 하면

$v=\dfrac{dx}{dt}=6t^2-18t$, $a=\dfrac{dv}{dt}=12t-18$

(1) $t=1$에서 점 P의 속도와 가속도는

$v=6\times 1-18\times 1=-12$

$a=12\times 1-18=-6$

속도 : −12, 가속도 : −6

(2) $v=6t^2-18t=24$에서

$t^2-3t-4=0$, $(t+1)(t-4)=0$

$t>0$이므로 $t=\mathbf{4}$

(3) 점 P가 운동 방향을 바꾸는 순간의 속도는 0이므로

$v=6t^2-18t=0$에서

$t^2-3t=0$, $t(t-3)=0$

$t>0$이므로 $t=3$

따라서 $0<t<3$일 때 $v<0$이고, $t>3$일 때 $v>0$이므로 점 P가 운동 방향을 바꾸는 시각은 **3**이다.

2-2

점 P의 시각 t에서의 속도를 v, 가속도를 a라 하면

$v=\dfrac{dx}{dt}=3t^2-3$, $a=\dfrac{dv}{dt}=6t$

(1) $t=2$에서 점 P의 속도와 가속도는

$v=3\times4-3=9$

$a=6\times2=12$

속도 : 9, 가속도 : 12

(2) $v=3t^2-3=45$에서

$t^2-16=0$, $(t+4)(t-4)=0$

$t>0$이므로 $t=$**4**

(3) 점 P가 운동 방향을 바꾸는 순간의 속도는 0이므로

$v=3t^2-3=0$에서

$t^2-1=0$, $(t+1)(t-1)=0$

$t>0$이므로 $t=1$

따라서 $0<t<1$일 때 $v<0$이고, $t>1$일 때 $v>0$이므로 점 P가 운동 방향을 바꾸는 시각은 **1**이다.

3-1

t초 후의 공의 속도를 v m/s라 하면

$v=\dfrac{dx}{dt}=10-10t$

(1) 공을 던져 올리고 2초가 지난 후의 속도는

$10-10\times2=$**−10 (m/s)**

(2) 공이 최고 높이에 도달할 때의 속도는 0 m/s이므로

$10-10t=0$ $\quad\therefore t=1$

따라서 공이 최고 높이에 도달하는 시각은 **1초**이고, 그때의 높이는

$10\times1-5\times1=$**5 (m)**

(3) 공이 지면에 떨어지는 순간의 높이는 0 m이므로

$10t-5t^2=0$, $5t(2-t)=0$

$\therefore t=2$ ($\because t>0$)

따라서 위로 던져 올린 지 2초 후에 공이 지면에 떨어지므로 그 순간의 속도는

$10-10\times2=$**−10 (m/s)**

3-2

t초 후의 물체의 속도를 v m/s라 하면

$v=\dfrac{dx}{dt}=20-10t$

(1) 물체를 던져 올리고 1초가 지난 후의 속도는

$20-10\times1=$**10 (m/s)**

(2) 물체가 최고 높이에 도달할 때의 속도는 0 m/s이므로

$20-10t=0$ $\quad\therefore t=2$

따라서 물체가 최고 높이에 도달하는 시각은 **2초**이고, 그때의 높이는

$20\times2-5\times4=$**20 (m)**

(3) 물체가 지면에 떨어지는 순간의 높이는 0 m이므로

$20t-5t^2=0$, $5t(4-t)=0$

$\therefore t=4$ ($\because t>0$)

따라서 위로 던져 올린 지 4초 후에 물체가 지면에 떨어지므로 그 순간의 속도는

$20-10\times4=$**−20 (m/s)**

기초 유형

| 본문 116, 117쪽 |

1-1 3, 3, 0

1-2

$f(x)=2x^3-3kx^2+1$이라 하면

$f'(x)=6x^2-6kx=6x(x-k)$

$f'(x)=0$에서 $x=0$ 또는 $x=k$

$x\ge0$일 때, 함수 $f(x)$의 증가와 감소를 표로 나타내면 다음과 같다.

x	0	$\cdots$	k	$\cdots$
$f'(x)$	0	$-$	0	$+$
$f(x)$	1	↘	$-k^3+1$	↗

함수 $f(x)$는 $x=k$에서 극소이면서 최소이므로 주어진 부등식이 항상 성립하려면

$f(k)=-k^3+1\ge0$에서 $k^3-1\le0$, $(k-1)(k^2+k+1)\le0$

이때 $k^2+k+1=\left(k+\dfrac{1}{2}\right)^2+\dfrac{3}{4}>0$이므로

$k-1\le0$ $\quad\therefore k\le1$

따라서 구하는 양수 k의 값의 범위는 $\boldsymbol{0<k\le1}$

1-3

$h(x)=f(x)-g(x)$

$\quad=2x^3-7x+k-(3x^2+5x+1)$

$\quad=2x^3-3x^2-12x+k-1$

이라 하면

$h'(x)=6x^2-6x-12=6(x+1)(x-2)$

$h'(x)=0$에서 $x=-1$ 또는 $x=2$

열린구간 $(1, 5)$에서 함수 $h(x)$의 증가와 감소를 표로 나타내면 다음과 같다.

x	(1)	$\cdots$	2	$\cdots$	(5)
$h'(x)$		$-$	0	$+$	
$h(x)$		↘	$-21+k$	↗	

함수 $h(x)$는 $x=2$에서 극소이면서 최소이므로 주어진 부등식이 항상 성립하려면 $h(2)=-21+k\geq 0$ $\quad\therefore k\geq 21$

따라서 구하는 상수 k의 최솟값은 **21**이다.

1-4

$h(x)=f(x)-g(x)$

$=x^4+x^2-6x-(-2x^2-16x+a)$

$=x^4+3x^2+10x-a$

라 하면

$h'(x)=4x^3+6x+10=2(x+1)(2x^2-2x+5)$

이때 $2x^2-2x+5=2\left(x-\frac{1}{2}\right)^2+\frac{9}{2}>0$이므로

$h'(x)=0$에서 $x=-1$

닫힌구간 $[-2, 0]$에서 함수 $h(x)$의 증가와 감소를 표로 나타내면 다음과 같다.

x	-2	$\cdots$	-1	$\cdots$	0
$h'(x)$		$-$	0	$+$	
$h(x)$	$8-a$	↘	$-6-a$	↗	$-a$

함수 $h(x)$는 $x=-1$에서 극소이면서 최소이므로 주어진 부등식이 항상 성립하려면

$h(-1)=-6-a>0$ $\quad\therefore$ $\boldsymbol{a<-6}$

2-1 **1, 3, 6**

2-2

(i) $k=0$일 때, $x^4+27>0$이므로 주어진 부등식은 항상 성립한다.

(ii) $k\neq 0$일 때, $f(x)=x^4-4k^3x+27$이라 하면

$f'(x)=4x^3-4k^3=4(x-k)(x^2+kx+k^2)$

이때 $x^2+kx+k^2=\left(x+\frac{k}{2}\right)^2+\frac{3}{4}k^2>0$이므로

$f'(x)=0$에서 $x=k$

x	$\cdots$	k	$\cdots$
$f'(x)$	$-$	0	$+$
$f(x)$	↘	$-3k^4+27$	↗

함수 $f(x)$는 $x=k$에서 극소이면서 최소이므로 주어진 부등식이 성립하려면 $f(k)=-3k^4+27>0$에서

$k^4-9<0$, $(k+\sqrt{3})(k-\sqrt{3})(k^2+3)<0$

$\therefore -\sqrt{3}<k<0$ 또는 $0<k<\sqrt{3}$

(i), (ii)에서 $-\sqrt{3}<k<\sqrt{3}$이므로 구하는 정수 k의 개수는 -1, 0, 1의 **3**이다.

2-3

$h(x)=f(x)-g(x)$

$=x^4+3x^3-2x^2-9x-(3x^3+4x^2-x+a)$

$=x^4-6x^2-8x-a$

라 하면

$h'(x)=4x^3-12x-8=4(x+1)^2(x-2)$

$h'(x)=0$에서 $x=-1$ 또는 $x=2$

함수 $h(x)$의 증가와 감소를 표로 나타내면 다음과 같다.

x	$\cdots$	-1	$\cdots$	2	$\cdots$
$h'(x)$	$-$	0	$-$	0	$+$
$h(x)$	↘	$3-a$	↘	$-24-a$	↗

함수 $h(x)$는 $x=2$에서 극소이면서 최소이므로 주어진 부등식이 성립하려면

$h(2)=-24-a\geq 0$ $\quad\therefore a\leq -24$

따라서 구하는 상수 a의 최댓값은 **-24**이다.

3-1 **0, 2, -12**

3-2

점 P의 시각 t에서의 속도를 v, 가속도를 a라 하면

$v=\frac{dx}{dt}=6t^2-6t-8$, $a=\frac{dv}{dt}=12t-6$

점 P의 속도가 4이므로

$6t^2-6t-8=4$, $t^2-t-2=0$

$(t+1)(t-2)=0$ $\quad\therefore t=2\ (\because t>0)$

따라서 $t=2$일 때의 점 P의 가속도는

$12\times 2-6=$**18**

3주 5일 다항함수의 부정적분

개념 확인

| 본문 119, 121쪽 |

1-1

(1) $(5x)'=5$이므로 $\int 5dx=\boldsymbol{5x+C}$

(2) $(x^2)'=2x$이므로 $\int 2xdx=\boldsymbol{x^2+C}$

(3) $(x^3)'=3x^2$이므로 $\int 3x^2dx=\boldsymbol{x^3+C}$

(4) $(3x^2+x)'=6x+1$이므로 $\int (6x+1)dx=\boldsymbol{3x^2+x+C}$

1-2

(1) $(12x)'=12$이므로 $\int 12dx=\mathbf{12x+C}$

(2) $(4x^2)'=8x$이므로 $\int 8xdx=\mathbf{4x^2+C}$

(3) $(x^5)'=5x^4$이므로 $\int 5x^4dx=\mathbf{x^5+C}$

(4) $(x^4-x^2)'=4x^3-2x$이므로 $\int (4x^3-2x)dx=\mathbf{x^4-x^2+C}$

2-1

(1) $f(x)=(x^2-3x+C)'=\mathbf{2x-3}$

(2) $f(x)=(x^3+2x^2+C)'=\mathbf{3x^2+4x}$

(3) $f(x)=(-x^4+5x^2+C)'=\mathbf{-4x^3+10x}$

2-2

(1) $f(x)=(2x^2+7x+C)'=\mathbf{4x+7}$

(2) $f(x)=(5x^3+6x+C)'=\mathbf{15x^2+6}$

(3) $f(x)=\left(\frac{1}{2}x^4-x^3+C\right)'=\mathbf{2x^3-3x^2}$

3-1

(1) $\int x^2dx=\frac{1}{2+1}x^{2+1}+C=\mathbf{\frac{1}{3}x^3+C}$

(2) $\int x^5dx=\frac{1}{5+1}x^{5+1}+C=\mathbf{\frac{1}{6}x^6+C}$

(3) $\int x^8dx=\frac{1}{8+1}x^{8+1}+C=\mathbf{\frac{1}{9}x^9+C}$

(4) $\int x^{10}dx=\frac{1}{10+1}x^{10+1}+C=\mathbf{\frac{1}{11}x^{11}+C}$

3-2

(1) $\int x^3dx=\frac{1}{3+1}x^{3+1}+C=\mathbf{\frac{1}{4}x^4+C}$

(2) $\int x^7dx=\frac{1}{7+1}x^{7+1}+C=\mathbf{\frac{1}{8}x^8+C}$

(3) $\int x^{21}dx=\frac{1}{21+1}x^{21+1}+C=\mathbf{\frac{1}{22}x^{22}+C}$

(4) $\int x^{99}dx=\frac{1}{99+1}x^{99+1}+C=\mathbf{\frac{1}{100}x^{100}+C}$

4-1

(1) $\int (3x-4)dx=3\int xdx-4\int dx$

$=3\times\frac{1}{2}x^2-4\times x+C$

$=\mathbf{\frac{3}{2}x^2-4x+C}$

참고

여러 개의 적분상수를 하나의 적분상수 C로 나타낼 수 있다.

$\int (3x-4)dx=3\int xdx-4\int dx$

$=3\left(\frac{1}{2}x^2+C_1\right)-4(x+C_2)$

$=\frac{3}{2}x^2-4x+(3C_1-4C_2)$

$=\frac{3}{2}x^2-4x+C$

(2) $\int (x^3+5)dx=\int x^3dx+5\int dx$

$=\frac{1}{4}x^4+5\times x+C$

$=\mathbf{\frac{1}{4}x^4+5x+C}$

(3) $\int (x+1)(x-3)dx=\int (x^2-2x-3)dx$

$=\int x^2dx-2\int xdx-3\int dx$

$=\frac{1}{3}x^3-2\times\frac{1}{2}x^2-3\times x+C$

$=\mathbf{\frac{1}{3}x^3-x^2-3x+C}$

4-2

(1) $\int (2x^2-x)dx=2\int x^2dx-\int xdx$

$=2\times\frac{1}{3}x^3-\frac{1}{2}x^2+C$

$=\mathbf{\frac{2}{3}x^3-\frac{1}{2}x^2+C}$

(2) $\int (3x^3+2x-2)dx=3\int x^3dx+2\int xdx-2\int dx$

$=3\times\frac{1}{4}x^4+2\times\frac{1}{2}x^2-2\times x+C$

$=\mathbf{\frac{3}{4}x^4+x^2-2x+C}$

(3) $\int (2x+1)^2dx=\int (4x^2+4x+1)dx$

$=4\int x^2dx+4\int xdx+\int dx$

$=4\times\frac{1}{3}x^3+4\times\frac{1}{2}x^2+x+C$

$=\mathbf{\frac{4}{3}x^3+2x^2+x+C}$

기초 유형

| 본문 122, 123쪽 |

1-1 $\mathbf{x}$, **0**, **12**

1-2

$f(x)=\int (3x^2+4x)dx=x^3+2x^2+C$

이때 $f(1)=1$이므로 $1+2+C=1$ $\quad\therefore C=-2$

따라서 $f(x)=x^3+2x^2-2$이므로

$f(2)=8+8-2=\mathbf{14}$

2-1 **1, 1, 13**

2-2

$f(x)=\int(x^4+4x^2+1)dx-\int(x^4+x^2+1)dx$

$=\int 3x^2dx=x^3+C$

이때 $f(0)=2$이므로 $C=2$

따라서 $f(x)=x^3+2$이므로 $f(2)=8+2=\mathbf{10}$

2-3

$f(x)=\int\frac{x^3}{x+1}dx+\int\frac{1}{x+1}dx=\int\frac{x^3+1}{x+1}dx$

$=\int\frac{(x+1)(x^2-x+1)}{x+1}dx=\int(x^2-x+1)dx$

$=\frac{1}{3}x^3-\frac{1}{2}x^2+x+C$

이때 $f(0)=1$이므로 $C=1$

따라서 $f(x)=\frac{1}{3}x^3-\frac{1}{2}x^2+x+1$이므로

$f(1)=\frac{1}{3}-\frac{1}{2}+1+1=\mathbf{\frac{11}{6}}$

3-1 **4, 4, 12**

3-2

$f(x)=\int f'(x)dx=\int(4x-3)dx=2x^2-3x+C$

이때 $f(1)=2$이므로

$2-3+C=2 \quad \therefore C=3$

따라서 $f(x)=2x^2-3x+3$이므로 $f(2)=8-6+3=\mathbf{5}$

3-3

$f(x)=\int f'(x)dx=\int(3x^2-ax)dx=x^3-\frac{a}{2}x^2+C$

이때 $f(0)=4$이므로 $C=4$

또 $f(-1)=2$이므로

$-1-\frac{a}{2}+4=2,\ \frac{a}{2}=1 \quad \therefore a=\mathbf{2}$

4-1 **1, 7**

4-2

접선의 기울기가 $3x^2-2$이므로 $f'(x)=3x^2-2$

$f(x)=\int f'(x)dx=\int(3x^2-2)dx=x^3-2x+C$

이때 이 곡선이 점 $(1, 4)$를 지나므로

$4=1-2+C \quad \therefore C=5$

따라서 $f(x)=x^3-2x+5$이므로 $f(0)=\mathbf{5}$

누구나 100점 테스트

본문 124, 125쪽

1 답 ②

$f'(x)=3x^2-12x+9=3(x-1)(x-3)$

$f'(x)=0$에서 $x=1$ 또는 $x=3$

함수 $f(x)$의 증가와 감소를 표로 나타내면 다음과 같다.

x	$\cdots$	1	$\cdots$	3	$\cdots$
$f'(x)$	$+$	0	$-$	0	$+$
$f(x)$	↗	극대	↘	극소	↗

함수 $f(x)$의 극댓값은

$f(1)=1-6+9+1=5$

따라서 $a=1,\ M=5$이므로 $a+M=6$

2 답 ①

$f'(x)=-x^2+4x+m$

함수 $f(x)$가 $x=3$에서 극대이므로

$f'(3)=-9+12+m=0 \quad \therefore m=-3$

3 답 ③

$f'(x)=3x^2-3=3(x+1)(x-1)$

$f'(x)=0$에서 $x=-1$ 또는 $x=1$

닫힌구간 $[-1, 3]$에서 함수 $f(x)$의 증가와 감소를 표로 나타내면 다음과 같다.

x	-1	$\cdots$	1	$\cdots$	3
$f'(x)$	0	$-$	0	$+$	
$f(x)$	7	↘	3	↗	23

함수 $f(x)$는 $x=1$에서 극소이면서 최소이므로 구하는 최솟값은

$f(1)=1-3+5=3$

4 답 ④

$f'(x)=3x^2-6x=3x(x-2)$

$f'(x)=0$에서 $x=0$ 또는 $x=2$

닫힌구간 $[1, 4]$에서 함수 $f(x)$의 증가와 감소를 표로 나타내면 다음과 같다.

x	1	$\cdots$	2	$\cdots$	4
$f'(x)$		$-$	0	$+$	
$f(x)$	$a-2$	↘	$a-4$	↗	$a+16$

함수 $f(x)$는 $x=4$에서 최댓값 $a+16$, $x=2$에서 최솟값 $a-4$를 갖는다.

이때 $M+m=20$이므로

$(a+16)+(a-4)=20,\ 2a=8 \quad \therefore a=4$

5 답 ②

$x^3-3x^2-9x-k=0$에서 $x^3-3x^2-9x=k$

주어진 방정식의 서로 다른 실근의 개수는 함수 $y=x^3-3x^2-9x$의 그래프와 직선 $y=k$의 교점의 개수와 같다.

$f(x)=x^3-3x^2-9x$로 놓으면

$f'(x)=3x^2-6x-9=3(x+1)(x-3)$

$f'(x)=0$에서 $x=-1$ 또는 $x=3$

함수 $f(x)$의 증가와 감소를 표로 나타내고 $y=f(x)$의 그래프를 그리면 다음과 같다.

x	$\cdots$	-1	$\cdots$	3	$\cdots$
$f'(x)$	$+$	0	$-$	0	$+$
$f(x)$	$\nearrow$	5	$\searrow$	-27	$\nearrow$

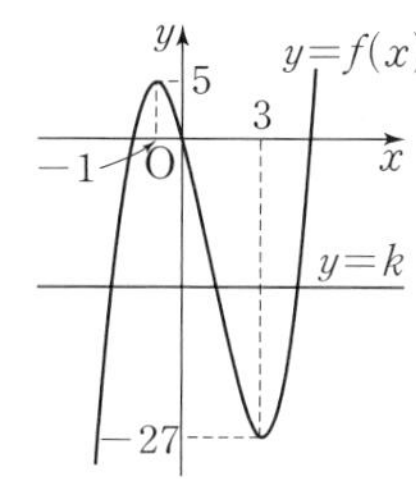

주어진 방정식의 서로 다른 실근의 개수가 3이려면 오른쪽 그림에서 $-27<k<5$

따라서 구하는 정수 k의 최댓값은 4이다.

6 답 21

주어진 곡선과 직선이 서로 다른 두 점에서 만나려면 방정식 $x^3-3x^2+2x-3=2x+k$가 서로 다른 두 실근을 가져야 한다.

$x^3-3x^2+2x-3=2x+k$에서 $x^3-3x^2-3=k$

$f(x)=x^3-3x^2-3$으로 놓으면 $f'(x)=3x^2-6x=3x(x-2)$

$f'(x)=0$에서 $x=0$ 또는 $x=2$

함수 $f(x)$의 증가와 감소를 표로 나타내고 $y=f(x)$의 그래프를 그리면 다음과 같다.

x	$\cdots$	0	$\cdots$	2	$\cdots$
$f'(x)$	$+$	0	$-$	0	$+$
$f(x)$	$\nearrow$	-3	$\searrow$	-7	$\nearrow$

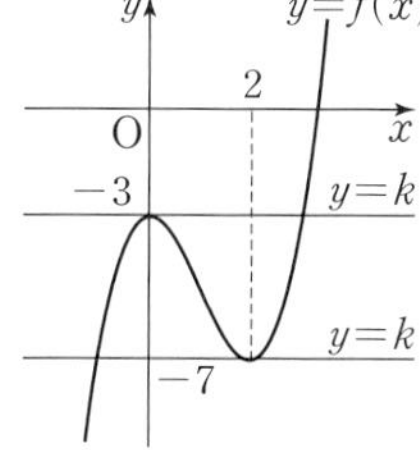

주어진 방정식의 서로 다른 실근의 개수가 2이려면 오른쪽 그림에서

$k=-7$ 또는 $k=-3$

따라서 모든 k의 값의 곱은 21이다.

7 답 6

점 P의 시각 t에서의 속도를 v라 하면

$v=\dfrac{dx}{dt}=3t^2-6t+a$

$t=3$일 때 점 P의 속도가 15이므로

$27-18+a=15$, $9+a=15$ $\quad\therefore a=6$

8 답 ④

점 P의 시각 t에서의 속도를 v라 하면

$v=\dfrac{dx}{dt}=3t^2+2kt+k$

$t=1$에서 점 P가 운동 방향을 바꾸므로

$3+2k+k=0$, $3k=-3$ $\quad\therefore k=-1$

점 P의 시각 t에서의 가속도를 a라 하면

$a=\dfrac{dv}{dt}=6t+2k=6t-2$

따라서 $t=2$에서 점 P의 가속도는

$12-2=10$

9 답 ⑤

$f(x)=\displaystyle\int(3x^2-6x)dx=x^3-3x^2+C$

이때 $f(0)=7$이므로 $C=7$

따라서 $f(x)=x^3-3x^2+7$이므로

$f(1)=1-3+7=5$

10 답 8

$f(x)=\displaystyle\int f'(x)dx=\int(-x^3+3)dx=-\frac{1}{4}x^4+3x+C$

이때 $f(2)=10$이므로

$-4+6+C=10$ $\quad\therefore C=8$

따라서 $f(x)=-\dfrac{1}{4}x^4+3x+8$이므로 $f(0)=8$

본문 126~131쪽

정답 26원

어느 수제 파이 전문점에서는 우리 밀 호두 파이의 단가를 조정하기 위하여 시장 조사를 하였다. 시장 조사의 결과를 토대로 작성한 보고서를 보고 호두 파이의 가격을 1 g당 x원 올렸을 때의 하루 이익이 ❶ 최대가 되게 하는 호두 파이의 1 g당 가격을 ❷ 구하시오.
(단, 가격과 판매량에 상관없이 하루 생산 비용은 일정하다.)

우리 밀 호두 파이 보고서

1. 현재 상황

가격	하루 판매량	하루 생산 비용
1 g당 18원	48000 g	650000원

2. 가격을 1 g당 x원 올렸을 때 예상 상황

하루 판매량	하루 홍보 비용
$100x^2$ g 감소	20000원 추가

* (하루 이익)
=(호두 파이의 1 g당 가격)×(하루 판매량)−(전체 비용)
이때 전체 비용은 하루 생산 비용과 하루 홍보 비용을 합한 것이다.

❶ 호두 파이의 가격을 1g당 x원 올렸을 때의 하루 이익을 식으로 나타낸다.
❷ 하루 이익이 최대가 되게 하는 호두 파이의 1g당 가격을 구한다.

❶ 호두 파이의 1 g당 가격은 $(18+x)$원,
하루 판매량은 $(48000-100x^2)$ g,
전체 비용은 $650000+20000=670000$(원)이므로
(하루 이익)$=(18+x)(48000-100x^2)-670000$
$=-100x^3-1800x^2+48000x+194000$(원)

❷ $x>0$, $48000-100x^2>0$에서 $0<x<4\sqrt{30}$
$f(x)=-100x^3-1800x^2+48000x+194000$이라 하면
$f'(x)=-300x^2-3600x+48000=-300(x+20)(x-8)$
$f'(x)=0$에서 $x=-20$ 또는 $x=8$
열린구간 $(0, 4\sqrt{30})$에서 함수 $f(x)$의 증가와 감소를 표로 나타내면 다음과 같다.

x	(0)	$\cdots$	8	$\cdots$	$(4\sqrt{30})$
$f'(x)$		$+$	0	$-$	
$f(x)$		↗	극대	↘	

함수 $f(x)$는 $x=8$에서 극대이면서 최대이므로 하루 이익이 최대가 되게 하는 호두 파이의 1 g당 가격은 $18+8=26$(원)

1 답 **0, 0, −1**

2 답 **24**

❶ 방정식 $f'(x)=0$의 두 실근이 α, β이므로 $f'(\alpha)=0$, $f'(\beta)=0$
따라서 함수 $f(x)$는 $x=\alpha$, $x=\beta$에서 각각 극값 $f(\alpha)$, $f(\beta)$를 갖는다.

❷ 조건 (나)에서
$\sqrt{(\beta-\alpha)^2+\{f(\beta)-f(\alpha)\}^2}=26$
$(\beta-\alpha)^2+\{f(\beta)-f(\alpha)\}^2=26^2=676$

❸ 조건 (가)에서 $|\alpha-\beta|=10$이므로
$10^2+\{f(\beta)-f(\alpha)\}^2=676$
$\{f(\beta)-f(\alpha)\}^2=676-100=576=24^2$

❹ 따라서 함수 $f(x)$의 극댓값과 극솟값의 차는
$|f(\beta)-f(\alpha)|=24$

3 답 **−48**

❶ $f(x)=x(x-a)(x-6)$이라 하자.
$f(0)=0$이므로 원점은 곡선 $y=f(x)$ 위의 점이고 원점에서 접하는 접선의 기울기는 $f'(0)$이다.
원점이 아닌 접점의 좌표를 $(t, f(t))$라 하면 점 $(t, f(t))$에서의 접선의 방정식은 $y-f(t)=f'(t)(x-t)$
이 직선이 원점을 지나므로
$0-f(t)=f'(t)(0-t)$ $\therefore tf'(t)-f(t)=0$ ……㉠
$f(x)=x^3-(a+6)x^2+6ax$에서
$f'(x)=3x^2-2(a+6)x+6a$
이므로 ㉠에서
$t\{3t^2-2(a+6)t+6a\}-\{t^3-(a+6)t^2+6at\}=0$
$2t^3-(a+6)t^2=0$, $t^2\{2t-(a+6)\}=0$
$\therefore t=\dfrac{a+6}{2}$ $(\because t\neq0)$
따라서 원점에서 $y=f(x)$에 그은 두 접선의 기울기는 각각
$f'(0)=6a$,
$f'\left(\dfrac{a+6}{2}\right)=3\times\left(\dfrac{a+6}{2}\right)^2-2\times\dfrac{(a+6)^2}{2}+6a$
$=-\dfrac{1}{4}(a^2-12a+36)$

❷ $0<a<6$인 실수 a에 대하여 두 접선의 기울기의 곱을 $g(a)$라 하면
$g(a)=-\dfrac{3}{2}(a^3-12a^2+36a)$
$g'(a)=-\dfrac{3}{2}(3a^2-24a+36)=-\dfrac{9}{2}(a-2)(a-6)$
$g'(a)=0$에서 $a=2$ $(\because 0<a<6)$

a	(0)	$\cdots$	2	$\cdots$	(6)
$g'(a)$		$-$	0	$+$	
$g(a)$		↘	극소	↗	

따라서 $0<a<6$일 때 함수 $g(a)$는 $a=2$에서 극소이면서 최소이므로 함수 $g(a)$의 최솟값은
$g(2)=-\dfrac{3}{2}(8-48+72)=-48$

4 답 **0, 0, −1**

5 답 **9**

❶ 점 P의 시각 t에서의 속도를 v라 하면
$v=\dfrac{dx}{dt}=3t^2-10t+a$

❷ 점 P의 운동 방향이 바뀌지 않으려면 점 P가 양의 방향 또는 음의 방향으로만 움직여야 한다. 즉, 항상 $v\geq0$ 또는 $v\leq0$이어야 한다.

❸ 이때 $v=3t^2-10t+a\geq0$이어야 하므로 이차방정식 $3t^2-10t+a=0$의 판별식을 D라 하면
$\dfrac{D}{4}=(-5)^2-3a\leq0$, $25-3a\leq0$ $\therefore a\geq\dfrac{25}{3}$
따라서 구하는 자연수 a의 최솟값은 9이다.

6 답 **20**

❶ 삼차함수 $f(x)$의 도함수 $f'(x)$는 이차함수이고
$f'(-1)=f'(1)=0$이므로
$f'(x)=a(x+1)(x-1)$ $(a>0)$

❷ $\therefore f(x)=\int f'(x)dx=\int a(x+1)(x-1)dx$
$=\int(ax^2-a)dx=\dfrac{a}{3}x^3-ax+C$
이때 $f(x)$의 극댓값이 4이므로
$f(-1)=-\dfrac{a}{3}+a+C=\dfrac{2}{3}a+C=4$ ……㉠
또 $f(x)$의 극솟값이 0이므로
$f(1)=\dfrac{a}{3}-a+C=-\dfrac{2}{3}a+C=0$ ……㉡
㉠, ㉡을 연립하여 풀면 $a=3$, $C=2$이므로 $f(x)=x^3-3x+2$

❸ $\therefore f(3)=27-9+2=20$

4주 1일 다항함수의 정적분

개념 확인

| 본문 137, 139쪽 |

1-1

(1) $\int 2x\,dx=x^2+C$ (C는 적분상수)이므로

$\int_0^2 2x\,dx=\left[x^2\right]_0^2=4-0=\mathbf{4}$

(2) $\int (3x^2-1)dx=x^3-x+C$ (C는 적분상수)이므로

$\int_{-1}^2 (3x^2-1)dx=\left[x^3-x\right]_{-1}^2=(8-2)-(-1+1)=\mathbf{6}$

(3) $\int (x^3-2x)dx=\frac{1}{4}x^4-x^2+C$ (C는 적분상수)이므로

$\int_3^3 (x^3-2x)dx=\left[\frac{1}{4}x^4-x^2\right]_3^3$

$=\left(\frac{81}{4}-9\right)-\left(\frac{81}{4}-9\right)=\mathbf{0}$

다른 풀이

아래끝과 위끝이 같으면 정적분은 0이므로

$\int_3^3 (x^3-2x)dx=0$

1-2

(1) $\int 6x^2dx=2x^3+C$ (C는 적분상수)이므로

$\int_2^3 6x^2dx=\left[2x^3\right]_2^3=54-16=\mathbf{38}$

(2) $\int (4x^3-x)dx=x^4-\frac{1}{2}x^2+C$ (C는 적분상수)이므로

$\int_0^1 (4x^3-x)dx=\left[x^4-\frac{1}{2}x^2\right]_0^1=\left(1-\frac{1}{2}\right)-0=\mathbf{\frac{1}{2}}$

(3) $\int x^2(3x-2)dx=\int (3x^3-2x^2)dx=\frac{3}{4}x^4-\frac{2}{3}x^3+C$

(C는 적분상수)이므로

$\int_1^{-1} x^2(3x-2)dx=\left[\frac{3}{4}x^4-\frac{2}{3}x^3\right]_1^{-1}$

$=\left(\frac{3}{4}+\frac{2}{3}\right)-\left(\frac{3}{4}-\frac{2}{3}\right)=\mathbf{\frac{4}{3}}$

다른 풀이

$\int_1^{-1} x^2(3x-2)dx=-\int_{-1}^1 x^2(3x-2)dx$

$=-\left[\frac{3}{4}x^4-\frac{2}{3}x^3\right]_{-1}^1=\frac{4}{3}$

2-1

(1) $\frac{d}{dx}\int_2^x (5t^2-2)dt=\mathbf{5x^2-2}$

(2) $\frac{d}{dx}\int_{-1}^x (t^3+3t^2-4)dt=\mathbf{x^3+3x^2-4}$

(3) $\frac{d}{dx}\int_1^x (t-2)(2t+1)dt=(x-2)(2x+1)=\mathbf{2x^2-3x-2}$

2-2

(1) $\frac{d}{dx}\int_0^x (t^2-4t)dt=\mathbf{x^2-4x}$

(2) $\frac{d}{dx}\int_3^x (2t^3-5t-1)dt=\mathbf{2x^3-5x-1}$

(3) $\frac{d}{dx}\int_{-2}^x (t^2+1)(t^2-1)dt=(x^2+1)(x^2-1)=\mathbf{x^4-1}$

3-1

(1) $\int_1^2 (x^2-6x+7)dx=\int_1^2 x^2dx-6\int_1^2 x\,dx+7\int_1^2 dx$

$=\left[\frac{1}{3}x^3\right]_1^2-6\left[\frac{1}{2}x^2\right]_1^2+7\left[x\right]_1^2$

$=\left(\frac{8}{3}-\frac{1}{3}\right)-6\left(2-\frac{1}{2}\right)+7(2-1)$

$=\frac{7}{3}-9+7=\mathbf{\frac{1}{3}}$

(2) $\int_{-1}^0 (x^3+x^2-3)dx+\int_{-1}^0 (x^3-2x^2+5)dx$

$=\int_{-1}^0 \{(x^3+x^2-3)+(x^3-2x^2+5)\}dx$

$=\int_{-1}^0 (2x^3-x^2+2)dx$

$=2\int_{-1}^0 x^3dx-\int_{-1}^0 x^2dx+2\int_{-1}^0 dx$

$=2\left[\frac{1}{4}x^4\right]_{-1}^0-\left[\frac{1}{3}x^3\right]_{-1}^0+2\left[x\right]_{-1}^0$

$=2\left(0-\frac{1}{4}\right)-\left\{0-\left(-\frac{1}{3}\right)\right\}+2\{0-(-1)\}$

$=-\frac{1}{2}-\frac{1}{3}+2=\mathbf{\frac{7}{6}}$

(3) $\int_0^2 (x+1)(x+4)dx-\int_0^2 (x^2+2)dx$

$=\int_0^2 \{(x+1)(x+4)-(x^2+2)\}dx$

$=\int_0^2 \{(x^2+5x+4)-(x^2+2)\}dx$

$=\int_0^2 (5x+2)dx$

$=5\int_0^2 x\,dx+2\int_0^2 dx$

$=5\left[\frac{1}{2}x^2\right]_0^2+2\left[x\right]_0^2$

$=5(2-0)+2(2-0)$

$=10+4=\mathbf{14}$

3-2

(1) $\int_0^1 (3x^2-x-1)dx$

$=3\int_0^1 x^2dx-\int_0^1 x\,dx-\int_0^1 dx$

$=3\left[\frac{1}{3}x^3\right]_0^1-\left[\frac{1}{2}x^2\right]_0^1-\left[x\right]_0^1$

$=3\left(\frac{1}{3}-0\right)-\left(\frac{1}{2}-0\right)-(1-0)$

$=1-\frac{1}{2}-1=\mathbf{-\frac{1}{2}}$

(2) $\int_{-2}^{1}(x^3+4x^2+1)dx-\int_{-2}^{1}(4x^2+2x-5)dx$

$=\int_{-2}^{1}\{(x^3+4x^2+1)-(4x^2+2x-5)\}dx$

$=\int_{-2}^{1}(x^3-2x+6)dx$

$=\int_{-2}^{1}x^3dx-2\int_{-2}^{1}xdx+6\int_{-2}^{1}dx$

$=\left[\frac{1}{4}x^4\right]_{-2}^{1}-2\left[\frac{1}{2}x^2\right]_{-2}^{1}+6\left[x\right]_{-2}^{1}$

$=\left(\frac{1}{4}-4\right)-2\left(\frac{1}{2}-2\right)+6\{1-(-2)\}$

$=-\frac{15}{4}+3+18=\mathbf{\frac{69}{4}}$

(3) $\int_{-1}^{2}\frac{x^3}{x-1}dx+\int_{2}^{-1}\frac{1}{x-1}dx$

$=\int_{-1}^{2}\frac{x^3}{x-1}dx-\int_{-1}^{2}\frac{1}{x-1}dx$

$=\int_{-1}^{2}\left(\frac{x^3}{x-1}-\frac{1}{x-1}\right)dx=\int_{-1}^{2}\frac{x^3-1}{x-1}dx$

$=\int_{-1}^{2}\frac{(x-1)(x^2+x+1)}{x-1}dx$

$=\int_{-1}^{2}(x^2+x+1)dx$

$=\int_{-1}^{2}x^2dx+\int_{-1}^{2}xdx+\int_{-1}^{2}dx$

$=\left[\frac{1}{3}x^3\right]_{-1}^{2}+\left[\frac{1}{2}x^2\right]_{-1}^{2}+\left[x\right]_{-1}^{2}$

$=\left\{\frac{8}{3}-\left(-\frac{1}{3}\right)\right\}+\left(2-\frac{1}{2}\right)+\{2-(-1)\}$

$=3+\frac{3}{2}+3=\mathbf{\frac{15}{2}}$

4-1

(1) $\int_{0}^{1}(2x-6)dx+\int_{1}^{2}(2x-6)dx$

$=\int_{0}^{2}(2x-6)dx=\left[x^2-6x\right]_{0}^{2}$

$=(4-12)-0=\mathbf{-8}$

(2) $\int_{-2}^{1}(x^2-2x+5)dx+\int_{1}^{2}(x^2-2x+5)dx$

$=\int_{-2}^{2}(x^2-2x+5)dx$

$=\left[\frac{1}{3}x^3-x^2+5x\right]_{-2}^{2}$

$=\left(\frac{8}{3}-4+10\right)-\left(-\frac{8}{3}-4-10\right)=\mathbf{\frac{76}{3}}$

(3) $\int_{-1}^{1}(-x^3+2x+1)dx-\int_{2}^{1}(-x^3+2x+1)dx$

$=\int_{-1}^{1}(-x^3+2x+1)dx+\int_{1}^{2}(-x^3+2x+1)dx$

$=\int_{-1}^{2}(-x^3+2x+1)dx$

$=\left[-\frac{1}{4}x^4+x^2+x\right]_{-1}^{2}$

$=(-4+4+2)-\left(-\frac{1}{4}+1-1\right)=\mathbf{\frac{9}{4}}$

4-2

(1) $\int_{-1}^{0}(x^2-4x)dx+\int_{0}^{1}(x^2-4x)dx$

$=\int_{-1}^{1}(x^2-4x)dx$

$=\left[\frac{1}{3}x^3-2x^2\right]_{-1}^{1}$

$=\left(\frac{1}{3}-2\right)-\left(-\frac{1}{3}-2\right)=\mathbf{\frac{2}{3}}$

(2) $\int_{1}^{2}(2x^3-3x^2)dx+\int_{2}^{3}(2x^3-3x^2)dx$

$=\int_{1}^{3}(2x^3-3x^2)dx$

$=\left[\frac{1}{2}x^4-x^3\right]_{1}^{3}$

$=\left(\frac{81}{2}-27\right)-\left(\frac{1}{2}-1\right)=\mathbf{14}$

(3) $\int_{0}^{1}(4x^3-6x^2+1)dx-\int_{0}^{-2}(4x^3-6x^2+1)dx$

$=\int_{0}^{1}(4x^3-6x^2+1)dx+\int_{-2}^{0}(4x^3-6x^2+1)dx$

$=\int_{-2}^{0}(4x^3-6x^2+1)dx+\int_{0}^{1}(4x^3-6x^2+1)dx$

$=\int_{-2}^{1}(4x^3-6x^2+1)dx$

$=\left[x^4-2x^3+x\right]_{-2}^{1}$

$=(1-2+1)-(16+16-2)=\mathbf{-30}$

기초 유형

| 본문 140, 141쪽 |

1-1 **33, 24**

1-2

$\int_{0}^{1}(x-1)(x^2+x+1)dx=\int_{0}^{1}(x^3-1)dx$

$=\left[\frac{1}{4}x^4-x\right]_{0}^{1}$

$=\left(\frac{1}{4}-1\right)-0=\mathbf{-\frac{3}{4}}$

2-1 **0, 2, 2**

2-2

$\int_{1}^{a}(3x^2-6x-4)dx=\left[x^3-3x^2-4x\right]_{1}^{a}$

$=(a^3-3a^2-4a)-(1-3-4)$

$=a^3-3a^2-4a+6$

따라서 $a^3-3a^2-4a+6=0$이므로

$(a-1)(a^2-2a-6)=0$

$\therefore a=1$ 또는 $a=1\pm\sqrt{7}$

이때 $a>1$이므로 $a=\mathbf{1+\sqrt{7}}$

1	1	−3	−4	6
		1	−2	−6
	1	−2	−6	0

2-3

$$\int_0^1 (1+2x+3x^2+\cdots+nx^{n-1})dx$$
$$=\left[x+x^2+x^3+\cdots+x^n\right]_0^1$$
$$=(1+1+1+\cdots+1)-0=n$$
$$\therefore n=\mathbf{2018}$$

3-1 $4x$, **200**

3-2

$$\int_1^2 \frac{x^2}{x+1}dx-\int_1^2 \frac{1}{t+1}dt=\int_1^2 \frac{x^2}{x+1}dx-\int_1^2 \frac{1}{x+1}dx$$
$$=\int_1^2 \left(\frac{x^2}{x+1}-\frac{1}{x+1}\right)dx$$
$$=\int_1^2 \frac{x^2-1}{x+1}dx$$
$$=\int_1^2 \frac{(x+1)(x-1)}{x+1}dx$$
$$=\int_1^2 (x-1)dx$$
$$=\left[\frac{1}{2}x^2-x\right]_1^2$$
$$=(2-2)-\left(\frac{1}{2}-1\right)=\mathbf{\frac{1}{2}}$$

4-1 $+$, **4**

4-2

$$\int_0^1 (x^3+3x^2+2)dx-\int_0^{-1} (t^3+3t^2+2)dt$$
$$=\int_0^1 (x^3+3x^2+2)dx+\int_{-1}^0 (x^3+3x^2+2)dx$$
$$=\int_{-1}^0 (x^3+3x^2+2)dx+\int_0^1 (x^3+3x^2+2)dx$$
$$=\int_{-1}^1 (x^3+3x^2+2)dx$$
$$=\left[\frac{1}{4}x^4+x^3+2x\right]_{-1}^1$$
$$=\left(\frac{1}{4}+1+2\right)-\left(\frac{1}{4}-1-2\right)=\mathbf{6}$$

4-3

$$\int_1^3 f(x)dx-\int_0^{-2} f(x)dx+\int_0^1 f(x)dx$$
$$=\int_{-2}^0 f(x)dx+\int_0^1 f(x)dx+\int_1^3 f(x)dx$$
$$=\int_{-2}^3 f(x)dx=\int_{-2}^3 (-3x^2+7)dx$$
$$=\left[-x^3+7x\right]_{-2}^3$$
$$=(-27+21)-(8-14)=\mathbf{0}$$

4주 2일 여러 가지 함수의 정적분

개념 확인

| 본문 143, 145쪽 |

1-1

(1) $f(x)=|x-1|$이라 하면 $x-1=0$에서 $x=1$이므로

$$f(x)=\begin{cases} -x+1 & (x\le 1) \\ x-1 & (x\ge 1) \end{cases}$$

$$\therefore \int_0^2 |x-1|dx=\int_0^1 |x-1|dx+\int_1^2 |x-1|dx$$
$$=\int_0^1 (-x+1)dx+\int_1^2 (x-1)dx$$
$$=\left[-\frac{1}{2}x^2+x\right]_0^1+\left[\frac{1}{2}x^2-x\right]_1^2$$
$$=\left\{\left(-\frac{1}{2}+1\right)-0\right\}+\left\{(2-2)-\left(\frac{1}{2}-1\right)\right\}$$
$$=\frac{1}{2}+\frac{1}{2}=\mathbf{1}$$

(2) $f(x)=|2x+1|$이라 하면 $2x+1=0$에서 $x=-\frac{1}{2}$이므로

$$f(x)=\begin{cases} -2x-1 & \left(x\le -\frac{1}{2}\right) \\ 2x+1 & \left(x\ge -\frac{1}{2}\right) \end{cases}$$

$$\therefore \int_{-2}^1 |2x+1|dx$$
$$=\int_{-2}^{-\frac{1}{2}} |2x+1|dx+\int_{-\frac{1}{2}}^1 |2x+1|dx$$
$$=\int_{-2}^{-\frac{1}{2}} (-2x-1)dx+\int_{-\frac{1}{2}}^1 (2x+1)dx$$
$$=\left[-x^2-x\right]_{-2}^{-\frac{1}{2}}+\left[x^2+x\right]_{-\frac{1}{2}}^1$$
$$=\left\{\left(-\frac{1}{4}+\frac{1}{2}\right)-(-4+2)\right\}+\left\{(1+1)-\left(\frac{1}{4}-\frac{1}{2}\right)\right\}$$
$$=\frac{9}{4}+\frac{9}{4}=\mathbf{\frac{9}{2}}$$

(3) $f(x)=|x^2-1|$이라 하면 $x^2-1=(x+1)(x-1)=0$에서 $x=-1$ 또는 $x=1$이므로

$$f(x)=\begin{cases} x^2-1 & (x\le -1 \text{ 또는 } x\ge 1) \\ -x^2+1 & (-1\le x\le 1) \end{cases}$$

$$\therefore \int_{-1}^2 |x^2-1|dx$$
$$=\int_{-1}^1 |x^2-1|dx+\int_1^2 |x^2-1|dx$$
$$=\int_{-1}^1 (-x^2+1)dx+\int_1^2 (x^2-1)dx$$
$$=\left[-\frac{1}{3}x^3+x\right]_{-1}^1+\left[\frac{1}{3}x^3-x\right]_1^2$$
$$=\left\{\left(-\frac{1}{3}+1\right)-\left(\frac{1}{3}-1\right)\right\}+\left\{\left(\frac{8}{3}-2\right)-\left(\frac{1}{3}-1\right)\right\}$$
$$=\frac{4}{3}+\frac{4}{3}=\mathbf{\frac{8}{3}}$$

1-2

(1) $f(x)=|2-x|$라 하면 $2-x=0$에서 $x=2$이므로

$$f(x)=\begin{cases} 2-x & (x\le 2) \\ -2+x & (x\ge 2) \end{cases}$$

$$\therefore \int_1^3 |2-x|dx$$
$$=\int_1^2 |2-x|dx+\int_2^3 |2-x|dx$$
$$=\int_1^2 (2-x)dx+\int_2^3 (-2+x)dx$$
$$=\left[2x-\frac{1}{2}x^2\right]_1^2+\left[-2x+\frac{1}{2}x^2\right]_2^3$$
$$=\left\{(4-2)-\left(2-\frac{1}{2}\right)\right\}+\left\{\left(-6+\frac{9}{2}\right)-(-4+2)\right\}$$
$$=\frac{1}{2}+\frac{1}{2}=\mathbf{1}$$

(2) $f(x)=|x|+1$이라 하면

$$f(x)=\begin{cases} -x+1 & (x\le 0) \\ x+1 & (x\ge 0) \end{cases}$$

$$\therefore \int_{-1}^1 (|x|+1)dx$$
$$=\int_{-1}^0 (|x|+1)dx+\int_0^1 (|x|+1)dx$$
$$=\int_{-1}^0 (-x+1)dx+\int_0^1 (x+1)dx$$
$$=\left[-\frac{1}{2}x^2+x\right]_{-1}^0+\left[\frac{1}{2}x^2+x\right]_0^1$$
$$=\left\{0-\left(-\frac{1}{2}-1\right)\right\}+\left\{\left(\frac{1}{2}+1\right)-0\right\}$$
$$=\frac{3}{2}+\frac{3}{2}=\mathbf{3}$$

(3) $f(x)=|x^2-2x|$라 하면 $x^2-2x=x(x-2)=0$에서

$x=0$ 또는 $x=2$이므로

$$f(x)=\begin{cases} x^2-2x & (x\le 0 \text{ 또는 } x\ge 2) \\ -x^2+2x & (0\le x\le 2) \end{cases}$$

$$\therefore \int_1^3 |x^2-2x|dx$$
$$=\int_1^2 |x^2-2x|dx+\int_2^3 |x^2-2x|dx$$
$$=\int_1^2 (-x^2+2x)dx+\int_2^3 (x^2-2x)dx$$
$$=\left[-\frac{1}{3}x^3+x^2\right]_1^2+\left[\frac{1}{3}x^3-x^2\right]_2^3$$
$$=\left\{\left(-\frac{8}{3}+4\right)-\left(-\frac{1}{3}+1\right)\right\}+\left\{(9-9)-\left(\frac{8}{3}-4\right)\right\}$$
$$=\frac{2}{3}+\frac{4}{3}=\mathbf{2}$$

2-1

(1) $\int_{-1}^1 (6x^2-x+2)dx$
$$=\int_{-1}^1 (6x^2+2)dx=2\int_0^1 (6x^2+2)dx$$
$$=2\Big[2x^3+2x\Big]_0^1=2(2+2)=\mathbf{8}$$

(2) $\int_{-2}^2 (5x^4+x^3-3x^2+2x)dx$
$$=\int_{-2}^2 (5x^4-3x^2)dx=2\int_0^2 (5x^4-3x^2)dx$$
$$=2\Big[x^5-x^3\Big]_0^2=2(32-8)=\mathbf{48}$$

(3) $\int_{-3}^3 x(x+5)dx$
$$=\int_{-3}^3 (x^2+5x)dx=\int_{-3}^3 x^2dx$$
$$=2\int_0^3 x^2dx=2\left[\frac{1}{3}x^3\right]_0^3$$
$$=2\times 9=\mathbf{18}$$

2-2

(1) $\int_{-1}^1 (x^7+2x^2+3)dx$
$$=\int_{-1}^1 (2x^2+3)dx=2\int_0^1 (2x^2+3)dx$$
$$=2\left[\frac{2}{3}x^3+3x\right]_0^1=2\left(\frac{2}{3}+3\right)=\mathbf{\frac{22}{3}}$$

(2) $\int_{-2}^2 (6x^5+x^4+3x+4)dx$
$$=\int_{-2}^2 (x^4+4)dx=2\int_0^2 (x^4+4)dx$$
$$=2\left[\frac{1}{5}x^5+4x\right]_0^2=2\left(\frac{32}{5}+8\right)=\mathbf{\frac{144}{5}}$$

(3) $\int_{-3}^3 (x+1)(x+2)dx$
$$=\int_{-3}^3 (x^2+3x+2)dx=\int_{-3}^3 (x^2+2)dx$$
$$=2\int_0^3 (x^2+2)dx=2\left[\frac{1}{3}x^3+2x\right]_0^3$$
$$=2(9+6)=\mathbf{30}$$

3-1

(1) $\int_0^2 f(t)dt=k$ (k는 상수) ……㉠

로 놓으면 $f(x)=x+k$

$f(t)=t+k$를 ㉠의 좌변에 대입하면

$$\int_0^2 f(t)dt=\int_0^2 (t+k)dt=\left[\frac{1}{2}t^2+kt\right]_0^2=2+2k$$

즉, $2+2k=k$이므로 $k=-2$

$\therefore \boldsymbol{f(x)=x-2}$

(2) $\int_0^1 f(t)dt=k$ (k는 상수) ……㉠

로 놓으면 $f(x)=3x^2-4x-k$

$f(t)=3t^2-4t-k$를 ㉠의 좌변에 대입하면

$$\int_0^1 f(t)dt=\int_0^1 (3t^2-4t-k)dt=\Big[t^3-2t^2-kt\Big]_0^1=-1-k$$

즉, $-1-k=k$이므로 $k=-\frac{1}{2}$

$\therefore \boldsymbol{f(x)=3x^2-4x+\frac{1}{2}}$

(3) $\int_{-1}^{2} tf(t)dt=k$ (k는 상수) ……㉠

로 놓으면 $f(x)=2x^2+k$

$f(t)=2t^2+k$를 ㉠의 좌변에 대입하면

$$\int_{-1}^{2} tf(t)dt=\int_{-1}^{2} t(2t^2+k)dt=\int_{-1}^{2} (2t^3+kt)dt$$

$$=\left[\frac{1}{2}t^4+\frac{k}{2}t^2\right]_{-1}^{2}=(8+2k)-\left(\frac{1}{2}+\frac{k}{2}\right)$$

$$=\frac{15}{2}+\frac{3}{2}k$$

즉, $\frac{15}{2}+\frac{3}{2}k=k$이므로 $k=-15$

$\therefore \boldsymbol{f(x)=2x^2-15}$

3-2

(1) $\int_{1}^{3} f(t)dt=k$ (k는 상수) ……㉠

로 놓으면 $f(x)=x^2+k$

$f(t)=t^2+k$를 ㉠의 좌변에 대입하면

$$\int_{1}^{3} f(t)dt=\int_{1}^{3} (t^2+k)dt=\left[\frac{1}{3}t^3+kt\right]_{1}^{3}$$

$$=(9+3k)-\left(\frac{1}{3}+k\right)=\frac{26}{3}+2k$$

즉, $\frac{26}{3}+2k=k$이므로 $k=-\frac{26}{3}$

$\therefore \boldsymbol{f(x)=x^2-\frac{26}{3}}$

(2) $\int_{0}^{2} f(t)dt=k$ (k는 상수) ……㉠

로 놓으면 $f(x)=6x^2+x+k$

$f(t)=6t^2+t+k$를 ㉠의 좌변에 대입하면

$$\int_{0}^{2} f(t)dt=\int_{0}^{2} (6t^2+t+k)dt$$

$$=\left[2t^3+\frac{1}{2}t^2+kt\right]_{0}^{2}=18+2k$$

즉, $18+2k=k$이므로 $k=-18$

$\therefore \boldsymbol{f(x)=6x^2+x-18}$

(3) $\int_{0}^{1} tf'(t)dt=k$ (k는 상수) ……㉠

로 놓으면 $f(x)=-3x^2-2x+k$이므로 $f'(x)=-6x-2$

$f'(t)=-6t-2$를 ㉠의 좌변에 대입하면

$$\int_{0}^{1} tf'(t)dt=\int_{0}^{1} t(-6t-2)dt=\int_{0}^{1} (-6t^2-2t)dt$$

$$=\left[-2t^3-t^2\right]_{0}^{1}=-3$$

즉, $k=-3$

$\therefore \boldsymbol{f(x)=-3x^2-2x-3}$

4-1

(1) $\int_{0}^{1} f(t)dt=k$ (k는 상수) ……㉠

로 놓으면 $f(x)=x^2+4kx$

$f(t)=t^2+4kt$를 ㉠의 좌변에 대입하면

$$\int_{0}^{1} f(t)dt=\int_{0}^{1} (t^2+4kt)dt=\left[\frac{1}{3}t^3+2kt^2\right]_{0}^{1}=\frac{1}{3}+2k$$

즉, $\frac{1}{3}+2k=k$이므로 $k=-\frac{1}{3}$

$\therefore \boldsymbol{f(x)=x^2-\frac{4}{3}x}$

(2) $f(x)=3x^2+\int_{0}^{2} xf(t)dt=3x^2+x\int_{0}^{2} f(t)dt$

$\int_{0}^{2} f(t)dt=k$ (k는 상수) ……㉠

로 놓으면 $f(x)=3x^2+kx$

$f(t)=3t^2+kt$를 ㉠의 좌변에 대입하면

$$\int_{0}^{2} f(t)dt=\int_{0}^{2} (3t^2+kt)dt=\left[t^3+\frac{k}{2}t^2\right]_{0}^{2}=8+2k$$

즉, $8+2k=k$이므로 $k=-8$

$\therefore \boldsymbol{f(x)=3x^2-8x}$

(3) $f(x)=6x^2-\int_{-1}^{1} (2x-3)f(t)dt$

$$=6x^2-2x\int_{-1}^{1} f(t)dt+3\int_{-1}^{1} f(t)dt$$

$\int_{-1}^{1} f(t)dt=k$ (k는 상수) ……㉠

로 놓으면 $f(x)=6x^2-2kx+3k$

$f(t)=6t^2-2kt+3k$를 ㉠의 좌변에 대입하면

$$\int_{-1}^{1} f(t)dt=\int_{-1}^{1} (6t^2-2kt+3k)dt=2\int_{0}^{1} (6t^2+3k)dt$$

$$=2\left[2t^3+3kt\right]_{0}^{1}=4+6k$$

즉, $4+6k=k$이므로 $k=-\frac{4}{5}$

$\therefore \boldsymbol{f(x)=6x^2+\frac{8}{5}x-\frac{12}{5}}$

4-2

(1) $\int_{1}^{2} f(t)dt=k$ (k는 상수) ……㉠

로 놓으면 $f(x)=x^3-2kx$

$f(t)=t^3-2kt$를 ㉠의 좌변에 대입하면

$$\int_{1}^{2} f(t)dt=\int_{1}^{2} (t^3-2kt)dt=\left[\frac{1}{4}t^4-kt^2\right]_{1}^{2}$$

$$=(4-4k)-\left(\frac{1}{4}-k\right)=\frac{15}{4}-3k$$

즉, $\frac{15}{4}-3k=k$이므로 $k=\frac{15}{16}$

$\therefore \boldsymbol{f(x)=x^3-\frac{15}{8}x}$

(2) $f(x)=-2x^2+\int_{0}^{1} xf(t)dt=-2x^2+x\int_{0}^{1} f(t)dt$

$\int_{0}^{1} f(t)dt=k$ (k는 상수) ……㉠

로 놓으면 $f(x)=-2x^2+kx$

$f(t)=-2t^2+kt$를 ㉠의 좌변에 대입하면

$$\int_{0}^{1} f(t)dt=\int_{0}^{1} (-2t^2+kt)dt$$

$$=\left[-\frac{2}{3}t^3+\frac{k}{2}t^2\right]_{0}^{1}=-\frac{2}{3}+\frac{k}{2}$$

즉, $-\frac{2}{3}+\frac{k}{2}=k$이므로 $k=-\frac{4}{3}$

$\therefore \boldsymbol{f(x)=-2x^2-\frac{4}{3}x}$

(3) $f(x)=9x^2+\int_{-1}^{0}(x+1)f(t)dt$

$=9x^2+x\int_{-1}^{0}f(t)dt+\int_{-1}^{0}f(t)dt$

$\int_{-1}^{0}f(t)dt=k$ (k는 상수) ······㉠

로 놓으면 $f(x)=9x^2+kx+k$

$f(t)=9t^2+kt+k$를 ㉠의 좌변에 대입하면

$\int_{-1}^{0}f(t)dt=\int_{-1}^{0}(9t^2+kt+k)dt$

$=\left[3t^3+\frac{k}{2}t^2+kt\right]_{-1}^{0}=3+\frac{k}{2}$

즉, $3+\frac{k}{2}=k$이므로 $k=6$

$\therefore \boldsymbol{f(x)=9x^2+6x+6}$

기초 유형

| 본문 146, 147쪽 |

1-1 **3, $3x$, 10**

1-2

$\int_{1}^{3}(x^2+|2x-4|)dx$

$=\int_{1}^{2}(x^2-2x+4)dx+\int_{2}^{3}(x^2+2x-4)dx$

$=\left[\frac{1}{3}x^3-x^2+4x\right]_{1}^{2}+\left[\frac{1}{3}x^3+x^2-4x\right]_{2}^{3}$

$=\left\{\left(\frac{8}{3}-4+8\right)-\left(\frac{1}{3}-1+4\right)\right\}+\left\{(9+9-12)-\left(\frac{8}{3}+4-8\right)\right\}$

$=\frac{10}{3}+\frac{22}{3}=\boldsymbol{\frac{32}{3}}$

1-3

$\int_{-1}^{1}|x|(x-1)dx$

$=\int_{-1}^{0}\{-x(x-1)\}dx+\int_{0}^{1}x(x-1)dx$

$=\int_{-1}^{0}(-x^2+x)dx+\int_{0}^{1}(x^2-x)dx$

$=\left[-\frac{1}{3}x^3+\frac{1}{2}x^2\right]_{-1}^{0}+\left[\frac{1}{3}x^3-\frac{1}{2}x^2\right]_{0}^{1}$

$=-\left(\frac{1}{3}+\frac{1}{2}\right)+\left(\frac{1}{3}-\frac{1}{2}\right)$

$=-\frac{5}{6}-\frac{1}{6}=\boldsymbol{-1}$

2-1 **2, $2a$, 2**

2-2

$\int_{-a}^{a}(6x^2-2x)dx=\int_{-a}^{a}6x^2dx=2\int_{0}^{a}6x^2dx$

$=2\left[2x^3\right]_{0}^{a}=4a^3$

즉, $4a^3=32$이므로 $a^3=8$

이때 a는 실수이므로 $a=\boldsymbol{2}$

3-1 **−10, 10, 10**

3-2

$\int_{0}^{2}f(t)dt=k$ (k는 상수) ······㉠

로 놓으면 $f(x)=x^2+k$

$f(t)=t^2+k$를 ㉠의 좌변에 대입하면

$\int_{0}^{2}f(t)dt=\int_{0}^{2}(t^2+k)dt=\left[\frac{1}{3}t^3+kt\right]_{0}^{2}=\frac{8}{3}+2k$

즉, $\frac{8}{3}+2k=k$이므로 $k=-\frac{8}{3}$

따라서 $f(x)=x^2-\frac{8}{3}$이므로

$f(2)=4-\frac{8}{3}=\boldsymbol{\frac{4}{3}}$

3-3

$\int_{0}^{1}f(t)dt=k$ (k는 상수) ······㉠

로 놓으면 $f(x)=3x^2+2k$

$f(t)=3t^2+2k$를 ㉠의 좌변에 대입하면

$\int_{0}^{1}f(t)dt=\int_{0}^{1}(3t^2+2k)dt=\left[t^3+2kt\right]_{0}^{1}=1+2k$

즉, $1+2k=k$이므로 $k=-1$

따라서 $f(x)=3x^2-2$이므로

$f(3)=27-2=\boldsymbol{25}$

4-1 **2, 2, 6**

4-2

$\int_{0}^{1}f(t)dt=k$ (k는 상수) ······㉠

로 놓으면 $f(x)=x^2+kx+2$

$f(t)=t^2+kt+2$를 ㉠의 좌변에 대입하면

$\int_{0}^{1}f(t)dt=\int_{0}^{1}(t^2+kt+2)dt=\left[\frac{1}{3}t^3+\frac{k}{2}t^2+2t\right]_{0}^{1}=\frac{7}{3}+\frac{k}{2}$

즉, $\frac{7}{3}+\frac{k}{2}=k$이므로 $k=\frac{14}{3}$

따라서 $f(x)=x^2+\frac{14}{3}x+2$이므로

$f(3)=9+14+2=\boldsymbol{25}$

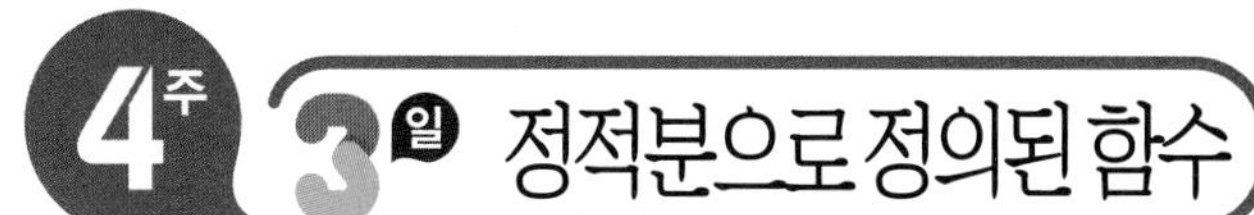

개념 확인

| 본문 149, 151쪽 |

1-1

(1) 주어진 등식의 양변을 x에 대하여 미분하면

$f(x)=2x+2$

또 주어진 등식의 양변에 $x=a$를 대입하면 $\int_a^a f(t)dt=0$이므로

$0=a^2+2a+1$, $0=(a+1)^2$ $\quad\therefore$ **$a=-1$**

(2) 주어진 등식의 양변을 x에 대하여 미분하면

$f(x)=6x+5$

또 주어진 등식의 양변에 $x=-2$를 대입하면 $\int_{-2}^{-2} f(t)dt=0$이므로

$0=12-10+a$ $\quad\therefore$ **$a=-2$**

1-2

(1) 주어진 등식의 양변을 x에 대하여 미분하면

$f(x)=3x^2$

또 주어진 등식의 양변에 $x=a$를 대입하면 $\int_a^a f(t)dt=0$이므로

$0=a^3-1$ $\quad\therefore$ **$a=1$**

(2) 주어진 등식의 양변에 $x=1$을 대입하면 $\int_1^1 f(t)dt=0$이므로

$0=1+a+2$ $\quad\therefore$ **$a=-3$**

따라서 $\int_1^x f(t)dt=x^2-3x+2$이므로 양변을 x에 대하여 미분하면

$f(x)=2x-3$

2-1

주어진 등식의 양변을 x에 대하여 미분하면

$f(x)+xf'(x)=3x^2+4x+f(x)$

$\therefore f'(x)=3x+4$

$\therefore f(x)=\int f'(x)dx=\int(3x+4)dx$

$=\frac{3}{2}x^2+4x+C$

주어진 등식의 양변에 $x=1$을 대입하면

$\int_1^1 f(t)dt=0$이므로 $f(1)=1+2=3$

$f(x)=\frac{3}{2}x^2+4x+C$에서 $f(1)=\frac{3}{2}+4+C$이므로

$\frac{11}{2}+C=3$ $\quad\therefore C=-\frac{5}{2}$

$\therefore$ **$f(x)=\frac{3}{2}x^2+4x-\frac{5}{2}$**

2-2

주어진 등식의 양변을 x에 대하여 미분하면

$2xf(x)+x^2f'(x)=12x^5-3x^2+2xf(x)$

$\therefore f'(x)=12x^3-3$

$\therefore f(x)=\int f'(x)dx=\int(12x^3-3)dx=3x^4-3x+C$

주어진 등식의 양변에 $x=1$을 대입하면

$\int_1^1 tf(t)dt=0$이므로 $f(1)=2-1=1$

$f(x)=3x^4-3x+C$에서 $f(1)=3-3+C$이므로

$C=1$

$\therefore$ **$f(x)=3x^4-3x+1$**

3-1

$\int_1^x (x-t)f(t)dt=x\int_1^x f(t)dt-\int_1^x tf(t)dt$이므로

주어진 등식은

$x\int_1^x f(t)dt-\int_1^x tf(t)dt=2x^3-3x^2+1$

양변을 x에 대하여 미분하면

$\int_1^x f(t)dt+xf(x)-xf(x)=6x^2-6x$

$\therefore \int_1^x f(t)dt=6x^2-6x$

양변을 x에 대하여 미분하면

$f(x)=12x-6$

3-2

$\int_1^x (x-t)f(t)dt=x\int_1^x f(t)dt-\int_1^x tf(t)dt$이므로

주어진 등식은

$x\int_1^x f(t)dt-\int_1^x tf(t)dt=2x^4-3x^2-2x+3$

양변을 x에 대하여 미분하면

$\int_1^x f(t)dt+xf(x)-xf(x)=8x^3-6x-2$

$\therefore \int_1^x f(t)dt=8x^3-6x-2$

양변을 x에 대하여 미분하면

$f(x)=24x^2-6$

4-1

(1) $f(t)=2t+6$으로 놓고 $f(t)$의 한 부정적분을 $F(t)$라 하면

$$\lim_{x\to1}\frac{1}{x-1}\int_1^x(2t+6)dt=\lim_{x\to1}\frac{1}{x-1}\int_1^x f(t)dt$$

$$=\lim_{x\to1}\frac{\Big[F(t)\Big]_1^x}{x-1}$$

$$=\lim_{x\to1}\frac{F(x)-F(1)}{x-1}$$

$$=F'(1)=f(1)=2+6=8$$

(2) $f(t)=3t^2-t+1$로 놓고 $f(t)$의 한 부정적분을 $F(t)$라 하면

$$\lim_{x\to2}\frac{1}{x-2}\int_2^x(3t^2-t+1)dt=\lim_{x\to2}\frac{1}{x-2}\int_2^x f(t)dt$$
$$=\lim_{x\to2}\frac{\Big[F(t)\Big]_2^x}{x-2}$$
$$=\lim_{x\to2}\frac{F(x)-F(2)}{x-2}$$
$$=F'(2)=f(2)$$
$$=12-2+1=\mathbf{11}$$

4-2

(1) $f(t)=t^2+3t$로 놓고 $f(t)$의 한 부정적분을 $F(t)$라 하면

$$\lim_{x\to3}\frac{1}{x-3}\int_3^x(t^2+3t)dt=\lim_{x\to3}\frac{1}{x-3}\int_3^x f(t)dt$$
$$=\lim_{x\to3}\frac{\Big[F(t)\Big]_3^x}{x-3}$$
$$=\lim_{x\to3}\frac{F(x)-F(3)}{x-3}$$
$$=F'(3)=f(3)$$
$$=9+9=\mathbf{18}$$

(2) $f(t)=(5t^2-2t+3)^2$으로 놓고 $f(t)$의 한 부정적분을 $F(t)$라 하면

$$\lim_{x\to1}\frac{1}{x-1}\int_1^x(5t^2-2t+3)^2dt=\lim_{x\to1}\frac{1}{x-1}\int_1^x f(t)dt$$
$$=\lim_{x\to1}\frac{\Big[F(t)\Big]_1^x}{x-1}$$
$$=\lim_{x\to1}\frac{F(x)-F(1)}{x-1}$$
$$=F'(1)=f(1)$$
$$=(5-2+3)^2=\mathbf{36}$$

5-1

(1) $f(t)=3t-1$로 놓고 $f(t)$의 한 부정적분을 $F(t)$라 하면

$$\lim_{x\to0}\frac{1}{x}\int_0^x(3t-1)dt=\lim_{x\to0}\frac{1}{x}\int_0^x f(t)dt$$
$$=\lim_{x\to0}\frac{\Big[F(t)\Big]_0^x}{x}$$
$$=\lim_{x\to0}\frac{F(x)-F(0)}{x}$$
$$=F'(0)=f(0)$$
$$=\mathbf{-1}$$

(2) $f(x)=3x^2-4x+2$로 놓고 $f(x)$의 한 부정적분을 $F(x)$라 하면

$$\lim_{h\to0}\frac{1}{h}\int_3^{3+h}(3x^2-4x+2)dx=\lim_{h\to0}\frac{1}{h}\int_3^{3+h}f(x)dx$$
$$=\lim_{h\to0}\frac{\Big[F(x)\Big]_3^{3+h}}{h}$$
$$=\lim_{h\to0}\frac{F(3+h)-F(3)}{h}$$
$$=F'(3)=f(3)$$
$$=27-12+2=\mathbf{17}$$

5-2

(1) $f(t)=t^2-2t$로 놓고 $f(t)$의 한 부정적분을 $F(t)$라 하면

$$\lim_{x\to0}\frac{1}{x}\int_2^{2+x}(t^2-2t)dt=\lim_{x\to0}\frac{1}{x}\int_2^{2+x}f(t)dt$$
$$=\lim_{x\to0}\frac{\Big[F(t)\Big]_2^{2+x}}{x}$$
$$=\lim_{x\to0}\frac{F(2+x)-F(2)}{x}$$
$$=F'(2)=f(2)$$
$$=4-4=\mathbf{0}$$

(2) $f(x)=2x^3+5x-3$으로 놓고 $f(x)$의 한 부정적분을 $F(x)$라 하면

$$\lim_{h\to0}\frac{1}{h}\int_1^{1+h}(2x^3+5x-3)dx=\lim_{h\to0}\frac{1}{h}\int_1^{1+h}f(x)dx$$
$$=\lim_{h\to0}\frac{\Big[F(x)\Big]_1^{1+h}}{h}$$
$$=\lim_{h\to0}\frac{F(1+h)-F(1)}{h}$$
$$=F'(1)=f(1)$$
$$=2+5-3=\mathbf{4}$$

6-1

$f(t)=6t^2-4$로 놓고 $f(t)$의 한 부정적분을 $F(t)$라 하면

$$\lim_{x\to1}\frac{1}{x^2-1}\int_1^x f(t)dt=\lim_{x\to1}\frac{\Big[F(t)\Big]_1^x}{x^2-1}$$
$$=\lim_{x\to1}\frac{F(x)-F(1)}{x^2-1}$$
$$=\lim_{x\to1}\left\{\frac{F(x)-F(1)}{x-1}\times\frac{1}{x+1}\right\}$$
$$=\frac{1}{2}F'(1)=\frac{1}{2}f(1)$$
$$=\frac{1}{2}(6-4)=\mathbf{1}$$

6-2

$f(t)=4t^2-2t$로 놓고 $f(t)$의 한 부정적분을 $F(t)$라 하면

$$\lim_{x\to2}\frac{1}{x^3-8}\int_2^x f(t)dt=\lim_{x\to2}\frac{\Big[F(t)\Big]_2^x}{x^3-8}$$
$$=\lim_{x\to2}\frac{F(x)-F(2)}{x^3-8}$$
$$=\lim_{x\to2}\left\{\frac{F(x)-F(2)}{x-2}\times\frac{1}{x^2+2x+4}\right\}$$
$$=\frac{1}{12}F'(2)=\frac{1}{12}f(2)$$
$$=\frac{1}{12}(16-4)=\mathbf{1}$$

기초 유형

| 본문 152, 153쪽 |

1-1 **1, 2, 2**

1-2

주어진 등식의 양변에 $x=1$을 대입하면

$0=1-2a+a \qquad \therefore a=1$

따라서 $\int_1^x f(t)dt=x^3-2x^2+1$이므로 양변을 x에 대하여 미분하면 $f(x)=3x^2-4x$

$\therefore f(2)=12-8=\mathbf{4}$

2-1 **2, 2, 2**

2-2

주어진 등식의 양변을 x에 대하여 미분하면

$f(x)=f(x)+xf'(x)-12x^3+2x$

$\therefore f'(x)=12x^2-2$

$\therefore f(x)=\int f'(x)dx=\int(12x^2-2)dx=4x^3-2x+C$

주어진 등식의 양변에 $x=1$을 대입하면

$0=f(1)-3+1+1 \qquad \therefore f(1)=1$

$f(x)=4x^3-2x+C$에서 $f(1)=4-2+C$이므로

$2+C=1 \qquad \therefore C=-1$

$\therefore \boldsymbol{f(x)=4x^3-2x-1}$

2-3

$\int_1^x (x-t)f(t)dt=x\int_1^x f(t)dt-\int_1^x tf(t)dt$이므로

주어진 등식은

$x\int_1^x f(t)dt-\int_1^x tf(t)dt=x^3+x^2-5x+3$

양변을 x에 대하여 미분하면

$\int_1^x f(t)dt+xf(x)-xf(x)=3x^2+2x-5$

$\therefore \int_1^x f(t)dt=3x^2+2x-5$

양변을 x에 대하여 미분하면

$f(x)=6x+2$

$\therefore f(2)=12+2=\mathbf{14}$

3-1 **5, 2, 5**

3-2

$f(x)=\int_0^x(2t^3-3t^2+4)dt$의 양변을 x에 대하여 미분하면

$f'(x)=2x^3-3x^2+4$이므로

$$\lim_{x\to1}\frac{f(x^2)-f(1)}{x-1}=\lim_{x\to1}\left\{\frac{f(x^2)-f(1)}{x^2-1}\times(x+1)\right\}$$
$$=2f'(1)$$
$$=2(2-3+4)=\mathbf{6}$$

4-1 $\boldsymbol{x+2}$**, 4, 2**

4-2

$f(t)$의 한 부정적분을 $F(t)$라 하면

$$\lim_{x\to2}\frac{1}{x-2}\int_2^x f(t)dt=\lim_{x\to2}\frac{\Big[F(t)\Big]_2^x}{x-2}$$
$$=\lim_{x\to2}\frac{F(x)-F(2)}{x-2}$$
$$=F'(2)=f(2)$$
$$=8+4-4=\mathbf{8}$$

4-3

$f(t)=t^3+2t^2+3t$로 놓고 $f(t)$의 한 부정적분을 $F(t)$라 하면

$$\lim_{x\to1}\frac{1}{x^3-1}\int_1^x(t^3+2t^2+3t)dt$$
$$=\lim_{x\to1}\frac{1}{x^3-1}\int_1^x f(t)dt$$
$$=\lim_{x\to1}\frac{\Big[F(t)\Big]_1^x}{x^3-1}$$
$$=\lim_{x\to1}\frac{F(x)-F(1)}{x^3-1}$$
$$=\lim_{x\to1}\left\{\frac{F(x)-F(1)}{x-1}\times\frac{1}{x^2+x+1}\right\}$$
$$=\frac{1}{3}F'(1)=\frac{1}{3}f(1)$$
$$=\frac{1}{3}(1+2+3)=\mathbf{2}$$

4주 4일 정적분과 넓이

개념 확인

| 본문 155, 157쪽 |

1-1

(1) 곡선 $y=x^2-3x$와 x축의 교점의 x좌표는 $x^2-3x=0$에서 $x(x-3)=0$

$\therefore x=0$ 또는 $x=3$

닫힌구간 $[0, 3]$에서 $x^2-3x\le0$

따라서 구하는 넓이는

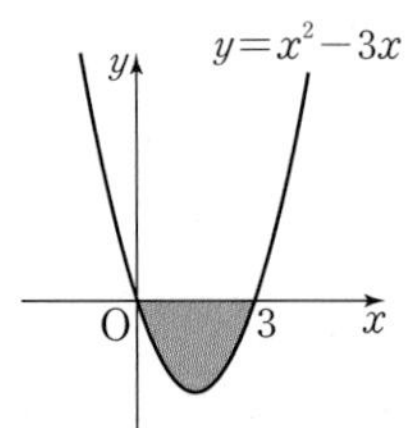

$$\int_0^3 |x^2-3x|dx=\int_0^3 (-x^2+3x)dx$$

$$=\left[-\frac{1}{3}x^3+\frac{3}{2}x^2\right]_0^3=-9+\frac{27}{2}=\mathbf{\frac{9}{2}}$$

(2) 곡선 $y=x^2-x-2$와 x축의 교점의 x좌표는 $x^2-x-2=0$에서

$(x+1)(x-2)=0$

$\therefore x=-1$ 또는 $x=2$

닫힌구간 $[-1, 2]$에서

$x^2-x-2\le0$

따라서 구하는 넓이는

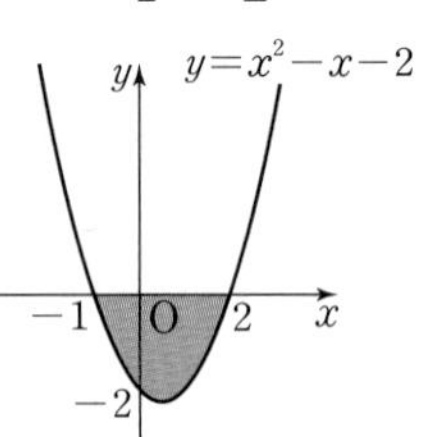

$$\int_{-1}^2 |x^2-x-2|dx=\int_{-1}^2 (-x^2+x+2)dx$$

$$=\left[-\frac{1}{3}x^3+\frac{1}{2}x^2+2x\right]_{-1}^2$$

$$=\left(-\frac{8}{3}+2+4\right)-\left(\frac{1}{3}+\frac{1}{2}-2\right)$$

$$=\frac{10}{3}-\left(-\frac{7}{6}\right)=\mathbf{\frac{9}{2}}$$

(3) 곡선 $y=3x^2(1-x)$와 x축의 교점의 x좌표는 $3x^2(1-x)=0$에서

$x=0$ 또는 $x=1$

닫힌구간 $[0, 1]$에서 $3x^2(1-x)\ge0$

따라서 구하는 넓이는

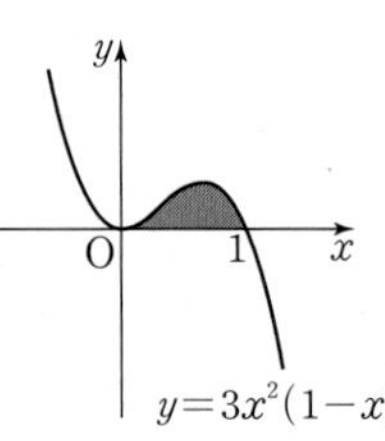

$$\int_0^1 |3x^2(1-x)|dx=\int_0^1 (3x^2-3x^3)dx$$

$$=\left[x^3-\frac{3}{4}x^4\right]_0^1=1-\frac{3}{4}=\mathbf{\frac{1}{4}}$$

1-2

(1) 곡선 $y=4x-x^2$과 x축의 교점의 x좌표는 $4x-x^2=0$에서 $x(4-x)=0$

$\therefore x=0$ 또는 $x=4$

닫힌구간 $[0, 4]$에서 $4x-x^2\ge0$

따라서 구하는 넓이는

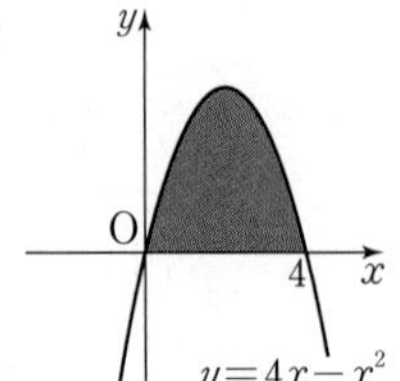

$$\int_0^4 |4x-x^2|dx=\int_0^4 (4x-x^2)dx$$

$$=\left[2x^2-\frac{1}{3}x^3\right]_0^4=32-\frac{64}{3}=\mathbf{\frac{32}{3}}$$

(2) 곡선 $y=x^2-6x+5$와 x축의 교점의 x좌표는 $x^2-6x+5=0$에서

$(x-1)(x-5)=0$

$\therefore x=1$ 또는 $x=5$

닫힌구간 $[1, 5]$에서 $x^2-6x+5\le0$

따라서 구하는 넓이는

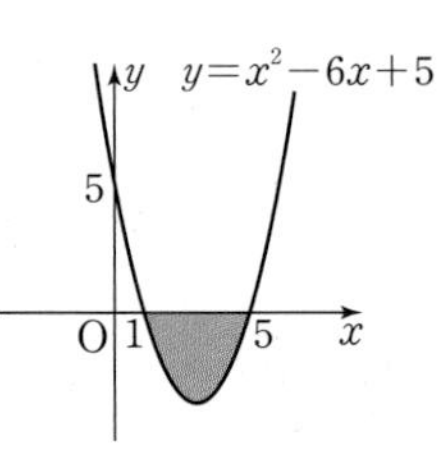

$$\int_1^5 |x^2-6x+5|dx=\int_1^5 (-x^2+6x-5)dx$$

$$=\left[-\frac{1}{3}x^3+3x^2-5x\right]_1^5$$

$$=\left(-\frac{125}{3}+75-25\right)-\left(-\frac{1}{3}+3-5\right)$$

$$=\frac{25}{3}-\left(-\frac{7}{3}\right)=\mathbf{\frac{32}{3}}$$

(3) 곡선 $y=x^3-x$와 x축의 교점의 x좌표는 $x^3-x=0$에서

$x(x+1)(x-1)=0$

$\therefore x=-1$ 또는 $x=0$ 또는 $x=1$

닫힌구간 $[-1, 0]$에서 $x^3-x\ge0$,

닫힌구간 $[0, 1]$에서 $x^3-x\le0$

따라서 구하는 넓이는

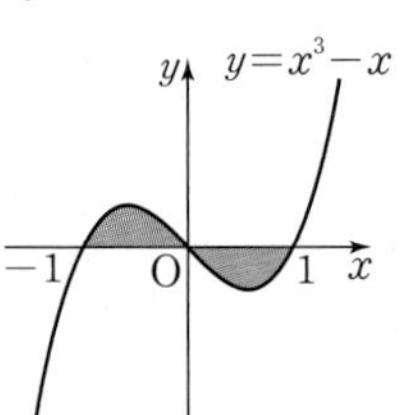

$$\int_{-1}^1 |x^3-x|dx$$

$$=\int_{-1}^0 (x^3-x)dx+\int_0^1 (-x^3+x)dx$$

$$=\left[\frac{1}{4}x^4-\frac{1}{2}x^2\right]_{-1}^0+\left[-\frac{1}{4}x^4+\frac{1}{2}x^2\right]_0^1$$

$$=-\left(\frac{1}{4}-\frac{1}{2}\right)+\left(-\frac{1}{4}+\frac{1}{2}\right)$$

$$=\frac{1}{4}+\frac{1}{4}=\mathbf{\frac{1}{2}}$$

2-1

(1) 곡선 $y=x^2$이 오른쪽 그림과 같으므로 닫힌구간 $[1, 2]$에서 $x^2\ge0$

따라서 구하는 넓이는

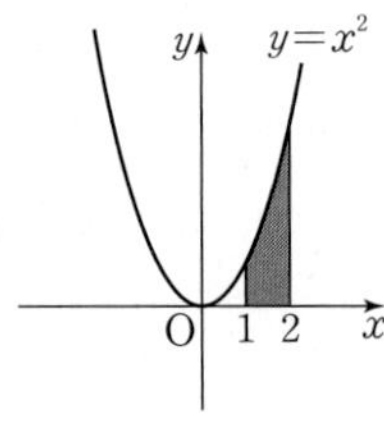

$$\int_1^2 |x^2|dx=\int_1^2 x^2dx=\left[\frac{1}{3}x^3\right]_1^2$$

$$=\frac{8}{3}-\frac{1}{3}=\mathbf{\frac{7}{3}}$$

(2) 곡선 $y=x^2+x-6$과 x축의 교점의 x좌표는 $x^2+x-6=0$에서

$(x+3)(x-2)=0$

$\therefore x=-3$ 또는 $x=2$

닫힌구간 $[0, 1]$에서 $x^2+x-6\le0$

따라서 구하는 넓이는

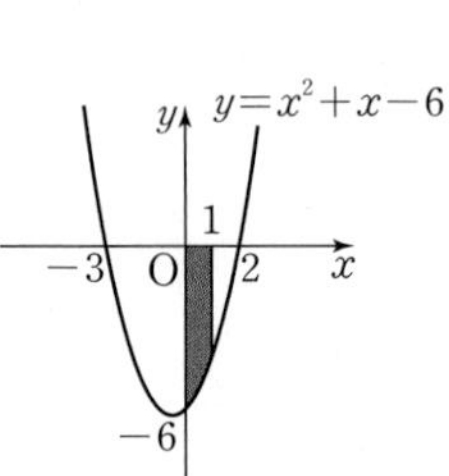

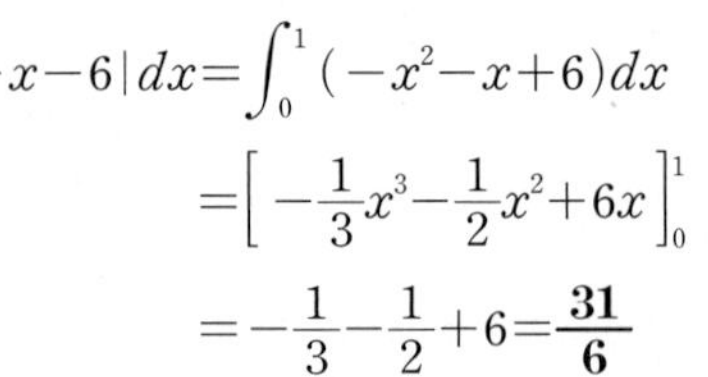

$$\int_0^1 |x^2+x-6|dx=\int_0^1 (-x^2-x+6)dx$$

$$=\left[-\frac{1}{3}x^3-\frac{1}{2}x^2+6x\right]_0^1$$

$$=-\frac{1}{3}-\frac{1}{2}+6=\mathbf{\frac{31}{6}}$$

(3) 곡선 $y=x^2+2x$와 x축의 교점의 x좌표는 $x^2+2x=0$에서 $x(x+2)=0$

$\therefore x=-2$ 또는 $x=0$

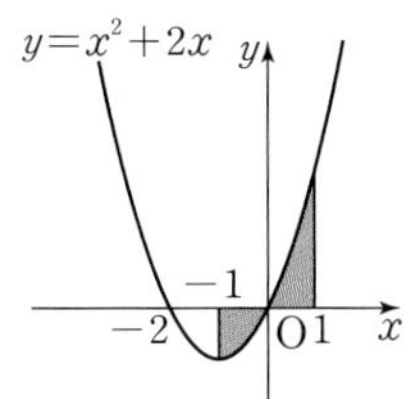

닫힌구간 $[-1, 0]$에서 $x^2+2x\le 0$,

닫힌구간 $[0, 1]$에서 $x^2+2x\ge 0$

따라서 구하는 넓이는

$$\int_{-1}^{1}|x^2+2x|dx$$

$$=\int_{-1}^{0}(-x^2-2x)dx+\int_{0}^{1}(x^2+2x)dx$$

$$=\left[-\frac{1}{3}x^3-x^2\right]_{-1}^{0}+\left[\frac{1}{3}x^3+x^2\right]_{0}^{1}$$

$$=-\left(\frac{1}{3}-1\right)+\left(\frac{1}{3}+1\right)$$

$$=\frac{2}{3}+\frac{4}{3}=\mathbf{2}$$

2-2

(1) 곡선 $y=x^2-2x+1=(x-1)^2$이 오른쪽 그림과 같으므로 닫힌구간 $[2, 3]$에서 $x^2-2x+1\ge 0$

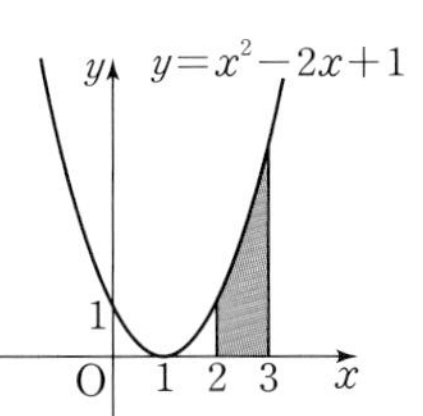

따라서 구하는 넓이는

$$\int_{2}^{3}|x^2-2x+1|dx$$

$$=\int_{2}^{3}(x^2-2x+1)dx=\left[\frac{1}{3}x^3-x^2+x\right]_{2}^{3}$$

$$=(9-9+3)-\left(\frac{8}{3}-4+2\right)$$

$$=3-\frac{2}{3}=\mathbf{\frac{7}{3}}$$

(2) 곡선 $y=x^2-1$과 x축의 교점의 x좌표는 $x^2-1=0$에서

$(x+1)(x-1)=0$

$\therefore x=-1$ 또는 $x=1$

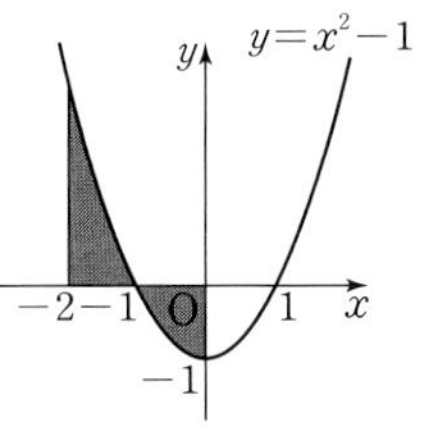

닫힌구간 $[-2, -1]$에서 $x^2-1\ge 0$,

닫힌구간 $[-1, 0]$에서 $x^2-1\le 0$

따라서 구하는 넓이는

$$\int_{-2}^{0}|x^2-1|dx$$

$$=\int_{-2}^{-1}(x^2-1)dx+\int_{-1}^{0}(-x^2+1)dx$$

$$=\left[\frac{1}{3}x^3-x\right]_{-2}^{-1}+\left[-\frac{1}{3}x^3+x\right]_{-1}^{0}$$

$$=\left\{\left(-\frac{1}{3}+1\right)-\left(-\frac{8}{3}+2\right)\right\}+\left\{-\left(\frac{1}{3}-1\right)\right\}$$

$$=\frac{4}{3}+\frac{2}{3}=\mathbf{2}$$

(3) 곡선 $y=-x^2+4x-3$과 x축의 교점의 x좌표는 $-x^2+4x-3=0$에서

$(x-1)(x-3)=0$

$\therefore x=1$ 또는 $x=3$

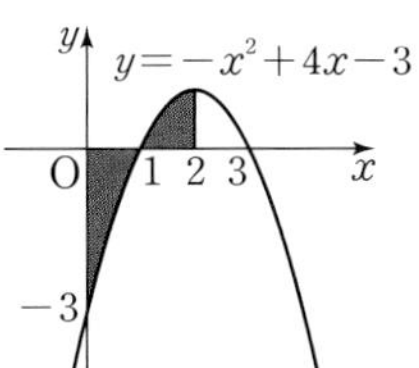

닫힌구간 $[0, 1]$에서 $-x^2+4x-3\le 0$,

닫힌구간 $[1, 2]$에서 $-x^2+4x-3\ge 0$

따라서 구하는 넓이는

$$\int_{0}^{2}|-x^2+4x-3|dx$$

$$=\int_{0}^{1}(x^2-4x+3)dx+\int_{1}^{2}(-x^2+4x-3)dx$$

$$=\left[\frac{1}{3}x^3-2x^2+3x\right]_{0}^{1}+\left[-\frac{1}{3}x^3+2x^2-3x\right]_{1}^{2}$$

$$=\left(\frac{1}{3}-2+3\right)+\left\{\left(-\frac{8}{3}+8-6\right)-\left(-\frac{1}{3}+2-3\right)\right\}$$

$$=\frac{4}{3}+\frac{2}{3}=\mathbf{2}$$

3-1

(1) 주어진 곡선과 직선의 교점의 x좌표는 $x^2+1=-2x+4$에서

$x^2+2x-3=0$, $(x+3)(x-1)=0$

$\therefore x=-3$ 또는 $x=1$

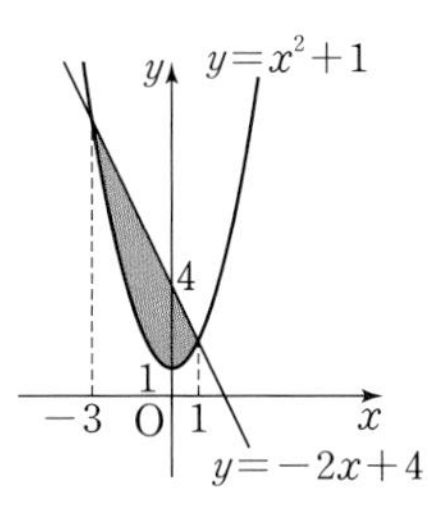

닫힌구간 $[-3, 1]$에서

$-2x+4\ge x^2+1$

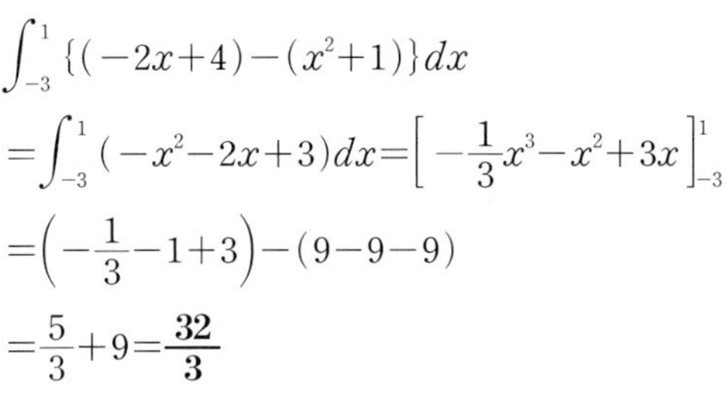

따라서 구하는 넓이는

$$\int_{-3}^{1}\{(-2x+4)-(x^2+1)\}dx$$

$$=\int_{-3}^{1}(-x^2-2x+3)dx=\left[-\frac{1}{3}x^3-x^2+3x\right]_{-3}^{1}$$

$$=\left(-\frac{1}{3}-1+3\right)-(9-9-9)$$

$$=\frac{5}{3}+9=\mathbf{\frac{32}{3}}$$

(2) 주어진 곡선과 직선의 교점의 x좌표는 $-x^2-x+3=x+3$에서

$x^2+2x=0$, $x(x+2)=0$

$\therefore x=-2$ 또는 $x=0$

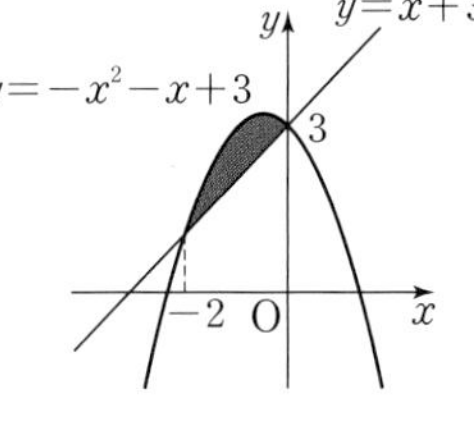

닫힌구간 $[-2, 0]$에서

$-x^2-x+3\ge x+3$

따라서 구하는 넓이는

$$\int_{-2}^{0}\{(-x^2-x+3)-(x+3)\}dx$$

$$=\int_{-2}^{0}(-x^2-2x)dx=\left[-\frac{1}{3}x^3-x^2\right]_{-2}^{0}$$

$$=-\left(\frac{8}{3}-4\right)=\mathbf{\frac{4}{3}}$$

3-2

(1) 주어진 곡선과 직선의 교점의 x좌표는 $x^2+2x=x+2$에서

$x^2+x-2=0$,

$(x+2)(x-1)=0$

$\therefore x=-2$ 또는 $x=1$

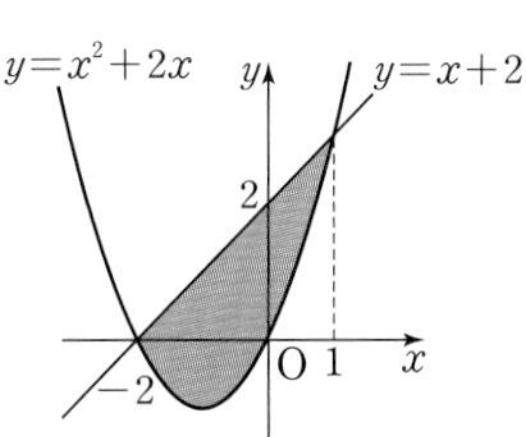

닫힌구간 $[-2, 1]$에서

$x+2\ge x^2+2x$

따라서 구하는 넓이는

$$\int_{-2}^{1}\{(x+2)-(x^2+2x)\}dx$$
$$=\int_{-2}^{1}(-x^2-x+2)dx$$
$$=\left[-\frac{1}{3}x^3-\frac{1}{2}x^2+2x\right]_{-2}^{1}$$
$$=\left(-\frac{1}{3}-\frac{1}{2}+2\right)-\left(\frac{8}{3}-2-4\right)$$
$$=\frac{7}{6}+\frac{10}{3}=\mathbf{\frac{9}{2}}$$

(2) 주어진 곡선과 직선의 교점의 x좌표는 $2x^3+4x^2-2=2x+2$에서

$2x^3+4x^2-2x-4=0$

$x^3+2x^2-x-2=0$

$(x+2)(x+1)(x-1)=0$

$\therefore x=-2$ 또는 $x=-1$ 또는 $x=1$

닫힌구간 $[-2, -1]$에서 $2x^3+4x^2-2\geq 2x+2$,

닫힌구간 $[-1, 1]$에서 $2x^3+4x^2-2\leq 2x+2$

따라서 구하는 넓이는

$$\int_{-2}^{-1}\{(2x^3+4x^2-2)-(2x+2)\}dx+\int_{-1}^{1}\{(2x+2)-(2x^3+4x^2-2)\}dx$$
$$=\int_{-2}^{-1}(2x^3+4x^2-2x-4)dx+2\int_{0}^{1}(-4x^2+4)dx$$
$$=\left[\frac{1}{2}x^4+\frac{4}{3}x^3-x^2-4x\right]_{-2}^{-1}+2\left[-\frac{4}{3}x^3+4x\right]_{0}^{1}$$
$$=\left\{\left(\frac{1}{2}-\frac{4}{3}-1+4\right)-\left(8-\frac{32}{3}-4+8\right)\right\}+2\left(-\frac{4}{3}+4\right)$$
$$=\frac{5}{6}+\frac{16}{3}=\mathbf{\frac{37}{6}}$$

4-1

(1) 주어진 두 곡선의 교점의 x좌표는

$x^2+x=-x^2+3x$에서

$2x^2-2x=0$, $2x(x-1)=0$

$\therefore x=0$ 또는 $x=1$

닫힌구간 $[0, 1]$에서

$-x^2+3x\geq x^2+x$

따라서 구하는 넓이는

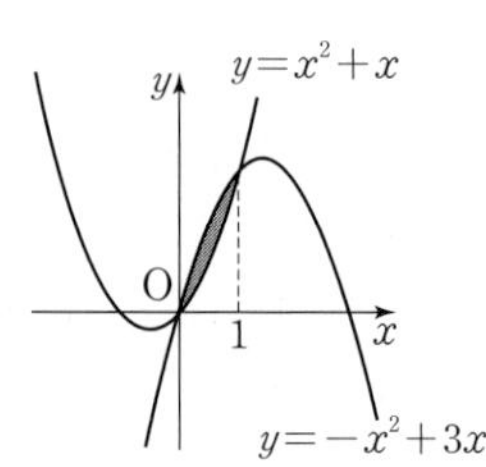

$$\int_{0}^{1}\{(-x^2+3x)-(x^2+x)\}dx$$

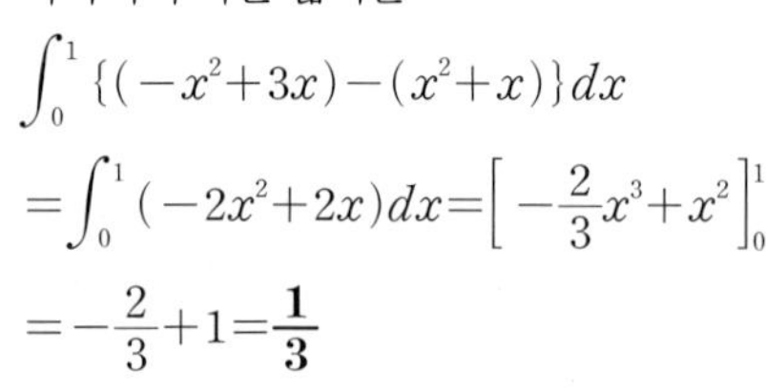

$$=\int_{0}^{1}(-2x^2+2x)dx=\left[-\frac{2}{3}x^3+x^2\right]_{0}^{1}$$
$$=-\frac{2}{3}+1=\mathbf{\frac{1}{3}}$$

(2) 주어진 두 곡선의 교점의 x좌표는

$2x^2-x=-x^2+2x+6$에서

$3x^2-3x-6=0$, $x^2-x-2=0$

$(x+1)(x-2)=0$

$\therefore x=-1$ 또는 $x=2$

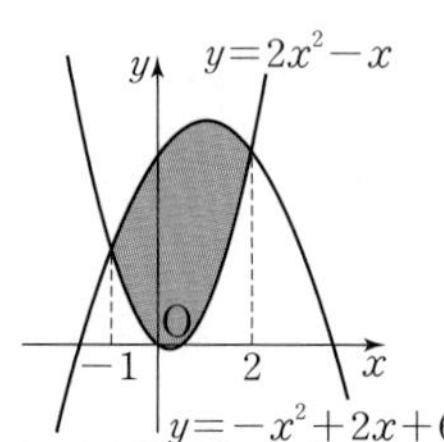

닫힌구간 $[-1, 2]$에서

$-x^2+2x+6\geq 2x^2-x$

따라서 구하는 넓이는

$$\int_{-1}^{2}\{(-x^2+2x+6)-(2x^2-x)\}dx$$
$$=\int_{-1}^{2}(-3x^2+3x+6)dx$$
$$=\left[-x^3+\frac{3}{2}x^2+6x\right]_{-1}^{2}$$
$$=(-8+6+12)-\left(1+\frac{3}{2}-6\right)$$
$$=10+\frac{7}{2}=\mathbf{\frac{27}{2}}$$

4-2

(1) 주어진 두 곡선의 교점의 x좌표는

$x^2-3=-2x^2$에서 $3x^2-3=0$

$x^2-1=0$, $(x+1)(x-1)=0$

$\therefore x=-1$ 또는 $x=1$

닫힌구간 $[-1, 1]$에서

$-2x^2\geq x^2-3$

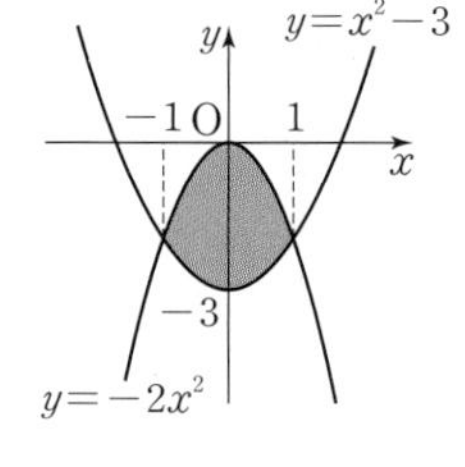

따라서 구하는 넓이는

$$\int_{-1}^{1}\{-2x^2-(x^2-3)\}dx$$
$$=2\int_{0}^{1}(-3x^2+3)dx=2\left[-x^3+3x\right]_{0}^{1}$$
$$=2(-1+3)=\mathbf{4}$$

(2) 주어진 두 곡선의 교점의 x좌표는

$x^3-2x=x^2$에서 $x^3-x^2-2x=0$

$x(x+1)(x-2)=0$

$\therefore x=-1$ 또는 $x=0$ 또는 $x=2$

닫힌구간 $[-1, 0]$에서 $x^3-2x\geq x^2$,

닫힌구간 $[0, 2]$에서 $x^3-2x\leq x^2$

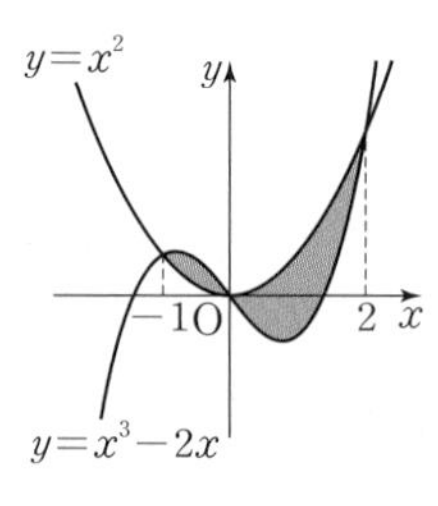

따라서 구하는 넓이는

$$\int_{-1}^{0}\{(x^3-2x)-x^2\}dx+\int_{0}^{2}\{x^2-(x^3-2x)\}dx$$
$$=\int_{-1}^{0}(x^3-x^2-2x)dx+\int_{0}^{2}(-x^3+x^2+2x)dx$$
$$=\left[\frac{1}{4}x^4-\frac{1}{3}x^3-x^2\right]_{-1}^{0}+\left[-\frac{1}{4}x^4+\frac{1}{3}x^3+x^2\right]_{0}^{2}$$
$$=-\left(\frac{1}{4}+\frac{1}{3}-1\right)+\left(-4+\frac{8}{3}+4\right)$$
$$=\frac{5}{12}+\frac{8}{3}=\mathbf{\frac{37}{12}}$$

5-1

$f(x)=x^3$이라 하면 $f'(x)=3x^2$

곡선 $y=f(x)$ 위의 점 $(1, 1)$에서의 접선의 기울기는 $f'(1)=3$이므로 접선의 방정식은

$y-1=3(x-1)$ $\qquad\therefore y=3x-2$

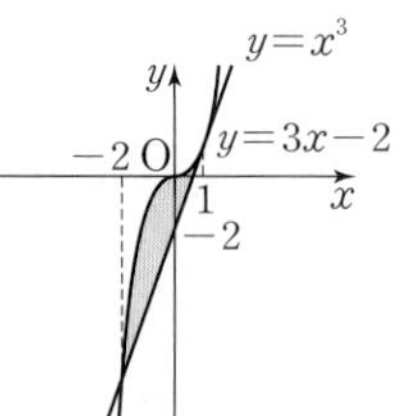

곡선 $y=x^3$과 직선 $y=3x-2$의 교점의 x좌표는

$x^3=3x-2$에서 $x^3-3x+2=0$

$(x-1)^2(x+2)=0 \qquad \therefore x=-2$ 또는 $x=1$

닫힌구간 $[-2, 1]$에서 $x^3\geq 3x-2$

따라서 구하는 넓이는

$$\int_{-2}^{1}\{x^3-(3x-2)\}dx=\int_{-2}^{1}(x^3-3x+2)dx$$
$$=\left[\frac{1}{4}x^4-\frac{3}{2}x^2+2x\right]_{-2}^{1}$$
$$=\left(\frac{1}{4}-\frac{3}{2}+2\right)-(4-6-4)$$
$$=\frac{3}{4}+6=\mathbf{\frac{27}{4}}$$

5-2

$f(x)=x^3+x^2$이라 하면

$f'(x)=3x^2+2x$

곡선 $y=f(x)$ 위의 점 $(-1, 0)$에서의 접선의 기울기는 $f'(-1)=1$이므로 접선의 방정식은

$y=x-(-1) \qquad \therefore y=x+1$

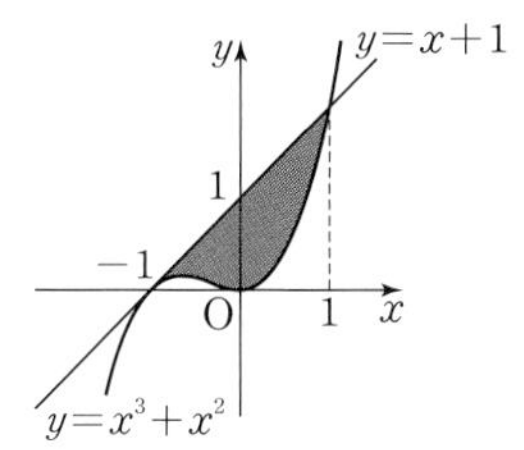

곡선 $y=x^3+x^2$과 직선 $y=x+1$의 교점의 x좌표는

$x^3+x^2=x+1$에서 $x^3+x^2-x-1=0$

$(x+1)^2(x-1)=0 \qquad \therefore x=-1$ 또는 $x=1$

닫힌구간 $[-1, 1]$에서 $x+1\geq x^3+x^2$

따라서 구하는 넓이는

$$\int_{-1}^{1}\{(x+1)-(x^3+x^2)\}dx=\int_{-1}^{1}(-x^3-x^2+x+1)dx$$
$$=2\int_{0}^{1}(-x^2+1)dx$$
$$=2\left[-\frac{1}{3}x^3+x\right]_{0}^{1}$$
$$=2\left(-\frac{1}{3}+1\right)=\mathbf{\frac{4}{3}}$$

기초 유형

| 본문 158, 159쪽 |

1-1 **0, 8**

1-2

곡선 $y=-2x^2+ax$와 x축의 교점의 x좌표는 $-2x^2+ax=0$에서

$2x^2-ax=0,\ x(2x-a)=0$

$\therefore x=0$ 또는 $x=\dfrac{a}{2}$

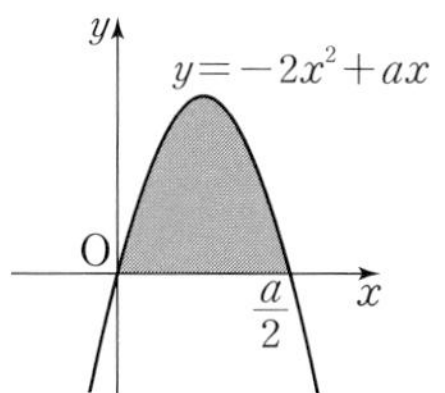

닫힌구간 $\left[0, \dfrac{a}{2}\right]$에서 $-2x^2+ax\geq 0$

따라서 도형의 넓이는

$$\int_{0}^{\frac{a}{2}}|-2x^2+ax|dx=\int_{0}^{\frac{a}{2}}(-2x^2+ax)dx$$
$$=\left[-\frac{2}{3}x^3+\frac{a}{2}x^2\right]_{0}^{\frac{a}{2}}$$
$$=-\frac{2}{3}\times\left(\frac{a}{2}\right)^3+\left(\frac{a}{2}\right)^3=\frac{a^3}{24}$$

이때 넓이가 9이므로

$\dfrac{a^3}{24}=9,\ a^3=216 \qquad \therefore a=\mathbf{6}$

1-3

곡선 $y=2x^3$이 오른쪽 그림과 같으므로

닫힌구간 $[-2, 0]$에서 $2x^3\leq 0$,

닫힌구간 $[0, a]$에서 $2x^3\geq 0$

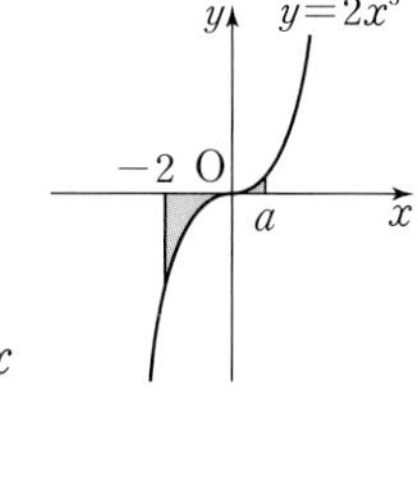

따라서 도형의 넓이는

$$\int_{-2}^{a}|2x^3|dx=\int_{-2}^{0}(-2x^3)dx+\int_{0}^{a}2x^3dx$$
$$=\left[-\frac{1}{2}x^4\right]_{-2}^{0}+\left[\frac{1}{2}x^4\right]_{0}^{a}$$
$$=8+\frac{1}{2}a^4$$

이때 넓이가 $\dfrac{17}{2}$이므로

$8+\dfrac{1}{2}a^4=\dfrac{17}{2},\ a^4=1 \qquad \therefore a=\mathbf{1}\ (\because a>0)$

2-1 **≥, 2**

2-2

주어진 곡선과 직선의 교점의 x좌표는

$x^2-4x+2=2$에서

$x^2-4x=0,\ x(x-4)=0$

$\therefore x=0$ 또는 $x=4$

닫힌구간 $[0, 4]$에서 $2\geq x^2-4x+2$

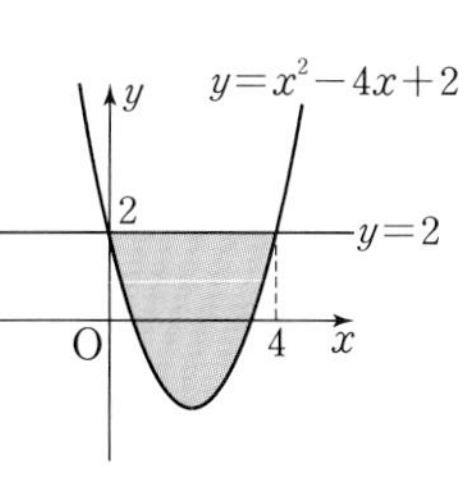

따라서 구하는 넓이는

$$\int_{0}^{4}\{2-(x^2-4x+2)\}dx=\int_{0}^{4}(-x^2+4x)dx$$
$$=\left[-\frac{1}{3}x^3+2x^2\right]_{0}^{4}$$
$$=-\frac{64}{3}+32=\mathbf{\frac{32}{3}}$$

3-1 **4, 4, 16**

3-2

주어진 곡선과 직선의 교점의 x좌표는

$-x^2+5x=ax$에서

$x^2+(a-5)x=0,\ x\{x+(a-5)\}=0$

$\therefore x=0$ 또는 $x=-a+5$

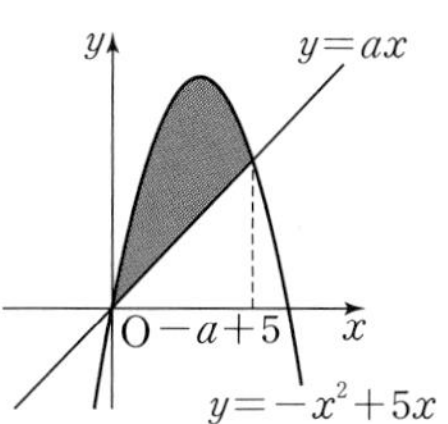

닫힌구간 $[0, -a+5]$에서 $-x^2+5x \geq ax$
따라서 도형의 넓이는

$$\int_0^{-a+5} \{(-x^2+5x)-ax\}dx$$
$$=\int_0^{-a+5} \{-x^2+(-a+5)x\}dx$$
$$=\left[-\frac{1}{3}x^3+\frac{1}{2}(-a+5)x^2\right]_0^{-a+5}$$
$$=-\frac{1}{3}(-a+5)^3+\frac{1}{2}(-a+5)^3$$
$$=\frac{1}{6}(-a+5)^3$$

이때 넓이가 $\frac{32}{3}$이므로

$\frac{1}{6}(-a+5)^3=\frac{32}{3}$, $(-a+5)^3=64$

$-a+5=4$ $\quad\therefore a=\mathbf{1}$

3-3

주어진 두 곡선 $y=-x^2-x+a$, $y=x^2+bx$가 모두 점 $(1, 4)$를 지나므로

$4=-1-1+a$, $4=1+b$

$\therefore a=6$, $b=3$

두 곡선 $y=-x^2-x+6$, $y=x^2+3x$의 교점의 x좌표는

$-x^2-x+6=x^2+3x$에서

$2x^2+4x-6=0$, $x^2+2x-3=0$

$(x+3)(x-1)=0$

$\therefore x=-3$ 또는 $x=1$

$y=x^2+3x$ y 6 O −3 1 x $y=-x^2-x+6$

닫힌구간 $[-3, 1]$에서 $-x^2-x+6 \geq x^2+3x$

따라서 구하는 넓이는

$$\int_{-3}^{1} \{(-x^2-x+6)-(x^2+3x)\}dx$$
$$=\int_{-3}^{1} (-2x^2-4x+6)dx$$
$$=\left[-\frac{2}{3}x^3-2x^2+6x\right]_{-3}^{1}$$
$$=\left(-\frac{2}{3}-2+6\right)-(18-18-18)$$
$$=\frac{10}{3}+18=\mathbf{\frac{64}{3}}$$

3-4

곡선 $y=x^2$과 직선 $y=4$의 교점의 x좌표는 $x^2=4$에서 $x=-2$ 또는 $x=2$

곡선 $y=4x^2$과 직선 $y=4$의 교점의 x좌표는 $4x^2=4$에서 $x^2=1$

$\therefore x=-1$ 또는 $x=1$

$y=4x^2$ y $y=x^2$ $y=4$ −2 −1 O 1 2 x

두 곡선 $y=x^2$, $y=4x^2$과 직선 $y=4$ 모두 y축에 대하여 대칭이고 닫힌구간 $[0, 1]$에서 $4x^2 \geq x^2$, 닫힌구간 $[1, 2]$에서 $4 \geq x^2$

따라서 구하는 넓이는

$$2\left\{\int_0^1 (4x^2-x^2)dx+\int_1^2 (4-x^2)dx\right\}$$
$$=2\left\{\int_0^1 3x^2dx+\int_1^2 (4-x^2)dx\right\}$$
$$=2\left(\left[x^3\right]_0^1+\left[4x-\frac{1}{3}x^3\right]_1^2\right)$$
$$=2\left[1+\left\{\left(8-\frac{8}{3}\right)-\left(4-\frac{1}{3}\right)\right\}\right]$$
$$=2\left(1+\frac{5}{3}\right)=\mathbf{\frac{16}{3}}$$

4주 5일 속도와 거리

개념 확인

| 본문 161, 163쪽 |

1-1

(1) $t=0$에서의 위치가 $x=0$이므로 $t=1$에서 점 P의 위치는

$$0+\int_0^1 (t-2)dt=\left[\frac{1}{2}t^2-2t\right]_0^1=\frac{1}{2}-2=\mathbf{-\frac{3}{2}}$$

(2) $t=2$에서 $t=3$까지 점 P의 위치의 변화량은

$$\int_2^3 (t-2)dt=\left[\frac{1}{2}t^2-2t\right]_2^3=\left(\frac{9}{2}-6\right)-(2-4)=\mathbf{\frac{1}{2}}$$

1-2

(1) $t=0$에서의 위치가 $x=0$이므로 $t=2$에서 점 P의 위치는

$$0+\int_0^2 (5-2t)dt=\left[5t-t^2\right]_0^2=10-4=\mathbf{6}$$

(2) $t=1$에서 $t=4$까지 점 P의 위치의 변화량은

$$\int_1^4 (5-2t)dt=\left[5t-t^2\right]_1^4=(20-16)-(5-1)=\mathbf{0}$$

2-1

(1) $t=0$에서의 위치가 $x=2$이므로 $t=2$에서 점 P의 위치는

$$2+\int_0^2 (t^2-1)dt=2+\left[\frac{1}{3}t^3-t\right]_0^2=2+\left(\frac{8}{3}-2\right)=\mathbf{\frac{8}{3}}$$

(2) $t=1$에서 $t=3$까지 점 P의 위치의 변화량은

$$\int_1^3 (t^2-1)dt=\left[\frac{1}{3}t^3-t\right]_1^3=(9-3)-\left(\frac{1}{3}-1\right)=\mathbf{\frac{20}{3}}$$

2-2

(1) $t=0$에서의 위치가 $x=5$이므로 $t=3$에서 점 P의 위치는

$$5+\int_0^3 (2t^2-4t)dt=5+\left[\frac{2}{3}t^3-2t^2\right]_0^3=5+(18-18)=\mathbf{5}$$

(2) $t=2$에서 $t=5$까지 점 P의 위치의 변화량은

$$\int_2^5 (2t^2-4t)dt=\left[\frac{2}{3}t^3-2t^2\right]_2^5$$
$$=\left(\frac{250}{3}-50\right)-\left(\frac{16}{3}-8\right)=\mathbf{36}$$

3-1

원점에서 출발하였으므로 위치의 변화량이 0이면 점 P의 위치가 원점이다.

점 P가 다시 원점을 통과하는 시각을 $t=a\,(a>0)$라 하면 $t=0$에서 $t=a$까지 점 P의 위치의 변화량은

$$\int_0^a (2t-6)dt=\left[t^2-6t\right]_0^a=a^2-6a$$

이때 $a^2-6a=0$이므로 $a(a-6)=0$

$\therefore a=6\ (\because a>0)$

따라서 점 P가 원점으로 돌아오는 데 걸리는 시간은 **6초**이다.

3-2

원점에서 출발하였으므로 위치의 변화량이 0이면 점 P의 위치가 원점이다.

점 P가 다시 원점을 통과하는 시각을 $t=a\,(a>0)$라 하면 $t=0$에서 $t=a$까지 점 P의 위치의 변화량은

$$\int_0^a (9-3t^2)dt=\left[9t-t^3\right]_0^a=9a-a^3$$

이때 $9a-a^3=0$이므로 $a(a+3)(a-3)=0$

$\therefore a=3\ (\because a>0)$

따라서 점 P가 원점으로 돌아오는 데 걸리는 시간은 **3초**이다.

4-1

(1) $v(t)=1-t$이므로

$0\le t\le 1$일 때 $v(t)\ge 0$, $1\le t\le 3$일 때 $v(t)\le 0$

따라서 $t=0$에서 $t=3$까지 점 P가 움직인 거리는

$$\int_0^3 |1-t|dt$$
$$=\int_0^1 (1-t)dt+\int_1^3 (-1+t)dt$$
$$=\left[t-\frac{1}{2}t^2\right]_0^1+\left[-t+\frac{1}{2}t^2\right]_1^3$$
$$=\left(1-\frac{1}{2}\right)+\left\{\left(-3+\frac{9}{2}\right)-\left(-1+\frac{1}{2}\right)\right\}$$
$$=\frac{1}{2}+2=\mathbf{\frac{5}{2}}$$

다른 풀이

넓이를 이용하여 구하면

$$\frac{1}{2}\times 1\times 1+\frac{1}{2}\times 2\times 2$$
$$=\frac{1}{2}+2$$
$$=\frac{5}{2}$$

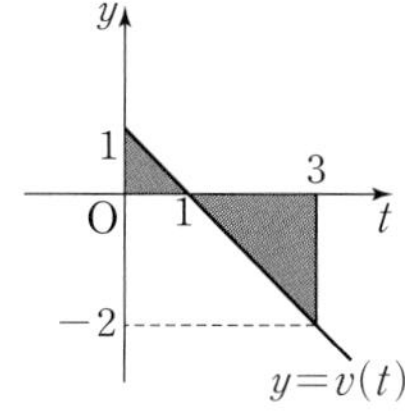

(2) $v(t)=t^2-2t-3=(t+1)(t-3)$이므로

$2\le t\le 3$일 때 $v(t)\le 0$, $3\le t\le 4$일 때 $v(t)\ge 0$

따라서 $t=2$에서 $t=4$까지 점 P가 움직인 거리는

$$\int_2^4 |t^2-2t-3|dt$$
$$=\int_2^3 (-t^2+2t+3)dt+\int_3^4 (t^2-2t-3)dt$$
$$=\left[-\frac{1}{3}t^3+t^2+3t\right]_2^3+\left[\frac{1}{3}t^3-t^2-3t\right]_3^4$$
$$=\left\{(-9+9+9)-\left(-\frac{8}{3}+4+6\right)\right\}+\left\{\left(\frac{64}{3}-16-12\right)-(9-9-9)\right\}$$
$$=\frac{5}{3}+\frac{7}{3}=\mathbf{4}$$

4-2

(1) $v(t)=t^2-4=(t+2)(t-2)$이므로

$1\le t\le 2$일 때 $v(t)\le 0$, $2\le t\le 3$일 때 $v(t)\ge 0$

따라서 $t=1$에서 $t=3$까지 점 P가 움직인 거리는

$$\int_1^3 |t^2-4|dt$$
$$=\int_1^2 (-t^2+4)dt+\int_2^3 (t^2-4)dt$$
$$=\left[-\frac{1}{3}t^3+4t\right]_1^2+\left[\frac{1}{3}t^3-4t\right]_2^3$$
$$=\left\{\left(-\frac{8}{3}+8\right)-\left(-\frac{1}{3}+4\right)\right\}+\left\{(9-12)-\left(\frac{8}{3}-8\right)\right\}$$
$$=\frac{5}{3}+\frac{7}{3}=\mathbf{4}$$

(2) $v(t)=2t-2t^2=2t(1-t)$이므로

$0\le t\le 1$일 때 $v(t)\ge 0$, $1\le t\le 2$일 때 $v(t)\le 0$

따라서 $t=0$에서 $t=2$까지 점 P가 움직인 거리는

$$\int_0^2 |2t-2t^2|dt$$
$$=\int_0^1 (2t-2t^2)dt+\int_1^2 (-2t+2t^2)dt$$
$$=\left[t^2-\frac{2}{3}t^3\right]_0^1+\left[-t^2+\frac{2}{3}t^3\right]_1^2$$
$$=\left(1-\frac{2}{3}\right)+\left\{\left(-4+\frac{16}{3}\right)-\left(-1+\frac{2}{3}\right)\right\}$$
$$=\frac{1}{3}+\frac{5}{3}=\mathbf{2}$$

5-1

(1) 물체가 최고 높이에 도달하였을 때 $v(t)=0$이므로

$30-10t=0 \qquad \therefore t=3$

따라서 물체가 최고 높이에 도달하는 시각은 **3초**이다.

(2) $t=0$일 때 지면으로부터의 높이는 3 m이므로 $t=3$일 때 지면으로부터의 높이는

$$3+\int_0^3 (30-10t)dt=3+\left[30t-5t^2\right]_0^3$$
$$=3+(90-45)=\mathbf{48\ (m)}$$

(3) $0 \le t \le 3$일 때 $v(t) \ge 0$, $3 \le t \le 4$일 때 $v(t) \le 0$

따라서 물체를 던진 후 4초 동안 물체가 움직인 거리는

$$\int_0^4 |30-10t|dt$$
$$=\int_0^3 (30-10t)dt+\int_3^4 (-30+10t)dt$$
$$=\Big[30t-5t^2\Big]_0^3+\Big[-30t+5t^2\Big]_3^4$$
$$=(90-45)+\{(-120+80)-(-90+45)\}$$
$$=45+5=\mathbf{50\ (m)}$$

5-2

(1) 물체가 최고 높이에 도달하였을 때 $v(t)=0$이므로

$50-10t=0 \qquad \therefore t=5$

따라서 물체가 최고 높이에 도달하는 시각은 **5초**이다.

(2) $t=0$일 때 지면으로부터의 높이는 15 m이므로 $t=5$일 때 지면으로부터의 높이는

$$15+\int_0^5 (50-10t)dt=15+\Big[50t-5t^2\Big]_0^5$$
$$=15+(250-125)=\mathbf{140\ (m)}$$

(3) $0 \le t \le 5$일 때 $v(t) \ge 0$, $5 \le t \le 7$일 때 $v(t) \le 0$

따라서 물체를 던진 후 7초 동안 물체가 움직인 거리는

$$\int_0^7 |50-10t|dt$$
$$=\int_0^5 (50-10t)dt+\int_5^7 (-50+10t)dt$$
$$=\Big[50t-5t^2\Big]_0^5+\Big[-50t+5t^2\Big]_5^7$$
$$=(250-125)+\{(-350+245)-(-250+125)\}$$
$$=125+20=\mathbf{145\ (m)}$$

기초 유형

| 본문 164, 165쪽 |

1-1 **3, 3, 14**

1-2

$v(t)=0$일 때 점 P가 움직이는 방향이 바뀌므로

$10-2t=0 \qquad \therefore t=5$

따라서 $t=5$에서 점 P의 위치는

$$2+\int_0^5 (10-2t)dt=2+\Big[10t-t^2\Big]_0^5$$
$$=2+(50-25)=\mathbf{27}$$

2-1 **6, 6, 27**

2-2

$v(t)=0$일 때 열차가 정지하므로

$24-2t=0 \qquad \therefore t=12$

$0 \le t \le 12$일 때 $v(t) \ge 0$

따라서 $t=0$에서 $t=12$까지 열차가 움직인 거리는

$$\int_0^{12} |24-2t|dt=\int_0^{12} (24-2t)dt$$
$$=\Big[24t-t^2\Big]_0^{12}=288-144=\mathbf{144\ (m)}$$

2-3

원점에서 출발하였으므로 위치의 변화량이 0이면 점 P의 위치가 원점이다.

점 P가 다시 원점을 통과하는 시각을 $t=a\,(a>0)$라 하면 $t=0$에서 $t=a$까지 점 P의 위치의 변화량은

$$\int_0^a (9-3t)dt=\Big[9t-\frac{3}{2}t^2\Big]_0^a=9a-\frac{3}{2}a^2$$

이때 $9a-\frac{3}{2}a^2=0$이므로 $\frac{3}{2}a(6-a)=0$

$\therefore a=6\ (\because a>0)$

$0 \le t \le 3$일 때 $v(t) \ge 0$, $3 \le t \le 6$일 때 $v(t) \le 0$

따라서 $t=0$에서 $t=6$까지 점 P가 움직인 거리는

$$\int_0^6 |9-3t|dt=\int_0^3 (9-3t)dt+\int_3^6 (-9+3t)dt$$
$$=\Big[9t-\frac{3}{2}t^2\Big]_0^3+\Big[-9t+\frac{3}{2}t^2\Big]_3^6$$
$$=\Big(27-\frac{27}{2}\Big)+\Big\{(-54+54)-\Big(-27+\frac{27}{2}\Big)\Big\}$$
$$=\frac{27}{2}+\frac{27}{2}=\mathbf{27}$$

3-1 **8, 2, 5**

3-2

오른쪽 그림과 같이 넓이를 S_1, S_2, S_3이라 하면

$S_1=\frac{1}{2}\times2\times2=2$, $S_2=\frac{1}{2}\times1\times2=1$,

$S_3=1\times2=2$

따라서 $t=0$에서 $t=4$까지 점 P가 움직인 거리는

$$\int_0^4 |v(t)|dt=S_1+S_2+S_3$$
$$=2+1+2=\mathbf{5}$$

참고 원점을 출발하여 수직선 위를 움직이는 점 P의 시각 t에서의 속도를 $v(t)$라 할 때, 오른쪽 그림과 같이 $y=v(t)$의 그래프와 t축으로 둘러싸인 도형의 넓이를 각각 S_1, S_2라 하면 $t=0$에서 $t=b$까지 점 P의 위치의 변화량과 움직인 거리는 각각 다음과 같다.

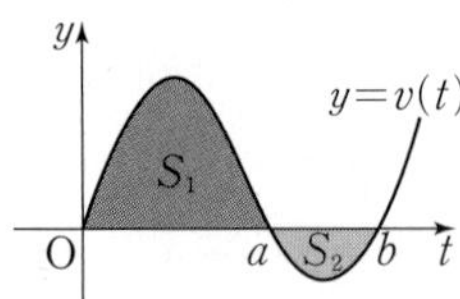

❶ (위치의 변화량)$=\int_0^b v(t)dt=\int_0^a v(t)dt+\int_a^b v(t)dt$
$=S_1-S_2$

❷ (움직인 거리)$=\int_0^b |v(t)|dt=\int_0^a v(t)dt+\int_a^b \{-v(t)\}dt$
$=S_1+S_2$

3-3

$\int_2^3 |v(t)|dt=S_1$, $\int_3^5 |v(t)|dt=S_2$라 하면

$\int_2^5 |v(t)|dt=\int_2^3 |v(t)|dt+\int_3^5 |v(t)|dt$에서

$4=S_1+S_2$ ……㉠

$t=3$에서 점 P의 위치는

$\int_0^3 v(t)dt=\int_0^2 v(t)dt+\int_2^3 v(t)dt=4-S_1$

이때 $4-S_1=3$이므로 $S_1=1$

이것을 ㉠에 대입하면 $S_2=3$

따라서 $t=3$에서 $t=5$까지 점 P가 움직인 거리는

$\int_3^5 |v(t)|dt=S_2=\mathbf{3}$

누구나 100점 테스트

본문 166, 167쪽

1 답 ②

$\int_0^2 (6x^2-x)dx=\left[2x^3-\frac{1}{2}x^2\right]_0^2=16-2=14$

2 답 **14**

$f(x)=\frac{d}{dx}\int_1^x (t^3+2t+5)dt=x^3+2x+5$이므로

$f'(x)=3x^2+2 \qquad \therefore f'(2)=12+2=14$

3 답 **86**

$\int_1^3 (4x^3-6x+4)dx+\int_1^3 (6x-1)dx$

$=\int_1^3 \{(4x^3-6x+4)+(6x-1)\}dx$

$=\int_1^3 (4x^3+3)dx$

$=\left[x^4+3x\right]_1^3$

$=(81+9)-(1+3)$

$=90-4=86$

4 답 ①

$\int_0^1 (4x-3)dx+\int_1^k (4x-3)dx=\int_0^k (4x-3)dx$

$=\left[2x^2-3x\right]_0^k=2k^2-3k$

이때 $2k^2-3k=0$이므로 $k(2k-3)=0 \qquad \therefore k=\frac{3}{2}\ (\because k>0)$

5 답 ④

$\int_{-3}^3 (x^3+4x^2)dx+\int_3^{-3} (x^3+x^2)dx$

$=\int_{-3}^3 (x^3+4x^2)dx-\int_{-3}^3 (x^3+x^2)dx$

$=\int_{-3}^3 \{(x^3+4x^2)-(x^3+x^2)\}dx$

$=\int_{-3}^3 3x^2dx=2\int_0^3 3x^2dx$

$=2\left[x^3\right]_0^3=2\times27=54$

6 답 ①

$\int_0^1 tf(t)dt=k$ (k는 상수) ……㉠

로 놓으면 $f(x)=x^2-2x+k$

$f(t)=t^2-2t+k$를 ㉠에 대입하면

$\int_0^1 tf(t)dt=\int_0^1 t(t^2-2t+k)dt$

$=\int_0^1 (t^3-2t^2+kt)dt$

$=\left[\frac{1}{4}t^4-\frac{2}{3}t^3+\frac{k}{2}t^2\right]_0^1$

$=\frac{1}{4}-\frac{2}{3}+\frac{k}{2}=-\frac{5}{12}+\frac{k}{2}$

즉, $-\frac{5}{12}+\frac{k}{2}=k$이므로 $k=-\frac{5}{6}$

따라서 $f(x)=x^2-2x-\frac{5}{6}$이므로

$f(3)=9-6-\frac{5}{6}=\frac{13}{6}$

7 답 **301**

주어진 등식의 양변을 x에 대하여 미분하면

$f(x)=3x^2+1$

$\therefore f(10)=3\times10^2+1=301$

8 답 ⑤

주어진 함수의 그래프와 x축의 교점의 x좌표는 $x^3-9x=0$에서

$x(x+3)(x-3)=0$

$\therefore x=-3$ 또는 $x=0$ 또는 $x=3$

닫힌구간 $[-3, 0]$에서 $x^3-9x\geq0$,

닫힌구간 $[0, 3]$에서 $x^3-9x\leq0$

따라서 구하는 넓이는

$\int_{-3}^3 |x^3-9x|dx=\int_{-3}^0 (x^3-9x)dx+\int_0^3 (-x^3+9x)dx$

$=\left[\frac{1}{4}x^4-\frac{9}{2}x^2\right]_{-3}^0+\left[-\frac{1}{4}x^4+\frac{9}{2}x^2\right]_0^3$

$=-\left(\frac{81}{4}-\frac{81}{2}\right)+\left(-\frac{81}{4}+\frac{81}{2}\right)$

$=\frac{81}{4}+\frac{81}{4}=\frac{81}{2}$

9 답 ③

주어진 곡선과 직선의 교점의 x좌표는

$x^2=ax$에서 $x^2-ax=0$, $x(x-a)=0$

$\therefore x=0$ 또는 $x=a$

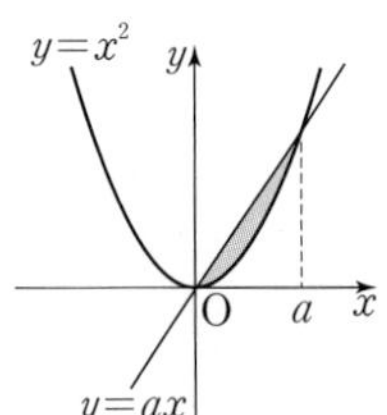

닫힌구간 $[0, a]$에서 $ax\ge x^2$

따라서 구하는 넓이는

$$\int_0^a (ax-x^2)dx=\left[\frac{a}{2}x^2-\frac{1}{3}x^3\right]_0^a$$

$$=\frac{a^3}{2}-\frac{a^3}{3}=\frac{a^3}{6}$$

10 답 ③

$v(t)=2t-6$이므로 $3\le t\le k$일 때 $v(t)\ge 0$

따라서 $t=3$에서 $t=k$까지 점 P가 움직인 거리는

$$\int_3^k |2t-6|dt=\int_3^k (2t-6)dt=\left[t^2-6t\right]_3^k$$

$$=(k^2-6k)-(9-18)=k^2-6k+9$$

이때 $k^2-6k+9=25$이므로

$k^2-6k-16=0$, $(k+2)(k-8)=0$

$\therefore k=8$ ($\because k>3$)

창의 · 융합 · 코딩

본문 168~173쪽

정답 $\frac{64}{3}$ m^2

어느 공원에서 한 변의 길이가 8 m인 정사각형 모양의 땅에 다음 그림과 같은 모양으로 튤립과 잔디를 심어 정원을 꾸미려고 한다. 튤립을 심을 부분과 잔디를 심을 부분의 경계가 포물선의 일부일 때,❶ 잔디를 심을 부분의 넓이를 구하시오.❷

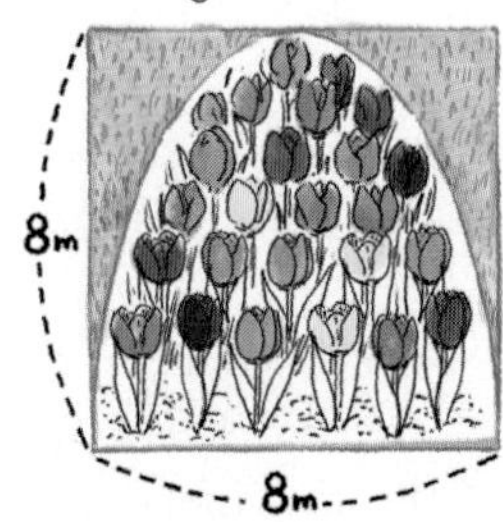

❶ 포물선의 방정식을 구하여 튤립을 심을 부분의 넓이를 구한다.

❷ 잔디를 심을 부분의 넓이를 구한다.

❶ 포물선의 방정식을

$y=a(x-4)^2+8$ $(a<0)$이라 하면

주어진 그래프가 점 $(0, 0)$을 지나므로

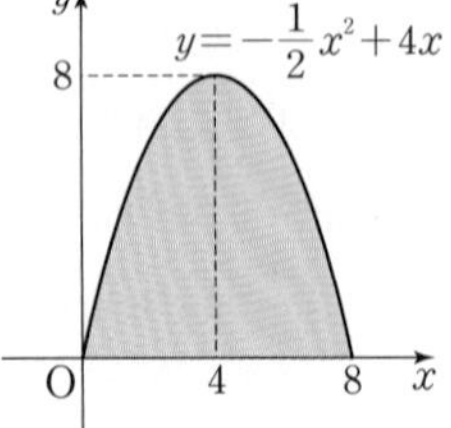

$0=16a+8$에서 $a=-\frac{1}{2}$

$\therefore y=-\frac{1}{2}(x-4)^2+8$

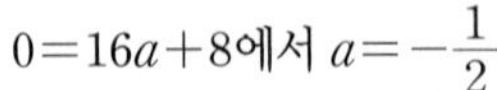

$=-\frac{1}{2}x^2+4x$ $(0\le x\le 8)$

튤립을 심을 부분의 넓이는

$$\int_0^8\left(-\frac{1}{2}x^2+4x\right)dx=\left[-\frac{1}{6}x^3+2x^2\right]_0^8$$

$$=-\frac{256}{3}+128=\frac{128}{3}$$

❷ 따라서 잔디를 심을 부분의 넓이는

$8\times 8-\frac{128}{3}=\frac{64}{3}$ (m^2)

1 답 **2, 1, −2**

2 답 **9**

❶ 함수 $y=f(x)$의 그래프는 $y=4x^3-12x^2$의 그래프를 y축의 방향으로 k만큼 평행이동한 것이므로

$f(x)=4x^3-12x^2+k$

❷ $\int_0^3 f(x)dx=\int_0^3 (4x^3-12x^2+k)dx$

$=\left[x^4-4x^3+kx\right]_0^3$

$=81-108+3k$

$=3k-27$

이때 $3k-27=0$이므로 $k=9$

3 답 **21**

❶ $\lim_{x\to\infty}\frac{f(x)+f(-x)}{x^2}=3$이므로 $f(x)+f(-x)$는 최고차항의 계수가 3인 이차식이다.

$f(x)+f(-x)=3x^2+ax+b$ (a, b는 상수)로 놓으면

$f(x)+f(-x)$는 홀수 차수의 항을 갖지 않으므로 $a=0$

$f(0)=-1$이므로 $f(0)+f(0)=b=-2$

$\therefore f(x)+f(-x)=3x^2-2$

❷ 한편 다항함수 $f(x)$에 대하여

$f(x)=a_nx^n+a_{n-1}x^{n-1}+\cdots+a_1x+a_0$

(n은 자연수, a_0, a_1, a_2, $\cdots$, a_n은 실수)

라 하면

$f(-x)=a_n(-x)^n+a_{n-1}(-x)^{n-1}+\cdots+a_1(-x)+a_0$

이때 n이 홀수이면 $\int_{-3}^3 x^n dx=0$이므로

$\int_{-3}^3 f(x)dx=\int_{-3}^3 f(-x)dx$

따라서 $\int_{-3}^3 \{f(x)+f(-x)\}dx=2\int_{-3}^3 f(x)dx$이므로

$\int_{-3}^3 f(x)dx=\frac{1}{2}\int_{-3}^3 \{f(x)+f(-x)\}dx$

$=\frac{1}{2}\int_{-3}^3 (3x^2-2)dx$

$=\int_0^3 (3x^2-2)dx$

$=\left[x^3-2x\right]_0^3$

$=27-6=21$

4 답 **−2, −2, 16**

5 답 $\frac{3}{2}$

❶ $f'(x)=x^2-1$이므로

$f(x)=\int(x^2-1)dx=\frac{1}{3}x^3-x+C$

❷ 이때 $f(0)=0$이므로 $C=0$

$\therefore f(x)=\frac{1}{3}x^3-x$

곡선 $y=f(x)$와 x축의 교점의 x좌표는

$\frac{1}{3}x^3-x=0$에서 $\frac{1}{3}x(x+\sqrt{3})(x-\sqrt{3})=0$

$\therefore x=-\sqrt{3}$ 또는 $x=0$ 또는 $x=\sqrt{3}$

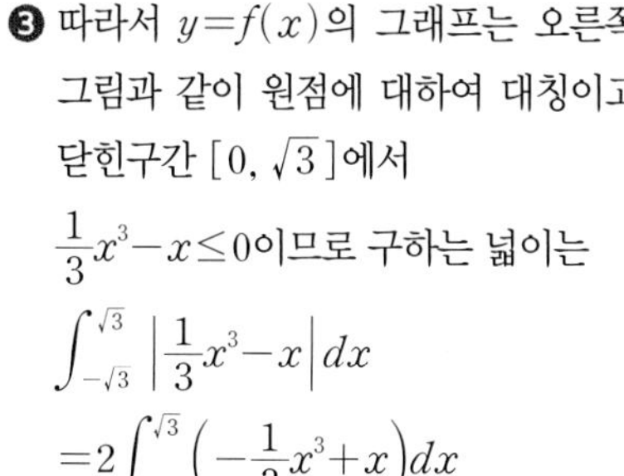

❸ 따라서 $y=f(x)$의 그래프는 오른쪽 그림과 같이 원점에 대하여 대칭이고 닫힌구간 $[0, \sqrt{3}]$에서

$\frac{1}{3}x^3-x\le 0$이므로 구하는 넓이는

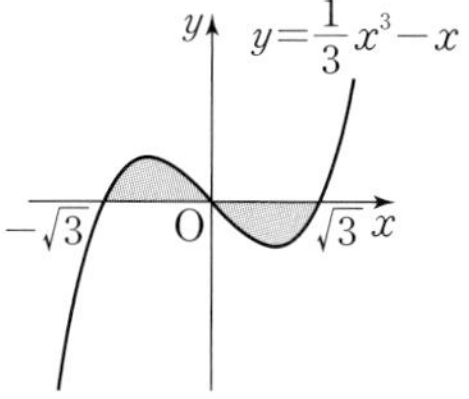

$\int_{-\sqrt{3}}^{\sqrt{3}}\left|\frac{1}{3}x^3-x\right|dx$

$=2\int_0^{\sqrt{3}}\left(-\frac{1}{3}x^3+x\right)dx$

$=2\left[-\frac{1}{12}x^4+\frac{1}{2}x^2\right]_0^{\sqrt{3}}$

$=2\left(-\frac{3}{4}+\frac{3}{2}\right)=\frac{3}{2}$

6 답 $\frac{8}{3}$

❶ $x>0$일 때, 함수 $y=ax^2+2$와 $y=2|x|$의 그래프가 점 B에서 접하므로 $ax^2+2=2x$, 즉 $ax^2-2x+2=0$에서 이차방정식 $ax^2-2x+2=0$이 중근을 갖는다.

따라서 이차방정식 $ax^2-2x+2=0$의 판별식을 D라 하면

$\frac{D}{4}=(-1)^2-a\times 2=0$

$2a-1=0 \qquad \therefore a=\frac{1}{2}$

❷ 함수 $y=\frac{1}{2}x^2+2$와 $y=2x$의 그래프의 교점의 x좌표는

$\frac{1}{2}x^2+2=2x$에서 $x^2-4x+4=0$

$(x-2)^2=0 \qquad \therefore x=2$

즉, 점 B의 x좌표는 2이다.

❸ 함수 $y=\frac{1}{2}x^2+2$와 $y=2|x|$의 그래프가 각각 y축에 대하여 대칭이고 닫힌구간 $[0, 2]$에서 $\frac{1}{2}x^2+2\ge 2x$이므로 구하는 넓이는

$2\int_0^2\left\{\left(\frac{1}{2}x^2+2\right)-2x\right\}dx=2\int_0^2\left(\frac{1}{2}x^2-2x+2\right)dx$

$=2\left[\frac{1}{6}x^3-x^2+2x\right]_0^2$

$=2\left(\frac{4}{3}-4+4\right)=\frac{8}{3}$

memo

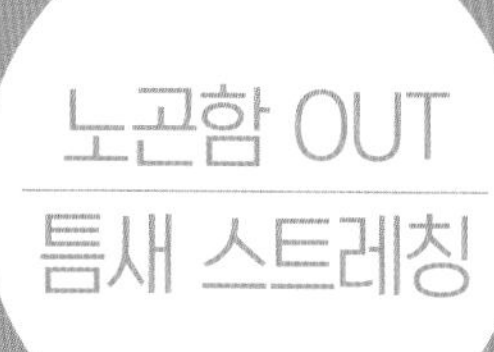

거북목은 이제 안녕~!
목 스트레칭

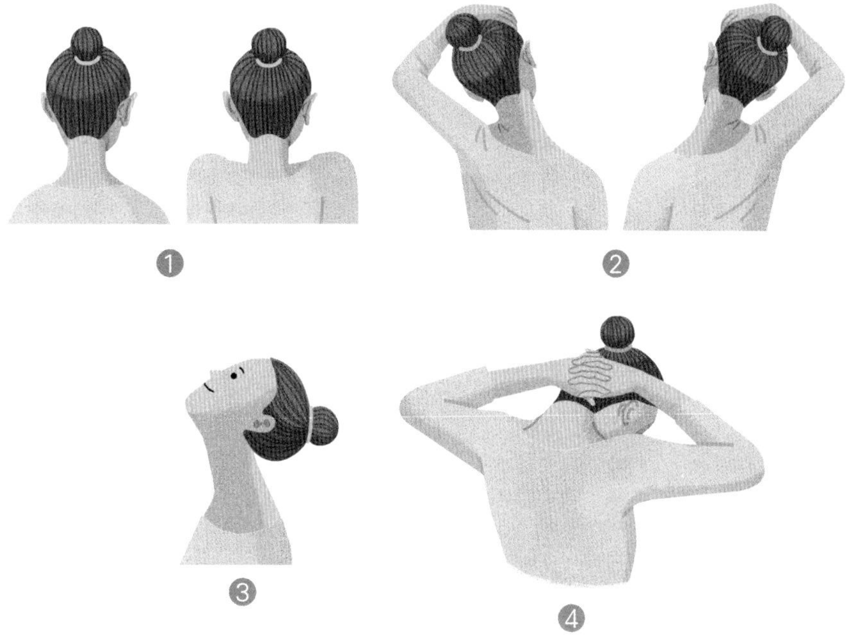

스마트폰 이용 시간이 갈수록 길어지면서, 거북목으로 고생하는 사람이 늘어나고 있습니다. 거북목이 심해지면 관절염은 물론 호흡기 계통의 질병도 생길 수 있다고 해요. 주기적인 스트레칭으로 목 건강을 지켜 주세요.

❶ 어깨에 힘을 빼고 위로 올렸다, 아래로 떨어뜨리기를 3회 정도 반복해 주세요.

❷ 척추를 바르게 펴고, 고개를 왼쪽으로 젖혀 줍니다. 10초 정도 유지한 다음, 오른쪽도 똑같이 반복해 주세요.

❸ 고개를 천천히 뒤로 젖혀 줍니다. 10초 동안 유지합니다.

❹ 두 손으로 깍지를 끼고, 목을 앞으로 굽힌 후 목덜미를 지그시 눌러 주세요. 목이 아프고 뻐근할 때마다 위 과정을 반복하시면 됩니다.

정답은
이안에
있어!